John J. Mearsheimer

LIDDELL HART AND THE WEIGHT OF HISTORY

李德·哈特
与历史之重

[美] 约翰·米尔斯海默 —— 著

齐皓 —— 译

上海人民出版社

目 录

前　　言

　　巴兹尔·亨利·李德·哈特爵士(1895—1970年)是将近半个世纪以来英语世界中最为重要的军事和战略问题作家。这本书描述并评价了他在20世纪20年代和30年代发展的军事理论,并且重新评估他的一个被广为接受的解释,即有关这些理论如何在第二次世界大战前的英国和德国被接纳。因此本书主要涉及的是军事历史和安全事务,当然还有其他的一些话题,包括知识和思想的起源和发展,也就是有关知识的社会学。

　　首先,《李德·哈特与历史之重》将探求一位军事思想家的思想起源。这些思想在今天仍具影响力,它们是具体历史背景下的产物。对于李德·哈特那一代的英国人来说,第一次世界大战是一个分水岭,随着他对那场战争的解释发生变化,他的思想也发生了巨大变化。希特勒的崛起以及英国军事政策中的问题也影响了他的思想变化。简言之,尽管他的理论在今天得到普遍应用,但它们是在特定的历史环境中被塑造出来的,要应用到当今的安全问题时需要谨慎对待。

　　其次,这本书还涉及历史是如何被书写以及如何被扭曲的。在第二次世界大战后,对于欧洲战前军事思想的发展和哈特本人在这些发展中的作用,李德·哈特在塑造对这些问题的传统认知方面发挥了关键作用。事实上,他对 20 世纪 30 年代一些基础军事问题的观点存在严重错误,并且他的作品使得英国政府犯下了严重的错误。在战争期间,这些错误广为人知,严重损害了他的声誉。但是在战争之后,他用一些所谓的成就成功地取代了人们对他过去所犯错误的记忆。到 20 世纪 60 年代末,他被普遍看作一个先知,而他之前具有先见之明的建议都被悲剧性地忽视了。我试图更正历史记录并描述李德·哈特如何恢复他受损的声誉。

我是在为撰写《常规威慑论》一书进行研究时对李德·哈特产生兴趣的。从他具有激励性的著作中我受益匪浅,并且我将他的著作视为严肃的战略和战争问题研究者的必读物。但是起初,我却认为对哈特的普遍看法是有问题的。我开始撰写一篇有关他思想发展的专题论文,更好地解释他的观点并对已有记录作出一些细微的更正。但是随着研究的深入,我很快发现,关于他的思想的传统认知比我之前认识到的存在更多的错误。除此之外,关于哈特如何能够扭曲历史记录的细节研究十分丰富,并且保存完好,因此我可以详细地重构关于他的故事。这本书就是我的研究成果。我希望通过更正这些历史记录,让其他的军事历史和战略研究者了解这位重要思想家的著作中具有永久性价值的部分。

没有一些重要机构的支持,这本书将难以完成。我非常感谢美国哲学学会、约翰·D.和凯瑟琳·T.麦克阿瑟基金会以及芝加哥大学社会科学研究委员会对这个项目的资助,使得我可以去伦敦进行深入的档案研究,并且也让我能够从教学中抽出时间进行研究和写作。

尽管学术写作大部分是依靠个人努力,但是其他同事的一些重要的评论对改进最终的作品有很大帮助。在这方面,很多学者和朋友阅读了不同版本的手稿并提出了重要的建议,他们是理查德·贝茨(Richard Betts)、迈克尔·布朗(Michael Brown)、奥德丽·库尔思·克罗宁(Audrey Kurth Cronin)、约瑟夫·格里科(Joseph

Grieco)、莫里斯・贾诺威茨（Morris Janowitz）、罗伯特・杰维斯（Robert Jervis）、詹姆斯・刘易斯（James Lewis）、罗伯特・利特瓦克（Robert Litwak）、蒂莫西・路普弗（Timothy Lupfer）、迈克尔・麦凯布（Michael McCabe）、史蒂文・米勒（Steven Miller）、罗伯特・佩普（Robert Pape）、巴里・波森（Barry Posen）、杰克・斯奈德（Jack Snyder）、休・斯特罗恩（Hew Strachan）、威廉・特雷奥特（William Tetreault）、马克・特拉亨伯格（Marc Trachtenberg）和斯蒂芬・沃尔特（Stephen Walt）。我非常感谢他们的帮助。同时我也感谢康奈尔大学出版社的珍妮特・梅斯（Janet Mais）和罗杰・海顿（Roger Hayton）在编辑方面提供的帮助。

我还要特别感谢罗伯特・阿特（Robert Art），他不仅提供了细致的评论，而且对本书最后的结构给出了极好的建议。我也要特别感谢布赖恩・邦德，他对两次修改的手稿提出了细致的评论，并且在很多不同场合花时间解答我关于李德・哈特的大量问题。我尤其感激我的妻子玛丽，她以多种方式帮助我。她针对每一稿提出了大量的评论，并且在打字和校对这些普通但又非常重要的小事上提供了重要的帮助。最重要的是，她理解我为什么在周末、晚上和假期抽出如此多的时间撰写这本书。

我最感谢的人是斯蒂芬・范・埃弗拉（Stephen Van Evera），他对学术的献身精神超出我了解的任何学者，他对很多版的手稿提出了大量的评论，并且敦促我关注了一些我可能会忽视的议题。他为本书的编辑发挥了巨大作用。他还是外在鼓励的不竭来源，他对这本书研究价值的持续信心帮助我保持写作动力，即使是在遭遇困难的时候。我很难再找到像他这样好的朋友和学者。

由于这本书中的观点在很大程度上依靠档案，我得到很多一流研究助理的帮助，他们是西恩・哈特（Sean Harte）、拉尔夫・因福尔扎托（Ralph Inforzatto）、詹姆斯・马奎特（James Marquardt）、肯尼思・摩尔（Kenneth Moore）、拉德・拉多维奇（Rade Radovich）、丹尼・罗伊

(Denny Roy)、罗斯·韦纳(Ross Weiner),尤其是弗朗西斯·加文 (Francis Gavin)。另外,皇家联合服务机构(the Royal United Services Institution)的菲利普·麦卡蒂多次帮助我找到一些不出名的文章。 我对所有这些人的帮助表示感谢。

我花费了大量时间在伦敦大学国王学院的李德·哈特军事档案 中心,我对这个中心的档案保管员帕特里夏·梅思文(Patricia J. Metheven)以及其他工作人员的友好和帮助表示感谢。最后,我对 这个中心的托管人表示感谢,他们允许我大量引用李德·哈特的 文章。

约翰·米尔斯海默
芝加哥,伊利诺伊

除了基于真实的经验，我们无法建构真实的战争学说，而经验是否真实取决于是否基于事实，事实需要以纯粹的科学精神进行探索，那是一种完全超然的、探索真相的决心，无论这将如何损害我们的自尊，以上这些仅仅是常识。很多的军事历史学家都承认他们由于受到地位、利益和友情的影响放弃了他们对真理的坚持。一个人一旦屈服于这种倾向，真理就会像水排出污水管一样流走，导致那些想要学习在未来如何进行战争的人变得肤浅却不自知。

李德·哈特，1933 年

第一章
引言：重新评估的必要

巴兹尔·亨利·李德·哈特爵士 1970 年去世时，他是世界上最为著名并且广受尊敬的军事历史学家和理论家，并且在今天仍然如此。学者、政治家和军官们对他大加赞赏，牛津大学已故教授、国际战略研究所的第一任所长阿拉斯泰尔·巴肯（Alastair Buchan）称他是"机械化时代最为重要的军事思想家，并且明确地预见到内燃机和飞机对战争的影响"；英国的军事史学家迈克尔·霍华德（Michael Howard）称他是"本世纪（20 世纪）最伟大的战争思想家"；A. J. P.泰勒（Taylor）将他描述为"这个时代最令人敬畏的军事作家"。美国历史学家杰伊·卢瓦斯（Jay Luvaas）称他是"现代史上知识最渊博、最具创造性和最有影响力的军事思想家之一"；约翰·F.肯尼迪（John F. Kennedy）在成为总统之前写道："没有其他的军事问题专家可以获得更多的关注……在两代人的时间里，他罕有地将专业知识和充满想象力的洞见结合在一起研究战争与和平问题。他的预测和警告经常是正确的。"[1]

一些著名的德国和以色列的军事指挥官也给予他类似的称赞，并且将他们在战场上的成就归功于他。20 世纪 30 年代德国装甲力量的推动者和在第二次世界大战中这些强大部队的指挥官海因茨·古德里安（Heinz Guderian）称自己是"在坦克战术上李德·哈特的信徒"。另一位德国装甲部队的将军,哈索·冯·曼陀菲尔(Hasso Von Manteuffel)称李德·哈特为"现代坦克战略的创始人"。以色列军队的塑造者之一,伊加尔·阿隆(Yigal Allon)称他是"将军们的上尉老师";阿里尔·沙龙(Ariel Sharon)在他的一张照片上题写"我们所有人最伟大的老师"。[2]

巴兹尔·哈特 1895 年 10 月 31 日出生在巴黎。他的父亲来自一个名为康沃尔郡的家族,这个家族的一部分在循道卫理运动(Methodist movement)开始时离开英格兰教会。他曾经选择在卫理会任神职,后来在法国的一个使用英国国教礼仪的卫斯理教会布道。在巴兹尔出生的时候,他的父亲转到巴黎另一个类似的、为众多新教徒服务的教会工作。在世纪之交后不久,他的家族又回到英格兰,在那里,他过着一个典型的爱德华时代中上阶层的生活,他去公立学校(圣保罗学校,他的家族与卫斯理和圣公会关系密切)接受教育,在那里他是一个好学生,但不是十分出色。他的早期兴趣包括军事战术、历史、体育和航空。在他快过 19 岁生日并且即将开始在剑桥大学读历史专业二年级的时候,第一次世界大战爆发了。他满腔热情地参军,在 1914 年 12 月成为皇家约克郡轻步兵的一名中尉。他之后再也没有回到剑桥完成他的学业。[3]

在 1915 年秋季,他被派遣到法国参加战斗。在接下来的一年中,他三次在前线参加战斗。他在战区的前两次经历相对平常,但是最后一次他参加了著名的 1916 年索姆河战役,在这场战役的第一天,英国军队就有 6 000 人伤亡。在战役的第三周,他中毒严重并被送回英国,在那里他主要负责为西线训练步兵。

在战争结束后不久,他就开始进行军事问题写作,开启了他引人注目的持续 50 年的写作生涯。直到 1924 年他才离开军队,由于心脏有问题他被迫退役。[4]在那之后不久,他成了《每日电讯报》的军事记者,在这个位置上一直干到 1935 年,直到转到更著名的《泰晤士报》工作。在那里,他一直工作到第二次世界大战爆发。除了报纸专栏之外，他还撰写了很多书和杂志文章，包括有关步兵战术、装甲战略和大战略方面一些重要的、具有创新性的作品。[5]

李德·哈特的作品使其很快声名远播，他成为英国在战争期间最为著名和令人尊敬的军事评论家。与伍德罗·威尔逊关系紧密的私人顾问爱德华·豪斯（Edward M. House）上校在 1933 年称他是"世界上最重要的军事评论家"。同一年早些时候，著名的第一次世界大战将军伊恩·汉密尔顿爵士（Ian Hamilton）将他称为"我们时代最有远见并且激发思考的军事作家"。第一次世界大战时期的英国首相戴维·劳合·乔治（David Lloyd George）将他视为"关于现代战争的最高权威，并且能见到他是一种荣幸"。按照著名的小说家和历史学家约翰·巴肯（John Buchan）的描述："他不仅是关于作战的历史学家，而且是一个理解人类冲突根源的哲学家。没有人可以如此勇敢并准确地解读第一次世界大战的教训。"在 20 世纪 30 年代，他被称为自克劳塞维茨以来最为重要的思想家，或者有时被称为"20世纪的克劳塞维茨"。[6]

这些声誉帮助李德·哈特能够接触到政府高级官员，使他可以在英国的军事决策中发挥重要作用。尽管在 30 年代，他没有担任任何官方职位，但他与英国关键的决策者保持着密切的联系，这些决策者在 1933 年之后最为关切的就是如何对付希特勒。具体来说，英国人争论是否要建立大规模的军队帮助法国抵御德国进攻。李德·哈特坚决反对建立可以在欧洲大陆进行战斗的军队，他尽全力并且成功地使官方接受他的观点。他在《泰晤士报》的专栏，以及很多文章和专著中阐述自己的观点，并且与英国的高级官员进行协商，其中最著名的是莱斯利·霍尔-贝利沙（Leslie Hore-Belisha）。内维尔·张伯伦（Neville Chamberlain）在 1937 年 5 月就任英国首相时，任命霍尔-贝利沙为战争大臣。哈特在这之后就成为霍尔-贝利沙的私人顾问，而贝利沙对军事事务知之甚少。因此，在 1937 年 5 月到 12 月这段时间里，张伯伦政府在进行一些战争期间最为重要的大战略决策时,李德·哈特都能够影响政府中一位主要决策者的思维。除此之外,他还能接触到很多其他关键人物。

在第二次世界大战期间,李德·哈特的名声严重受损,并且这一情况一直持续到1950年。[7]他对战争开始几场战役的预测被证明是完全错误的:他完全没有预料到德国"闪电战"的成功。他给张伯伦政府不要建立英国陆军的政策建议也被证明产生了灾难性的后果。在战争期间的英国,他一直呼吁与希特勒协商解决问题,这使他的形象进一步受损。结果是他被排除在决策圈之外,并且开始经历他人生中最为黑暗的时期。当德国侵略波兰的时候,他才43岁,以他在30年代取得的卓越成就,他本可以处于或接近战时英国的决策中心,但却只能被边缘化。在1950年之后,他的声誉又得到显著的恢复,到60年代中期,他又再次被称赞为一个杰出的战略家和政策顾问。他错误的预测和政策建议已经被大部分人遗忘,相反,他被赞誉为预见到30年代灾难并发出警告的先知。

从法国沦陷到他20世纪70年代去世的三十年中,他依靠写作和讲座谋生。在这些年里,他没有在任何报纸有正式的职位,也很少为政府官员提供咨询或者担任政府中的正式职位。然而,他过去和当前关于军事问题的作品使他继续为更多的读者所知。他留下了大量关于军事问题不同方面的作品,包括两次世界大战的历史细节,[8]法国元帅马歇尔·费迪南德·福煦(Marshal Ferdinand Foch)和威廉·谢尔曼将军(William T. Sherman)的传记,[9]英国装甲力量发展的全面描述,[10]以及一本关于德国将军回顾第二次世界大战的著作。[11]另外,他还编辑了埃尔温·隆美尔(F.M. Erwin Rommel)的私人文件,并且还撰写了一部长篇的劳伦斯(T.E. Lawrence)传记。[12]他还是一个具有创新性和影响力的军事理论家,撰写了大量关于步兵战术、装甲战略和大战略的作品。除这些外,哈特还参与了早期核威慑理论的发展。[13]事实上,他还是50年代大规模报复理论的主要批评者。他还写了很多关于北约战略的文章。[14]通过这些作品,李德·哈特一直对西方战略思想有重要影响。

这本书有四个目的。第一个目标是描述并评价李德·哈特的军事思想。在两场战争之间，他发展出五个重要的军事观念。无论在防御还是进攻方面，他在第一次世界大战之后不久创造的步兵战术理论与德国陆军在战争后期引入的著名的步兵战术十分相似。有证据表明，他的理论是从德国的经验中借鉴的。他经常被认为闪电战之父，但事实上，关于这个战略他的作品很少。我们还知道是富勒（J.F.C. Fuller）使李德·哈特相信坦克对战争产生了革命化的影响，而哈特早期关于闪电战的大部分思考来源于富勒的作品。他在 1925年至 1931 年间发展出的著名的间接路径（indirect approach）理论常常和闪电战联系在一起，但李德·哈特的本来意图是将之作为装甲战略的替代方案，目的是在不派出陆军的情况下打败欧洲大陆的敌人。事实上，哈特最初将间接路径等同于一个杜黑式（Douhet-like）的概念，即通过对敌人的国家进行大规模空袭迫使它投降。战争中的英国方式是哈特创造的第四个理念，事实上是间接路径的另一个变种。这一理念提倡使用英国的海军力量对大陆敌人进行封锁，迫使它们屈服。最后一个是李德·哈特对装甲战中防御优势（superiority of defense）的论证。[15] 不为大众所知的是，他在 30 年代中期放弃了闪电战理论，开始持相反的观点，即使拥有大量的坦克，进攻方也不大可能在战场上获胜。

本书的第二个目标是解释哈特的观念是如何发展出来的：他的战术、战略和大战略思想形成背后的原因是什么？在第一次世界大战结束后不久，他将这场冲突视为由杰出的英国将军进行的一项崇高事业。但在 30 年代早期，他又变成这场战争特别是英国将军的主要批评者。他的观点发生变化，认为英国将军是一群无能之辈，这直接影响了他在一个关键问题上的立场，即如果再次面对一个具有侵略性的欧洲大陆的敌人，英国是否应该致力于建设一支庞大的陆军在欧洲大陆战斗。哈特越是蔑视英国的军事力量，就越是反对所谓的大陆承诺。他对这项承诺的思考反过来直接影响了他对战略和战术问题的看法,最后使他成为"防御在战场上总是胜过进攻"这个观点的极端支持者。布赖恩·邦德(Brian Bond)在他关于李德·哈特军事思想的卓越研究中问道:"装甲战和闪电战的杰出阐释者是如何变成防御战大师的?"[16]这个显著的转变在很大程度上源于他对大陆承诺的立场变化,而导致这种变化的原因是他对英国将军和他们进行第一次世界大战的态度发生变化。简言之,李德·哈特对第一次世界大战态度的不断变化对他后来的军事思想投下巨大的阴影。

第三个目标是描述并评价李德·哈特在两场大战之间的决策过程中所发挥的作用。英国没能阻止德国在欧洲大陆挑起争端。当战争爆发的时候,英国经受了很多严重的失败。最明显的就是德国在1940年5月击败法国和英国。威慑德国以及阻止他们进攻的失败引发了针对英国政策的三类问题,更加具体的是针对李德·哈特在20世纪30年代提出的对策建议:就李德·哈特在那时的观点来看,他是否意识到第三帝国所构成的严重威胁?关于如何威慑敌人,他给出了什么样的政策建议?他是否预见到法国的沦陷并发出警告?在多大程度上他的政策建议不同于官方政策?考虑到他的影响力,他对英国政府的政策是否产生了影响?在英国的决策圈中,他的观点是否有说服力?或者说他的观点大多被忽视?最后,李德·哈特当时所阐述的观点产生了哪些影响?

关于李德·哈特在20世纪30年代的作用,被普遍接受的一个说法在他1965年的回忆录中有详细的描述:他完全理解纳粹德国所代表的危险,他是绥靖政策的主要反对者,并且在1938年捷克斯洛伐克危机发生时呼吁对抗希特勒。另外,他预见到第二次世界大战初期的状况,当时德国国防军打败法国并将英国军队赶出欧洲大陆。他的警告被其他英国人,尤其是军队领导人所忽视,保守的英国将军拒绝听从他明智的建议。他是一个在他自己的国家没有受到尊重的先知。而德国的将军,特别是那些认同装甲战和闪电战的将军反倒遵循了他的建议,并取得了一系列惊人的胜利。关于他回忆录的评论有数百篇之多,几乎压倒性地支持他的观点,鲜有人对他的说法提出挑战。泰勒在审读了第二卷之后评论说:"他的第一卷得到了震耳欲聋的称赞。他的第二卷更具启发性。现在李德·哈特已经被证明是正确的。"[17]迈克尔·霍华德对第一卷的评论体现出大多数评论的要义:

> 如果他没有相当详细地提醒我们他的战术、战略和战争作品中卓越的先见,他是不近人情的;然而,如果他对如此灾难性地忽视他意见的人能够隐藏他的急躁,他的境界又是极高的。但是……(他)没有敌意。有坦率的批评,但从来没有怨恨。结果是,他的判断很少被证明是没有说服力的。[18]

这些称赞很多来自著名的学者,这说明李德·哈特的说法已经深入人心。例如,当议会军事改革党团会议在 1981 年 12 月举办第一次记者会时,它的主要发言人说:

> 我深深感到不安,我们没有准备好以我们曾经那样的确信捍卫我们的自由……我感觉到大量同样的惰性,那是两场世界大战之间法国和英国军事体制的祸根。他们忽视了像李德·哈特这样的先知,这位英国战略家呼吁战术和战略的重大改变。但是哈特的战略被德国人获得,使其在 1940 年达到了毁灭性的效果。[19]

但是存在另一种说法:李德·哈特几乎不是体制外的人,他在《泰晤士报》的职位以及他和霍尔-贝利沙的关系可以证明这一点。他的政策建议大部分与张伯伦政府是一致的。没有证据表明他是绥靖政策的主要反对者,或者他主张对 1938 年的捷克斯洛伐克事件采取强硬立场。1939 年 3 月之后,当英国的领导人快速地从绥靖政策转向采取更具对抗性的政策,李德·哈特反对这种转变,并强烈地支持继续采取绥靖政策。关于他的装甲战思想被英国将军明确拒绝,但被德国将军采用的说法也绝非事实。他对第二次世界大战战场将呈何景象以及当德国和盟国军队最终交战时会发生什么的预测几乎完全是错误的。最后,他的政策建议弱化了英国威慑第三帝国的可能性,并减少了战争到来时英国打败德国国防军的机会。简单地说,他的回忆录是对历史记录的公然歪曲,被广为接受的说法是完全错误的。

这个讨论把我们带到本书的第四个目标:判断李德·哈特如何能够挽救他的声誉。他是如何转变公众对他在两场大战之间作用的看法?他是如何让如此多的军事问题研究者信服他的说法?李德·哈特在 20 世纪 40 年代没能成功,但是在 50 年代早期他的运气开始转变,当时很明显一些德国将军愿意与他合作,重写历史记录。然而,比起德国将军的错误背书,李德·哈特自己的作品对他(恢复声誉)的努力更加重要。从法国沦陷到他去世的 30 年时间中,他竭尽全力用自己的版本记录战争期间的事情,并且挑战任何提供不同说法的人,以他的回忆录出版而告终。李德·哈特的成功取决于很多因素,其中最重要的因素包括不存在很多专门研究军事问题、可以挑战他对过去的描述的学者;他卓越的说服力;他努力结交朋友,部分地消除了年轻学者的不满,他知道这些人将最终书写他这个时代的历史。在很多年中,在英国或者美国,几乎没有任何人愿意或者具有知识基础去挑战李德·哈特对 20 世纪 30 年代的阐释。在 60 年代,一个专注于军事问题,尤其是军事史的学者网络开始在英格兰形成,他通过帮助他们进行研究,使他们中很多人都对他有所亏欠,或者通过其他方式,使他们倾向于以更缺乏批判的方式接受他的观点和对过去的解读。在那时,李德·哈特已经在重塑历史记录方面做了很多。

有很合理的理由去考察李德·哈特的军事思想。他的理论继续吸引军事问题研究者。尽管他在 1970 年去世,并且他的主要观点在几十年前就被阐述,但他的著作和文章现在仍被广泛阅读和引用,部分原因是他仍然是少数几个撰写传统战争的民间战略家之一,在核均势时代这是一个重要的主题。[20]大多数一流的民间战略家，尤其是那些更加资深的，大多关注核战略或相关主题。因此一个醉心于了解传统战争的学者很可能会沉浸在李德·哈特的作品中。李德·哈特还关心大战略——另一个现在仍可以吸引防御学者注意力的主题。[21]他深入参与到20世纪30年代的辩论中，关于英国是否应该接受大陆承诺或者采取经常被提及的"蓝海战略"。考察李德·哈特的思想可以为发生在美国的一场相似的争论带来有趣的洞见，这场争论是关于从欧洲撤回大量美国地面和空中战术力量，更加倚重美国海军阻止苏联进攻的优点。[22]考虑到外界对他经常被误读的理论的兴趣，澄清它们很重要。

考察李德·哈特的军事思想应该特别吸引研究军事的社会科学学者。虽然他是作为一位战略家或历史学家而知名，这当然是很合理的标签，但他也是一位十分优秀的社会科学学者。他持续地对比事件、个体和情境，以发现可以经受时间和空间检验的一般性规律。塞缪尔·霍尔爵士的表述很有道理，即李德·哈特拥有"非英国式的归纳天赋"。[23]他寻求构建可以用来解决英国战略困境的一般性理论，大胆地陈述并固执地维护（这些理论）。作为一个有智慧和勇气的人，他在沉浸于当时的争论时，十分倚重他的理论。

研究李德·哈特的另一个原因是澄清历史记录的需要，尤其是因为学者们经常依赖他对历史的描述。评价李德·哈特的个人作用是评价英国和德国军队在20世纪上半叶的表现这个更大议题的一部分。那个时期的英国军事领导人，尤其是军队将领被广泛看作无能的，而德国的军事首领，尤其是第二次世界大战中的将军通常被大加称赞。他们建立了强大的装甲和空中攻击力量，这是因为他们输掉了上一场战争，而只有失败者才能从之前的战争中吸取正确的经验。[24]第一次世界大战中的德国将军没有受到像他们的后来者一样的对待，在很大程度上是因为他们鲜有可挽回的价值；但他们受到的对待还是比英国的同伴要好得多。[25]主要原因是对德军在第一次世界大战最后几年中所发展的进攻型步兵战术的关注。[26]

这些对两个军队的描述即使不是完全错误的,也是过度夸张的。第一次世界大战中的德军因发展出创新的步兵战术应该被认可,但同时英国人还创造了坦克,并且英国的将军十分愿意依赖这种武器,进而赢得战争。[27]另外,英国军队也乐于接受李德·哈特关于步兵战术的先进思想——事实上这与德军的思想十分相似。在领导力方面,即使我们不完全接受很受欢迎的历史学家约翰·特雷恩(John Terraine)对陆军元帅道格拉斯的辩护,他也比大众所认知的更加有能力。[28]他肯定比德军的四位战时领导人更加优秀,这四位领导人是赫尔穆特·冯·毛奇将军、埃里希·冯·法金汉将军,保罗·冯·兴登堡陆军元帅和埃里希·鲁登道夫将军。[29]一个很重要的事实是,英国和它的盟国赢得了战争。在两场战争期间,德国军事也不像普遍认为的那样先进,快速翻阅古德里安的回忆录可以很明显地发现这一点。他的回忆录显示,德军中对坦克战的先进观点有很强的阻力。相反地,英国军队绝没有普遍认知的那样死板。针对这点可以在布赖恩·邦德关于两场战争期间英国军队的研究中找到大量证据。[30]

还有很好的理由怀疑一些(外界)接受的有关第二次世界大战的事实。想一下英法同盟在法兰西战役中的失败。毫无疑问法国和英国没能了解到坦克对战场的影响,在1940年5月采取了错误的战略。[31]事实上,英国军队几乎没有为战争作好准备,然而并不是因为军事上的蒙昧,主要原因是张伯伦政府在1937年12月决定不为欧洲大陆建设一支军队,这个政策是李德·哈特坚定支持的。另外,在整个战争期间,英国军队面对的很多问题都是这一政治决定的结果,这导致已经虚弱的英国军队在1937年12月到1939年初这段关键时期持续地弱化。至于德国国防军,在第二次世界大战期间肯定有很多优秀的战场指挥官,因此德军经常在战场上表现得十分出色。[32]然而,我们不仅仅依靠战场表现评价指挥官,这些将军大部分愿意支持希特勒发动并扩大战争的决定。[33]他们要为后果承担责任,即他们的国土遭到破坏和分割。虽然作为战斗者他们获得胜利，但是作为大战略家他们得到的是灾难性失败。

德国国防军还应为纳粹政府的大屠杀政策负主要责任，尽管直到最近都很少被提及。事实上，德国将军通常被描述为有远见的指挥者，服从于一位对军事知之甚少但却总是将决定强加于他们的领导人，虽然他们知道这些决定会导致灾难性结果。这当然是李德·哈特在《德国将军访谈》一书中所持的观点。然而，现在看起来除了帮助希特勒进行扩张之外，德国国防军还参与了在西线对数百万平民和战俘的屠杀中。34

这本书不直接讨论（外界）对英国和德国军队的认知。然而，它涉及很多上文所讨论的议题，皆因为李德·哈特在塑造这些认知上发挥了关键作用。他对两场世界大战的描述得到高度认可，至今仍有很大影响力。在这些以及其他著作中，他有说服力地指出，第一次世界大战中的陆军元帅黑格和其他的英国将军是无能之辈。对于塑造大众对两场战争之间英国军队表现的认知，他发挥了重要作用，特别是通过它的《回忆录》。在塑造英语世界对第二次世界大战中德国国防军的看法方面，他的影响力可能超过其他任何人。

李德·哈特的案例还指出了历史的脆弱性，以及对基于私利操纵历史的危险保持警惕的重要性。李德·哈特毕竟成功地使大多数学者相信他对 20 世纪 30 年代的描述是正确的，并且在那些记得两场战争之间发生了什么的人仍然在世的情况下，他却没有受到任何挑战。另外，他写的并不是鲜为人知的事件，而是那些不断受到关注的重要事件。然而，他几乎完全成功地欺骗了所有人。

事实上，如果他没有强迫性地记录他自己的想法和行为，他的欺骗行为可能不会被发现，他的私人文件中保存了关于他行为的超乎寻常的完整记录，这却成为研究这个案例的进一步原因。我们很少能够精确地追踪某个人思想的发展，并判断那个人在特定历史阶段中的作用，主要原因是人们几乎都只会留下不完整的记录。李德·

哈特不断地写作并备份几乎所有他写过的东西,甚至是他文章的草稿。他不仅撰写了大量的著作和文章,还写了用作记录的备忘录并与几百人通信。[35]另外,李德·哈特认为他自己很重要,因此他记录了他思想发展的不同方面,所以要追踪他在两场战争之间对军事问题的思考,并且追寻他在第二次世界大战后为挽救声誉所做的努力就相对容易多。简单地说,他留下的文件为探寻一个重要人物的人生故事提供了一个独特窗口。

最后,考察李德·哈特的经历可以进一步了解国防学者在现代民族国家中的作用。尽管平民战略家主要是核时代出现的现象,李德·哈特与汉斯·德尔布吕克、朱利安·科贝特以及斯宾塞·威尔金森是西方世界最重要的平民防务专家。李德·哈特是英格兰或者说美国第一个非军方思想家,他对军事问题的观点广受公众关注并且得到当时军事机构的认真考虑。另外,他还参与了第二次世界大战后关于核威慑思想的发展。[36]任何人如果关注外部专家在国家安全决策中的作用,不管是在核时代还是非核时代,都会从李德·哈特的经历中受益匪浅。引人注目的是,他的结局很糟糕。他从20世纪30年代一个重要的、备受尊重的权威沦为第二次世界大战中声誉严重受损的体制局外人。他的困境有两点现在值得注意:发展一致的、可行的军事理论是一项困难的工作,避免错误思想主导战略辩论的最好办法是知识多元化。一个健康的国家决策过程取决于有独立思想的防务知识分子能否质疑政府并且相互质疑。

李德·哈特的名字和思想在大量的著作和文章中都被提及,很少有军事问题学者没听说过他,然而关于他的文献却很稀少。只有两项研究是关于他在两场战争之间的经历和他军事思想的发展:杰伊·卢瓦斯在他的《军队的教育》(1964年)中关于李德·哈特的章节("教导将军的上尉"),以及布赖恩·邦德的《李德·哈特:对他军事思想的研究》(1977年)。还有少量很好的文章是关于李德·哈特生活中的细节。[37]1970年1月他去世后不久,他的遗孀打算出版一本他的传记，但是最终什么都没有写，并且很明显没有将此委托给别人的计划。[38]

这本书如何能够超越卢瓦斯和邦德的作品？卢瓦斯的那篇文章只是书中的一章，无法提供关于李德·哈特的主要思想或者他在20世纪30年代的政策辩论中的作用的综合和细致的考察。更重要的是，这一章实质上只是对李德·哈特自己版本的概述。卢瓦斯是李德·哈特极其亲密的朋友，他对李德·哈特的批评很少。为了与李德·哈特保持一致，他提供的是对他军事思想和政策建议的歪曲描述。而邦德的著作是一流的研究作品，既全面又富有洞见，任何想要理解李德·哈特军事思想的人都应该认真研读他的著作。事实上，我在写作的过程中是站在邦德的肩膀上。

然而在一些要点上，邦德对历史的描述应该被修正。例如，邦德否认李德·哈特在第二次世界大战后利用德国的将军挽救他的声誉，我认为这是错误的。[39]我还认为，邦德错误地接受李德·哈特的说法，即他是绥靖政策的主要反对者。[40]另外，我不同意他的这一说法，即"很难确定李德·哈特是否准确地预测到1939年和1940年军事事件的"。[41]尽管有很多不同之处，我的作品不应被视为对邦德著作的质疑，而是超越他的分析的一个尝试。邦德的著作也没能充分地批评李德·哈特。尽管他提出了很多明显的批评，他并没有推出合理的结论。他在书中本可以更加有力地驳斥（哈特），却没有充分展开。[42]

还有一些很重要的问题在邦德的书中没有被讨论或者仅仅被提及。例如，邦德没有讨论李德·哈特是如何挽救他的声誉的。尽管在他的书中可以很明显地发现，一些传统认知是有缺陷的，但他没有解释这些扭曲是如何产生的。另外一个例子是，他没有直接讨论一个重要的问题，即在两场战争之间，李德·哈特就深层战略穿透写了什么内容，这是闪电战的核心。他也没有系统地考察李德·哈特关于应对第三帝国的政策建议的后果。我试图讨论这些以及其他邦德忽略的问题。

　　这个研究的一个核心论点是李德·哈特对第一次世界大战和英国将军能力的思考直接影响了他的大战略思想的发展，这反过来影响了他对战略和战术的思考。因此必须尽可能精确地定义这些概念，因为它们经常会以不同的方式被使用。

　　战略是关于如何在战区部署和调动军队全部的重要作战单元和支撑性的空中战术力量，以实现总体的战役目标。换句话说，战略关心的是组成一场战役的不同战斗是如何连接在一起，以实现理想的军事效果。战术是一个关注点更加狭窄的概念：关注重点是具体战场上如何利用军队的不同要素及空中支援力量。战术讨论的是如何使用具体的军事要素赢得某场战役。为了说明这些概念，可以想一下盟军在第二次世界大战最后一年穿过法国进入德国的案例。战略问题围绕的议题是如何使用组成盟军总体力量的不同军种和军团，尽可能迅速地打败德军。战术问题关心的是军队中更小作战单元的个体行为，从排到军团。在这个研究中，战略与闪电战和装甲战相关联；战术等同于部署小规模的步兵单元。

　　大战略包含两个重要的问题。第一，国外主要的军事威胁是什么，应该如何排序？换句话说，一个国家应该如何对海外的防御承诺进行排序？第二，一个国家应该发展什么样的军事力量以支撑这些承诺？现有的军事手段很自然地会影响承诺的规模和范围。这里使用的大战略概念不是关于一个国家如何整合所掌握的外交、经济和军事工具以维护其海外利益。尽管有时大战略是这么定义的，这个概念在这里的定义稍微狭窄，即军事手段和国际承诺之间的关系。这不是说外交或经济手段没有军事手段重要。事实上，正如这里所定义的，外交政策的广义含义都是关于对这三种手段的整合以支撑海外承诺。尽管关注点是李德·哈特对大战略、战略和战术的思考，在分析他对第三帝国的观点时，有必要考虑他对广义外交政策问题的思考。

　　在整个 20 世纪英国的大战略辩论中，是否作出大陆承诺曾经是一个中心话题。[43]大陆承诺意味着派遣大量军队到欧洲大陆，防止一个竞争性对手控制欧洲大陆。在 20 世纪之前,英国能够用规模适中的军队支撑大陆承诺。它用强大的海军、经济力量和对大陆盟国的高度依赖弥补相对较小的陆地力量。[44] 到 20 世纪初,英国需要建立强大的军队以面对大陆力量的挑战。因为英国传统上维持小规模的常备军队,这一发展对它的国家安全机构的规模和形态,尤其是它的军队,都产生了深远的影响。简单地说,作出大陆承诺的核心问题是规模、形态和英国军队的目标。[45]

接下来的五章将描述并评估李德·哈特在 1918 年至 1945 年之间的军事思想,并解释这个发展过程。第二章关注 1919 年至 1924 年间的李德·哈特,这段时间他发展了步兵战术理论,并形成了关于闪电战的理念。第三章考察他对英国将军不断增强的幻灭感,尤其是针对他们在第一次世界大战中的表现。第四章的主题是关于 1925 年至 1932 年间他提出的间接路径理论,并对战争中的英国方式进行概述。第五章和第六章关注 1933 年至 1940 年,在这段关键时期,英国面对与德国进行一场大规模陆地战争的严峻前景。这里将考察他关于英国应该如何应对第三帝国的观点。第五章集中关注他在这些年中的军事思想。第六章关注他在广义外交政策方面的建议。第六章还包括对他在第二次世界大战中困境的简要思考。这五章的讨论融合了叙事和分析。我本倾向于将这两部分分开,但是这个主题不适用于这样的分割。

尽管在第二章至第六章中,关于李德·哈特在决策过程中的作用有很多内容,但仍有必要用整个第七章讨论这个主题。第八章是关于李德·哈特如何在战后恢复了他的声誉。最后,简短的结论部分将从这个案例中吸取一些教训。

注　释

1. Alastair Buchan, "Mechanized Warfare," rev of *Memoirs*, vol.1, by LH, *New Statesman*, 4 June 1965:887; Michael Howard, *War and the Na-*

tion State(Oxford：Clarendon，1978)，7；A.J.P. Taylor，"Soldier Out of Step," rev of *Memoirs*，vol.1，*Observer Weekend Review*，30 May 1965，26；Jay Luvaas，LH's obituary，American Historical Review 75(June 1970)：1573；John F. Kennedy，"Book in the News," rev. of *Deterrent or Defense*，by LH，*Saturday Review*，3 Sept. 1960，17.

2. 古德里安和曼陀菲尔的引证来自 *Memoirs*，vol.2(London：Cassell，1965)，btwn. 194 and 195 的内图。阿隆和沙龙的引证来自伦敦大学国王学院李德·哈特军事档案中心展示的图片。

3. 关于李德·哈特的早期生涯,参见他的"Forced to Think," in George A.Panichas，ed.，*Promise of Greatness*：*The War of 1914—1918*(New York：John Day，1968)，98—115；*Memoirs*，vol.1，prologue and chap.1；Brian Bond，Liddle Hart：A Study of His Military Thought(London：Cassell，1977)，12—27。1921 年,他将他的姓由哈特改为李德·哈特(李德是他母亲的姓氏);参见 B.Bond，Liddle Hart，12，34。

4. 没有证据可以证明李德·哈特的说法(*Memoirs* 1：64—65),即他被迫退役的原因是他的观点不受欢迎。

5. 战术、战略与大战略这些术语将在下面给出定义。

6. 豪斯与汉密尔顿的引证来自"Tributes and Testimonies," 13/2；劳合·乔治的引证来自 *Memoirs* 1：362；John Buchan，"General W.T.Sherman," rev. of *Sherman*：*The Genius of the Civil War*，by LH，*Spectator*，15 Mar. 1930，436. J.F.C.富勒,另一位那个时代著名的军事思想家,对将李德·哈特比作克劳塞维茨有不同观点:"有人称他为 20 世纪的克劳塞维茨;当然,如果要做一个比较,他与弗朗西斯·培根这样富有思想的实证哲学家更加接近,因为他关注事实而不是想象。"("Mechanical Warfare," rev. of *The British Way in Warfare*，by LH，*English Review* 55，Sept.1932：337.)

7. 例如,参见 Irving M. Gibson，"Maginot and Liddle Hart：The Doctrine of Defense," in Edward Mead Earle，ed.，*Makers of Modern Strategy*：*Military Thought from Machiavelli to Hitler*(Princeton，N.J.：Princeton University Press，1943)，365—387。

8. *The Real War*，*1914—1918*(London：Faber，1930)；*History of the Second World War*(London：Cassell，1970).关于李德·哈特著作的完整书单,包括每本著作的不同版本,参见 B.Bond，*Liddle Hart*，227—278。

9. *Foch*：*The Man of Orleans*(London：Eyre & Spottiswoode，1931)；*Sherman*：Soldier，Realist，American(New York：Dodd，Mead，1929).

10. *The Tanks*，2 vols.(London：Cassell，1959).

11. *The Other Side of the Hill*(London：Cassell，1948)，同时在美国出版的版本是 *The German Generals Tal*(New York：Morrow，1948)；修订与扩展版是 *The Other Side of the Hill*(London：Cassell，1951)。

12. *The Rommel Papers*，trans. Paul Findlay(New York：Harcourt，Brace，1953)；*T.E.Lawrence in Arabia and After*(London：Cape，1934)，在美国出版的版本是 *Colonel Lawrence：The Man behind the Legend*(New York：Dodd，Mead，1934)。

13. 参见 B. Bond，*Liddle Hart*，chap.7；Lawrence Freedman，*The Evolution of Nuclear Strategy*(New York：St. Martin's，1981)。

14. 李德·哈特关于核战略与北约的主要著作是 *The Revolution in Warfare*(London：Faber，1946)；*Defence of the West*(London：Cassell，1950)；*Deterrent or Defence*(London：Stevens & Sons，1960)。

15. 在发展关于防御者战场优势的观点时,李德·哈特提出了关于力量与空间比例概念的重要洞见,这被认为是他在两场战争之间发展的第六项重要的军事思想。他(的思想)还高度依赖"进攻-防御平衡"概念,这是另一个获得持续关注的课题。

16. B. Bond，*Liddle Hart*，90.

17. A.J.P. Taylor，"A Prophet Vindicated，" rev. of *Memoirs*，vol.2，by LH and *The Theory and Practice of War*，ed. Michael Howard，Observer，31 Oct. 1965，27. Copies of all the reviews in 9/30/38—44.两个很重要的评论,参见 Col. Trevor N.Dupuy，"The Selective Memoirs of Liddle Hart，" rev. of *Memoirs*，vols.1 and 2，*Army* 16(Aug. 1966)：36—38，81；Barry D. Powers，rev. of *Memoirs*，vols.1 and 2，*Journal of Modern History* 40(Dec. 1968)：630—631。

18. Michael Howard，"Englishmen at Arms，" rev. of *Memoirs*，vol.1，*Sunday Times*，30 May 1965，24.

19. Statement of the Hon. G. William Whitehurst，Washington，D.C.，14 Dec. 1981，30.

20. 例如,美国陆军的空地战学说发展,在军队的作战手册课程中得到详细阐释,*Operations：FM 100-5*(Washington，D.C.，Aug. 1982)；这份文件的主要作者之一描述了李德·哈特的作品如何深刻影响了学说的发展：Huba Wass de Czege，"Army Doctrinal Reform，" in Asa Clark et al.，eds.，*The Defense Reform Debate*(Baltimore：John Hopkins University Press，1984)，101—120；另参见 *Operations：FM 100-5*，8—6，9—1，A3。

21. 战略核(力量)对等(话题)提升了对常规威慑兴趣的上升,同时美国在世界经济中地位的相对下降，加上美国外交承诺的不断增加（主要是波斯湾地区），使得大战略受到极大关注。

22. 关于大量的文献，可参见 Keith A. Dunn and William O. Staudenmaier, *Strategic Implications of the Continental-Maritime Debate*. Washington Paper No.107（New York：Praeger, 1984）；Robert W. Komer, *Maritime Strategy or Coalition Defense*（Cambridge, Mass.：Abt Books, 1984）；Christopher Layne, "Ending the Alliance," *Journal of Contemporary Studies 6*（Summer 1983）：5—31；Earl C. Ravenal, "The Case for Withdrawal of Our Forces," *New York Times Magazine*, 6 Mar. 1983, 58—61, 75。

23. 引自 Brian Bond, "Second Thoughts on War：A Conversation with B.H. Liddle Hart," *Military Review 45*（Sept. 1965）：29。关于李德·哈特回应一个批评者对一般性理论价值的质疑，见 Lt. Col. L.V. Bond, "The Tactical Theories of Captain Liddle Hart：A Criticism," *Royal Engineers Journal 36*（Sept. 1922）：153—163；LH, "Colonel Bond's Criticism：A Reply," ibid.（Nov. 1922）：297—309。

24. 李德·哈特早在 1925 年就提出这个观点，他写道："国家从失败中比从胜利中学到的东西更多，这是一个真理，尽管德国暂时被禁止发展坦克，它的战后军事回顾以及教科书充分证明了关于它们战术的研究。"（"After Cavalry-What?" *Atlantic Monthly 136* Sept. 1925：415.）

25. 可以思考以下这些流行著作的标题：Col. Trevor N. Dupuy, *A Genius for War：The German Army and General Staff, 1807—1945*（Englewood Cliffs, N.J.：Prentice-Hall, 1977）；Donald J.Goodspeed, *Ludendorff：Genius of World One*（Boston：Houghton Mifflin, 1966）。很难想象一个作者会在英国军队身上使用"天赋"这个词，尤其是第一次世界大战中的英国军队指挥官。

26. Timothy T. Lupfer, *The Dynamics of Doctrine：The Changes in German Tactical Doctrine during the First World War*, Leavenworth Paper no.4（Fort Leavenworth, Kans.：U.S. Army Command and General Staff College, July 1981）.

27. 参见 Robert H. Lawson, *The British Army and the Theory of Armored Warfare, 1918—1940*（Newark University of Delaware Press, 1984）, chap.2；John Terraine, *Douglas Haig：The Educated Soldier*（London：Hutchinson, 1963）, 95, 220—228, 289, 360, 362, 378, 381, 448—449, 453。

28. 参见 Terraine, *Douglas Haig*；idem, *The Western Front, 1914—*

1918 (Philadelphia: Lippincott, 1965); idem, *To Win a War: 1918, the Year of Victory* (Garden City, N.Y.: Doubleday, 1981)。

29. 关于这些指挥官的缺点,参见 Correlli Barnett, *The Swordbearers: Supreme Command in the First World War* (Bloomington: Indiana University Press, 1975), chaps.1, 4。

30. Heinz Guderian, *Panzer Leader*, trans. Constantine Fitzgibbon (London: Joseph, 1952), esp. chaps.2—5; Brian Bond, *British Military Policy between the Two World Wars* (New York: Oxford University Press, 1980).

31. 参见 John J. Mearsheimer, *Conventional Deterrence* (Ithaca: Cornell University Press, 1983), chap.3。

32. 关于德国军队战斗力水平被夸大的事实,参见 John Sloan Brown, "Colonel Trevor N. Dupuy and the Mythos of Wehrmacht Superiority: A Reconsideration," *Military Affairs 50* (Jan. 1986):16—20。

33. 三个关键的(战争)决策是波兰(1939 年),法国(1939—1940 年)和苏联(1941 年)。一些将军明确反对入侵波兰和法国,但对入侵苏联几乎没有异议。参见 Matthew Cooper, *The German Army, 1933—1945* (New York: Stein & Day, 1978), pt.3; Barry K. Leach, *German Strategy against Russia, 1939—1941* (Oxford: Clarendon, 1973); Mearsheimer, *Conventional Deterrence*, chap.4; Telford Taylor, *The March of Conquest: The German Victories in Western Europe, 1940* (New York: Simon & Schuster, 1958)。

34. 德国与英语世界的学者毫无疑义地表明,事实上德国国防军在德国的屠杀机器中发挥了关键作用;参见 Omer Bartov, *The Eastern Front, 1941—45: German Troops and the Barbarisation of Warfare* (New York: St. Martin's, 1986); Christopher R. Browning, "Wehrmacht Reprisal Policy and the Mass Murder of Jews in Serbia," *Militargeschichtliche Mitteilungen*, no.33(1/1983):31—47; Jurgen Forster, "New Wine in Old Skins? The Wehrmacht and the War of 'Weltanschauungen,' 1941," in Wilhelm Deist, ed., *The German Military in the Age of Total War* (Dover, N.H.: Berg, 1985), 304—322; idem, "The Wehrmacht and the War of Extermination against the Soviet Union," *Yad Vashem Studies 14* (1981):7—34; Raul Hilberg, *The Destruction of the European Jews*, vol.1 (New York: Holmes & Meier, 1985), 273—390; Helmut Krausnick and Hans-Heinrich Wilhelm, *Die Truppe des Weltanschauungskrieges: Die Einsatzgruppen der Sicherheitspolizei und des SD 1938—1942* (Stuttgart: Deutsche Verlags-Anstalt,

1981）；Henry L.Mason，"Imponderables of the Holocaust," *World Politics* 34（Oct. 1981）：90—113；Christian Streit，*Keine Kameraden： Die Wehrmacht und die Sowjetischen Kriegsgefangenen 1941—1945*（Stuttgart：Deutsche Ver-lags-Anstalt，1978）。

35. 关于李德·哈特浩繁的私人文件，参见 Stephen Brooks，"Liddle Hart and His Paper," in Brian Bond and Ian Roy, eds., *War and Society： A Yearbook of Military History*（London：Croom Helm，1977），2：129—140。

36. 德尔布吕克（1848—1926 年），第二帝国时期的德国学者与记者，他可能是第一位对大众思考军事事务产生广泛影响的平民战略家。关于他的两部最好的英文著作是 Richard H.Bauer，"Hans Delbrück," in Bernadotte Schmitt，ed.，*Some Historians of Modern Europe*（Chicago：University of Chicago Press，1942），100—129；以及 Gordon A.Craig，"Delbrück：The Military Historian," in Peter Paret，ed.，*Makers of Modern Strategy：From Machiavelli to the Nuclear Age*（Princeton, N.J.：Princeton University Press，1986），326—353。科贝特（1854—1923 年）与威尔金森（1853—1937 年）是之前受到李德·哈特推崇的英国"平民战略家"；分别参见 Donald M. Schur-man，*The Education of a Navy： The Development of British Naval Strategic Thought，1867—1914*（Chicago：University of Chicago Press，1965），chap.7；以及 Jay Luvaas， *The Education of an Army： British Military Thought，1815—1940*（Chicago：University of Chicago Press，1964），chap.8。尽管"平民战略家"对李德·哈特来说是一个恰当的标签，但他毕竟在英国军队服役十年。关于后来的"平民战略家"在 20 世纪 50 年代与 60 年代早期核战略发展中的作用，参见 Gregg Herken，*Counsels of War*（New York：Knopf，1985）；Fred Kaplan，*The Wizards of Armageddon*（New York：Simon & Schuster，1983）；Barry Steiner，"Using the Absolute Weapon：Early Ideas of Bernard Brodie on Atomic Strategy," *Journal of Strategic Studies 7*（Dec. 1984）：365—393。

37. 关于两场战争之间的李德·哈特，参见 Luvaas，*Education of an Ar-my*，chap.11；还参见 *The Military Legacy of the Civil War： The European Inheritance*（Chicago：University of Chicago Press，1959），216—225。还参见 Brian Bond and Martin Alexander，"Liddle Hart and DeGaulle：The Doctrines of Limited Liability and Mobile Defense," in Paret，*Makers of Modern Strategy*，598—623。Earle，*Makers of Modern Strategy* 中有一章内容讨论李德·哈特（参见 Gibson "Maginot and Liddle Hart"），这一章中有很多小的事实错误，但却提供了关于李德·哈特在两场战争之间观点的生动观

察。李德·哈特就这一章内容与厄尔进行了大量的通信。尽管如此，这一章内容用处有限，因为它仅讨论了李德·哈特军事思想的一些方面，没有充分讨论他在第二次世界大战前英国决策过程中的作用。关于李德·哈特生活的其他方面，参见 Tuvia Ben-Moshe, "Liddle Hart and the Israel Defence Forces: A Reappraisal," *Journal of Contemporary History 16*（Apr. 1981）：369—391；Brian H. Reid, "T.E. Lawrence and Liddle Hart," *History 70*（June 1985）：218—231；idem, "British Military Intellectuals and the American Civil War: F.B. Maurice, J.F.C. Fuller and B.H. Liddle Hart," in Chris Wrigley, ed., *Warfare, Diplomacy and Politics: Essays in Honor of A.J.P. Taylor*（London: Hamilton, 1986），42—57。

38. 与布赖恩·邦德的通信，24 Sept. 1987。

39. B. Bond, *Liddle Hart*, chaps.6, 8, esp. 166, 188, 228.

40. Ibid., 102, 112.

41. Ibid., 114.

42. 邦德在他后来的著作中对李德·哈特有更多的批评，*British Military Policy*；参见我的评论文章 "The British Generals Talk," *International Security 6*（Summer 1981）：165—184。

43. 参见 Michael Howard, *The British Way in Warfare: A Reappraisal*, The 1974 Neale Lecture in English History（London: Cape, 1975）；idem, *The Continental Commitment: The Dilemma of British Defence Policy in the Era of Two World Wars*（Harmondsworth: Penguin, 1974）；Paul Kennedy, *The Rise and Fall of British Naval Mastery*（London: Lane, 1976）。

44. 参见 Kennedy, Rise and Fall, chaps.1—5；John M. Sherwig, *Guineas and Gunpowder: British Foreign Aid in the Wars with France, 1793—1815*（Cambridge, Mass.: Harvard University Press, 1969）。

45. 关于大陆承诺如何影响英国军队，参见 Bond, *British Military Policy*；另参见 Mearsheimer, "British Generals Talk"。

第二章
步兵战术和闪电战，1918—1924 年

从 1918 年到 1933 年希特勒开始掌权的这段时间是李德·哈特智慧迸发的时段之一。在这段国际环境相对平静的时期，他发展出关于步兵战术、闪电战、间接路径和英国战争方式等重要的军事理念。他还开始影响英国的决策者，主要是通过他在《每日电讯报》上撰写的文章，其次是通过他的专著和杂志文章。本章和下面的两章将集中讨论在这些年间哈特军事思想的发展，除此之外也涉及他在决策过程中的作用。本章主要是关于第一次世界大战之后最初几年的情况，那时李德·哈特仍然对英国的将军持正面的看法，并且认为英国军队应该为可能在欧洲大陆发生的另一场地面战争认真地作准备。他如何看待其理念的重要性，以及他对其军事理论将如何影响未来冲突的进程，尽管有必要思考这些问题，但本章主要关注他对于如何更好地进行这场战争所作的思考。

在这些年间，缩减军事开支成了英国军队的主要议程。[1]第一次世界大战中庞大的军事建制在战争结束后不久便被大幅缩减，在接下来的 15 年中，所有的军事部门都严重缺乏经费。英国军队无法进行大型战争，并且在其帝国范围内卷入小的冲突也有困难，尽管在第一次世界大战中获胜，大英帝国的势力范围事实上得到扩张。

英国民众在 20 世纪 20 年代开始对英国参加第一次世界大战存

有偏见,他们不赞成斥资维持强大的军备。由于缺乏关于大众舆论的可靠数据,无法精确地说明这一情况,但是在 20 世纪 20 年代末,大多数的选民认为第一次世界大战是一个悲剧性的错误,那些以为有必要认真思考并准备另一场战争的人最终会带来一场战争。例如,在第一次世界大战后成为英国政坛一股重要力量的工党,就持有很强的反军事化情绪。这种情绪绝不仅限于工党,这在 1933 年 2 月著名的牛津联盟投票中有所体现,结果以 275 票赞成对 153 票反对,宣称它"在任何情况下都不会为它的国王和国家作战"。[2]

英国很多决策者和相当多的民众认为,大国之间的和平可以依靠一些外交手段来维持,例如国际联盟和 1925 年的《洛迦诺公约》。尽管在第三帝国制造的恐惧面前,这种方法显得幼稚,在两场大战之间的英国人仍对裁军协商和放弃战争手段的协议寄予厚望。[3]另外,英国的决策圈也普遍认为,国防开支对发展英国经济不利,一个普遍的看法是英国经济在两场战争之间贫弱不堪。当国际环境开始恶化时,1931 年的金融危机将英国的经济问题进一步复杂化,使英国很难获得国防开支所需的额外经费。因此,在两战之间的很多时候,财政部在军事决策过程中都发挥了关键作用,总是大幅削减军事开支。[4]

最后,在 20 世纪 20 年代,世界上不存在对英国国家利益明显的军事威胁。欧洲大陆德国的威胁还没有出现,尽管在帝国势力范围内有些情况需要使用武力,但是还没有明显的威胁使英国有理由去改变第一次世界大战之后的缩减政策。[5]英国在 1919 年采纳了著名的"十年法则",这个法则授权决策者将政策规划建立在英国在未来十年不会卷入任何大战的基础上。这个法则直到 1932 年才被废除,在 1928 年,它事实上成为每天任何行动的基础,即在每一天,英国都会假设接下来十年不会发生战争。在这种氛围下增加军事开支变得相当困难。

在经费贫乏的 15 年中,英国陆军在三军中承受的损失最大。例如,陆军的预算请求"在1932年之前每年都被缩减"。[6]经费的减少不仅阻碍英国建立独立的装甲部队,也阻碍了对于如何使用那些力量的进步性思考。发展坦克和装甲部队其他武器的经费严重缺乏。没有大量的新式坦克,就难以进行实战训练,这对于在战场上最大化地利用装甲部队至关重要。尤其是在第一次世界大战结束后最初的几年里,军队的人事系统存在很大混乱,主要原因是和平时期陆军规模大幅缩减。按照布赖恩·邦德的说法:"在停战协议签署后的四年半中,有超过200名军官等待指挥营级部队的机会,他们中一半以上的人在战场上指挥旅级部队超过两年。"[7]人事系统最后被固定下来,一些年纪大的高级军官长期占据一些关键的职位,使年轻才俊很难升迁到高层,这种情况阻碍了关于装甲战略的进步性思考的发展。

还有另外一个原因阻碍了建立一支可以抵抗欧洲大陆敌人的装甲部队。英国陆军长期以来关注两类差异很大的任务,分别是在欧洲大陆进行战斗和管辖英帝国势力范围,这两项任务需要不同类型的陆军。正如邦德所说:"陆军的整体架构、征兵系统、训练、装备以及传统(思维)都主要是以帝国防御为导向。"毫无疑问,这种政策偏向是发展包含大规模装甲力量的陆军的主要阻碍,这些装甲力量可以用来对付德国人,但是在印度的西北边界没有作用。[8]因此,有合理的原因拒绝建设一支可以在欧洲大陆参加战斗的有大规模装甲力量的陆军。只有决定准备在欧洲大陆进行战争才能改变这一倾向,但事实上这种决定是不存在的。

然而,英国陆军在20世纪20年代和30年代早期确实认真关注过如何在一场传统战争中使用装甲力量。事实上,在这段时间,英国陆军被普遍认为是站在装甲力量实践的前沿,其他欧洲国家的军队认真考察英国的年度训练演习。按照邦德的观点:"事实上,考虑到所有不利条件,英国陆军仍然可以在20世纪20年代和30年代早期处于军事发展的前沿,这是十分令人瞩目的成就。"[9]英国在20世纪30年代后期开始失去这种领先地位,并且在没有准备好对付德国国防军的情况下参加了第二次世界大战。然而，在 1918 年至 1932 年之间，李德·哈特在撰写闪电战和其他问题时，英国军队确实认真关注过如何在战场上使用装甲力量的问题。

然而在恢复和平的最初几年里，李德·哈特对装甲战略并不感兴趣。他的精力集中在步兵战术上面，并且他对这个问题的观点就像在所有其他军事问题上的观点一样，受到他对第一次世界大战的思考的深刻影响。

关于第一次世界大战和大陆承诺的早期观点

还在战乱肆虐的时候，李德·哈特就开始记录他对战争和英国军事领导人的观点。他一开始对英国作出的努力充满热情，尽管后来持尖锐的批评态度，但这对于一个曾在军队中服役的、易受影响的年轻人来说十分正常，军队主要依靠宣传和价值观灌输来维持对战争的支持，而所有这些都发生在 19 世纪的浪漫主义背景下。

思考一下他当时对英国将军的观点。在等待索姆河战役开始的时候，他在一个小的笔记本上写下："在战争的前半阶段，我们的领导层是完美的，值得注意的是在所有参战国家中，我们的将军能力也是完美的。"[10] 在战役之后他仍然认为"黑格政府下的英国总司令部由世界上最聪明的大脑组成"[11]。道格拉斯·黑格是驻扎法国的英国军队司令，他的指挥才能给李德·哈特留下了深刻的印象，就像李德·哈特在索姆河战役之后所描述的那样：

> 从没有任何军事行动像这次战役一样如此绝妙，组织如此严密，或者说被如此出色地执行……这都应该归功于道格拉斯·黑格先生，他在整个冬天和春天进行高效的工作……每个分支和部门都得到革新，并且效率达到了最高程度，战役开始之

后,道格拉斯·黑格这个英国最伟大的将军,创造了世界历史上最强大的战争机器。[12]

李德·哈特还高度称赞了洛德·亨利·霍恩将军(Lord Henry Horne)和阿奇博尔德·蒙哥马利-马西伯德将军(Archibald Montgomery-Massingberd)。他认为"霍恩将军毫无疑问是一个军事天才,而蒙哥马利是参加索姆河战役的两支部队中一位杰出的总参谋长"[13]。李德·哈特在1936年的一篇日记中总结了他早期对英国将军的看法:"我非常钦佩我的很多上级,甚至将很多人视为英雄。"[14]

考虑到他后来尖锐地批评英国将军,尤其有意思的是李德·哈特对战争中英国战略的看法,总结在他1917年写给《星期六评论》的文章中:

> 我们军队在敌人前线的缺口处如洪流般涌入的辉煌形象在未来的某一时点会被看见,但时间还未到。只要德国军队仍然有储备资源可以发起反攻,正确的战略是通过不断的大规模炮击损耗敌人的实力……天才战略是不断沉重地打击敌人漫长战线上的不同点,以此消耗他们的实力直到他们即将崩溃,当那个决定性时刻到来的时候,再发起致命一击……不能期待依靠一次巨大的决定性打击(取胜),一场决定性的战役要依靠持续性的打击。[15]

李德·哈特当然认同英国对炮击战术的重视。在1917年一篇名为"我所骄傲的事情"的笔记中,他写道:"除了其他事情之外,还包括1916年6月亲历弹幕攻击现场并了解它的创造性。"弹幕攻击是一道炮火屏障,在前进的步兵前面不到一百码的距离缓慢移动。[16]为了描述在索姆河战役中第一次使用的弹幕攻击,他写道:

> 爆炸的弹壳组成一堵绝妙的墙,不断向德军的战线推进,炸弹落在每一寸土地上,并且准确度如此不可思议,我们的步兵跟在它之后五十到一百码的地方,这是战争中杰出的战术创新……这种弹幕攻击是如此成功,在英国陆军完全采用后不久,

法国也从我们这里复制了这种战术。[17]

在战争的后来阶段，大量的英国评论者批评英国将军卷入冲突。李德·哈特坚决地为这些将军辩护，并且严厉地批评这些国内的诽谤者。他争辩道："指责英国将军的指挥才能是荒谬的。我们有历史上两位最伟大的将军黑格和罗伯森，并且至少有 12 位出色的高级将领。"[18]对他来说，英国国内持异议的人只是"空谈的批评者"，这些人没有真正理解当代战争。在他看来："只有那些曾经参加进攻并征服横跨法国的坚固堡垒防线的人才能意识到英国取得的伟大成就以及所克服的困难。"[19]这一观点体现在他战后几年的大部分文章中。

但是这种热情不能掩盖一个事实，即李德·哈特本人也认为这场战争是"可怕的并且超乎所有人想象的"[20]。他无法想象盟国为了打败德国付出了多大代价。尽管他景仰英国将军发起的索姆河战役，他仍希望在未来可以避免这种战事的发生。因此，他认为自己人生的主要任务是"即使战争再次发生，也要保证不会再出现索姆河和帕斯尚尔这样惨烈的战役"[21]。然而，李德·哈特却很少质疑英国参战的正确性和在 1914 年决定派地面部队抵抗德军的明智性。总之，他将大陆承诺视为英国大战略的主要信条。

在第一次世界大战结束后最初的一段时间里，李德·哈特对大陆承诺的想法没有明显的改变。他理所当然地认为英国可能会在欧洲大陆投入大规模军队再次参战。[22]他在这个重要问题上的态度部分是由于他对大战略问题缺乏兴趣，在战后的几年里，他并不关心这些问题。他只是一个年轻的军官，只关心发展步兵战术并训练步兵。另外，由于德国战败，在可见的未来欧洲大陆不会再发生战争，所以大陆承诺在很大程度上变成一个假设，尽管英国一直到 1930 年仍在莱茵兰地区维持一支小规模的占领军。最重要的是，从他当时对第一次世界大战和英国军事领导力的观点来看，他很自然地认同大陆承诺。他认为这场战争是由高贵的勇士所进行的一项完全正义的事业，他没理由怀疑导致英国派大量军队抵抗第三帝国的大陆承诺。

另外,在第一次世界大战后几年中领导英国军队的将军大部分是在战争中指挥军队的那些人,他有足够的理由相信这些人在未来的冲突中能够睿智地指挥军队。

李德·哈特在第二帝国倒台后的主要目标是,在大陆承诺之下寻找一种方式使英国及其盟国可以快速地并以最小的牺牲赢得战争。就像他在第一次世界大战后不久的一篇文章中所写的:"反思过去的经验是每一位士兵的责任,目的是在自己的行动范围内发现改进的空间,这在不远的未来将派上用场。这些尝试要建立在经济原则的基础上,寻求增强力量的方法,同时减少人员损耗。"[23] 实质上,李德·哈特需要找到一种方式,保证进攻在战场上占优势。毫无疑问,他认识到,一场成功的防御无论实施得多么出色,也不可能取得快速的决定性胜利。只有进攻才能获胜。因此李德·哈特"致力于发现如何能够创新进攻性力量,这是被广泛接受的、可以决定国家间冲突结果的军事方法"。[24] 他在这方面的努力一开始集中在对步兵战术的研究上。

步 兵 战 术

在 1916 年被送回英格兰之后,李德·哈特就开始负责为西线战场训练步兵。不久后他就开始发展自己的战术思想,当战争结束的时候,"他的战术思想已开始酝酿"。[25] 1919 年他发表了两篇短文,包含他早期关于步兵战术的思想。[26] 在同年秋天,著名的皇家联合研究所的馆员(librarian)建议他就这个主题做一次演讲。这使得他必须认真组织他的想法,在演讲中提出一个关于步兵战术的理论。[27]

李德·哈特认为,在战场上需要恢复机动性以防止另一场损耗战。第一次世界大战似乎表明,这可以在战略层面实现。没有明显有效的方式可以在战场周围快速移动大规模的作战单元例如军团——以实现快速的决定性胜利。现代军队看起来过于笨重，并且由于它们之间存在广阔的前沿区域，军队无法向侧翼旋转。[28] 要解决这个问题，哈特认为，应该将注意力集中在排级这个最小的作战单元上："排是一个完整的微型作战建制。在它有限的范围内，可以看到大型战争中的永恒本质。"[29] 具体来说，这么做的目的是鼓励独立的排在自己有限的战术范围内调遣。通过很多小的作战单元的调遣，整个前沿就可以实现战争部署。用李德·哈特的话说："赋予步兵最小单元独立调遣的权力，是一个划时代的变革，即使这些最小单元的部署只是组织大型进攻的一部分。"[30]（这里面）主要的假设是几千个排级单位的成功可以实现整体的成功。哈特争辩道，战场上获胜的关键可以"从一些基于初级规律的战术原则中摸索出来，而不是从大型军事行动的复杂性中精简出来"[31]。事实上，大量战术上的成功可以带来战略成功。

排级部队如何通过调遣获得成功？李德·哈特的假设是防御者的致命弱点在它的侧翼区域，大约在它防御前沿后面 5—10 英里，防御前沿本身的纵深也有几英里。在这个区域的作战力量很少，但是在这个区域有广泛分布的通信网络为前沿或者前沿附近的作战力量提供关键性支持。破坏这些网络会使对手的前沿作战力量变得无助。要实现这一点，负责进攻的排级部队需要突破防御者的前沿，插入它的后方，在前进时躲开敌军的战略要点，不断发现敌军的薄弱点。哈特特别强调，要保持进攻的势头，不要陷入防御部队精心设计的拖延战斗中。他认为这尤其重要，因为"现代军队在很大的纵深内分布，进攻者要突破前沿后延续几公里的一系列防御点"。在这种情况下，进攻者必须通过作战部队实现一种"自动的持续的渗透……一个不变的目标是尽可能地快速前进"[32]。

进攻的排级部队显然要进行一些精心安排的战斗。为了实现最开始的突破，李德·哈特提出"在防御点的裂缝处渗透力量"。[33] 他认为这是有可能的,因为"现代的破坏性武器可以将战场上的战斗人员大面积分散开"[34]。他还认识到要实现突破,可能需要进攻部队直接吸引对方的防御力量。他还认为进攻的先头部队很有可能需要在敌人的防御纵深内进行一些战斗。例如,很有可能无法绕开一些防御点,因为它们是前进的唯一障碍。然而他认为作为战术理论的核心,这些小的作战单元可以通过(适当的)部署在战斗中获胜。他的办法很简单并且久经考验,被他称为"黑暗中的人"方案,即排的一小部分阻止住防御力量,其余部分在敌人的后面部署并实施决定性的打击。[35]进攻的排级部队随后尽力避免卷入这种战斗,插入防御者的后面,破坏他们重要的通信线路。[36]这样,即使进攻者在宽阔的前沿发起进攻,(至少在理论上)也可以避免第一次世界大战中那种血腥的正面战斗。这种战斗只是看起来像前沿进攻。[37]

在李德·哈特的步兵战术理论中,军队部署可以通过两种差异很大但具有互补性的方式进行。一种是在坚固据点附近部署,直接插入防御者的后方,这种部署被用来协助哈特所说的"扩大部队流入"。另一种部署是为了帮助实现"黑暗中的人"方案,目标是消灭不能绕过的防御力量,换句话说,这是为了在那些必须进行的战斗中获胜。

李德·哈特还关心纪律在他的战术计划中所发挥的作用。对他来说,纪律不是"不加思考的服从"。相反地,他提倡指挥链中的每一个士兵在进行战斗的过程中独立判断并发挥能动性:

> 每个士兵都要作为独立的个体行动和思考。我们需要的是目标的统一性,而不是行动的统一性。每个人都要独立地行动,在战场上发挥自己最大的优势,但同时与队友相配合以实现共同的目标。在过去,这种才智发挥主要是部队指挥者的职责,但现在每个人都有这个义务。[38]

另外,他还强调对聪明士兵的需求,他认为通过步兵的军官分级,能够为国家挑选可以委以重任的人才。[39]这种对表现出能动性的聪明军官的重视是源于他的理论是建立在无数小的作战单元行动的基础上，这些小的单元不是完全被上级指挥者控制。因为这些单元在很大程度上作为独立的个体行动，因此需要主动性和良好的判断能力以快速作出决策，保持进攻部队在一个流动战场上前进的速度。

李德·哈特在关于步兵战术的写作中还对坦克的应用表现出极大的热情。早在 1919 年他就预测："坦克一定会在未来的战争中发挥更加重要的作用。"[40] 他还主张坦克和步兵"作为同一战斗单元的固定部分在一起进行训练"。然而，他仍然坚信步兵是具有决定性的兵种，并且步兵战士仍将是唯一真正的获胜者。[41] 与他对坦克的热情相比，他不怎么重视火炮的作用。他明显失去之前对弹幕攻击，以及对英国（军队）在第一次世界大战中高度依赖炮火（的热情）。炮战几乎被等同于拖延时间的消耗战，他急于在未来的战争中避免这种战斗。

李德·哈特还创造出一些可以使防御者挫败进攻的步兵战术。这些被他称为"收缩的漏斗"的防御战术主张只将一小部分防御力量部署在前线，大部分力量放在前线后面。他认为，"前方部队"的作用是利用炮火进行静止防御。[42] 而在后面的部分是作为"机动部队"。进攻力量都想插进防御者的后方，尽管前方部队会使他们付出一些代价。[43] 一旦进攻力量到达前方防御的后面，防御者的机动部队就可以集中在他们的两侧并消灭他们。防御者事实上是在引诱进攻者进入一个死亡区域，防御者对这个区域的了解可以给他们带来相对于进攻者的决定性优势。[44] 李德·哈特相信这样的部署可以使得防御者避免第一次世界大战中那种血腥的战斗，同时对进攻者进行毁灭性的打击。

李德·哈特的步兵战术理论与受到高度重视的德军在第一次世界大战最后两年所使用的步兵战术十分相似，无论是进攻还是防御。事实上，很难将他为进攻者设计的战术与德军在 1918 年对协约国的进攻中所使用的著名的渗透战术区分开来。[45] 李德·哈特在他的回忆录中称这两种战术有一个基本的区别:德国的渗透战术"不能保证在突破敌人的整体防御体系时,前进的动力可以一直得到保持"。这样进攻力量就不能实现对防御者前线据点的完全突破,德国在 1918 年春天使用这些战术对付英国和法国时,这种情况确实发生过。他在回忆录中明显地暗示,通过发展出"一种使得突破成为半自动过程的进攻方法",[46] 他可以解决这个问题。但是在 20 世纪 20 年代早期,李德·哈特不再坚持步兵是战场获胜的关键,反而支持坦克的作用,很大一部分原因是他不认为步兵可以在防御者封锁缺口之前实现突破,即使是遵循他的战术建议。[47]一般来说,很难从他的写作中分辨出他对于突破的观念与德军早期概念的差别,他们看起来是一致的。最后,当哈特在 20 世纪 20 年代和 30 年代撰写有关渗透战术的文章时,他也没有提到任何他与德军关于突破的观点差异。[48]

李德·哈特提出的防御战术与德军的防御战术之间的差异也很小。[49]事实上,哈特的步兵战术理论与德军理论唯一有意义的区别是:哈特强调步兵和坦克之间的配合,而德军很少关注坦克的作用,反而关注步兵和火炮之间的配合,很明显哈特从未提起这一点。德军严重依赖精确的炮火攻击压制敌人坚固的据点。哈特尽管没有完全忽视火炮的作用,但对它的重视程度还是比德军小得多。

李德·哈特承认从德军战术中借鉴了一些思想,他在 1968 年写道:"在 1920 年修订步兵训练手册的过程中,我发展出一种被我称为'扩展急流'(expanding the torrent)的进攻方法。它是对 1918 年渗透战术的发展,基础是深入渗透和在抵抗薄弱区域持续施压保持进攻势头的思想。"[50]然而在这一时期,没有足够的证据说明德军的战术经验如何影响了他对步兵战术的思考。[51]在战争结束时,他至少清楚德军战术的大概情况,因为任何深度参与训练步兵工作,之后又发展步兵战术的人都会了解德军在 1917—1918 年是如何使用步兵的。相互敌对的军队毕竟都会严密关注对方的战术,德军在战争最后几年里使用的战术无疑得到英国军界大量关注,无论是战争期间还是战后。[52]

李德·哈特的步兵战术理论有两个主要的问题值得一提，尽管他自己从未讨论过这两个问题。一个问题是他的理论在一系列的讲座中得到全面的阐述，并且通过文章和著作得到广泛传播。这种广泛的散布意味着对手可以很容易地采取他的战术，用来对抗英国军队。第二个问题与第一个联系紧密。哈特的终极理想是不再进行第一次世界大战这样的战争。然而他提出的防御战术为他的进攻战术提供了绝妙的破解方法。哈特没说明采取他的战术的进攻者比接受他的防御战术的对手更有优势，事实上，他希望防御者可以获胜。思考一下以下这些他回忆录中的观点：

> 防御的问题，在我看来，是针对新的进攻方法提供合适有效的对策……我因此设计出一种改进体系……我称之为"收缩的漏斗"……在讨论和尝试之后，温斯顿·杜根将军认为，使用渗透或 1918 年的"弱点突破"战术的进攻者会败给使用"收缩的漏斗"战术的防御者。

因此，如果英国对使用哈特防御战术的敌人发起进攻，就会被挫败，再次制造出第一次世界大战中的僵持局面。由于哈特广泛地推销他的观点，德国这个未来最有可能的敌人已经在第一次世界大战中使用了几乎同样的防御战术，就很有可能出现僵持结局。李德·哈特似乎从来没有尝试解决这种困境，可能是因为他没有意识到，也可能是在问题日益突出的情况下他的兴趣点从步兵战术转向装甲战略。然而，这种困境还会再次出现。

闪　电　战

李德·哈特不是战后初期唯一面向大众写作的英国军事思想

家。同期进行写作的还有富勒(J.F.C.Fuller),他是陆军的一位名誉少校,曾是第一次世界大战中英国坦克部队的首席参谋官。富勒坚信坦克会成为未来战场的主要武器,如果使用得当,会对陆战产生革命性影响。李德·哈特读到富勒发表在 1920 年 5 月皇家联合研究所杂志上的一篇获奖文章,[53] 这是他第一次接触富勒的思想。富勒在文章中认为,快速移动的坦克将会主导未来的战场,使得陆战近似于海战,坦克作战的方式将类似于在海战中的舰船。

李德·哈特在读了这篇文章后写信给富勒,向富勒介绍自己并提供给富勒一些他写的关于步兵战术的文章。富勒立即回信,开启了他们长时间的富有成果的、尽管有时有很多争论的通信联系,直到 1966 年富勒去世。[54]富勒喜欢李德·哈特的步兵思想。但是他认为哈特低估了"为实现战场突破的进攻性步兵提供供给的巨大难度"。[55]富勒认为装甲力量可以提供突破。

富勒在接下来一年半的时间里试图使哈特相信步兵不再是战场上的决定力量,坦克有可能彻底改变战争。哈特尽全力反驳富勒的观点,但最终在 1932 年 1 月 31 日给富勒的一封信中承认了他的失败:"您关于坦克胜过其他武器的观点是令人信服的,我愿意成为您的信徒。"哈特当时还在陆军,他随后询问富勒是否有可能转到坦克军团。尽管他没能被重新分配工作,并且事实上在 1924 年,他由于治疗原因被强迫退役,他和富勒被普遍认为是坦克的支持者,并且在今天被普遍认为是闪电战理论之父。[56]

李德·哈特在后来坚持认为他们早期关于装甲战的观点有很重要的区别,并且他的观点才可以代表闪电战的真正要义。但是看起来他们早期的观点没有什么实质性的区别,而且历史记录表明是富勒在 20 世纪 20 年代一直影响哈特对装甲战的思考,而不是相反。[57]然而我们这里关心的是李德·哈特早期关于坦克使用的观点与我们现在理解的闪电战之间的关系。

要详细叙述李德·哈特早期关于闪电战的观点并不容易,因为在两场战争之间他在这个问题上的写作非常少，尤其是在 20 世纪 30 年代。原因很快变得显而易见。他在这个主题上的大部分作品可以追溯到 20 年代，但是没有一篇文章、演讲或著作系统全面地展示出他的观点。仅仅是在一些文章和著作中，他简单地讨论了一下这个问题。[58]他在装甲战略问题上的写作与他的步兵战术写作形成鲜明对比。尽管如此，仍然可以从他在这个问题上零星的一些写作，描绘出他早期对闪电战的观点，当然要说他的观点具有连贯性有一定风险，这可能并不是实际的情况。

在两场战争中间几乎所有的时间里，李德·哈特都对战争机械化表示支持。他经常在他的写作中争论英国陆军机械化的必要性。事实上，在 1925 年加盟《每日电讯报》的时候，他就决定利用自己的职位"作为一个平台发起陆军机械化运动"。[59]然而，无论支持机械化本身是一个多么有价值的目标，也不能被等同于发展出一个装甲战略。

李德·哈特在 20 世纪 20 年代的时候经常声称坦克有彻底改变陆地战争的潜力。他相信坦克可以帮助恢复战场机动性，并且再一次使获取快速的决定性胜利成为可能，正如下面所引用的他在 1926 年 9 月 8 日《每日电讯报》的一篇文章中所写的那样：

> 我坚信陆军现在最紧迫的需要是增加机动性，无论是在装备还是在思想上。机动力量是装备机动性的主要组成部分，思想机动性来源于眼界的宽阔、对机会的迅速捕捉、迅速的决策和行动，这些是装甲部队的关键要素。装备形式会不断发生改变，但是精神要保持，要放弃对无望取得成功的堑壕战的坚持，否则我们的军队没有未来。[60]

他一直认为坦克是进攻性武器，大规模使用坦克会改变进攻-防御平衡使其更有利于进攻。[61]例如他在 1926 年 9 月 24 日的《每日电讯报》上争辩道："机关枪占上风的结果是加快了坦克部队的出现。像神鸟凤凰一样，战场上防御力量的灰烬可以催生新的进攻性力量。"[62]

可以承认李德·哈特在 20 世纪 20 年代被视为机械化的支持者,他相信坦克内在的机动性为进攻者提供了打击力量,可以避免在欧洲大陆上进行另一场消耗战,但这并不等同于认为他明确说出了关于闪电战如何运行的观点,并使他的观点广为人知。[63]宣称装甲力量的内在潜力是一回事,而为了支持这些观点进行细致的讨论是另外一回事。关于闪电战如何进行,李德·哈特说了什么呢?具体来说,关于坦克和其他作战力量的关系,他说了什么呢?他是主张建立独立的装甲力量,还是倾向于将坦克与现有的装甲和步兵单元结合起来?关于如何在战场上使用装甲部队击溃防御力量,他的观点是什么呢?要评估李德·哈特关于闪电战早期思想的发展,这些都是关键问题。

李德·哈特关于战场部署方面的写作很少,关于如何组织装甲力量的写作稍多一些。在 1965 年的回忆录中,他对闪电战的讨论在很大程度上是基于他关于步兵战术的写作,还有第二次世界大战之后他写的一篇关于闪电战的重要文章,以及他早期关于间接路径的写作,而这与闪电战不是一回事。[64]事实上,他将间接路径视为吸引敌人的一个替代选择。他两次提到发表在 1924 年《陆军季刊》上的一篇文章,强调这篇文章包含了一些他对闪电战的关键性观点,并且强调这些观点对德国人的思维有重大影响。[65]这篇文章主要是讨论如何组织装甲力量,几乎没有涉及战场部署。另外,关于组织问题的讨论虽然有趣,却没有提供有意义的洞见,并且几乎没为如何组织未来的装甲力量提供一个蓝图。因此这篇文章不能作为他讨论闪电战的引证用在回忆录里,即使不引用这篇文章,他的回忆录中也会充满冗长的引证文章以证明他在第二次世界大战发生前 20 年中的预见性。然而从李德·哈特在 20 世纪 20 年代很少的一些文章中可以看出,他抓住了很多闪电战的本质问题。我们接下来更加详细地考察了这个问题,首先关注闪电战的原理是什么,然后将李德·哈特的早期观点与实际战略进行比较。

闪电战假定防御者将大部分军力放置在战场前沿或前沿附近,在前沿后面有极为重要的通信网络。[66]如果这个网络被破坏,那么防御力量不可能继续战斗。因此进攻者的目标是在防御者前沿的一个或多个点聚集装甲力量,突破前沿,然后直接插入防御者的后方。这种战斗有两个阶段:突破阶段和推进阶段。随着进攻部队向前移动,他们会切断通信线路,迅速占领防御者通信网络中的关键点。防御者会丧失行动能力,不只是因为他不能协调自身各部分力量,还因为陷入思维混乱。在实现最初的突破之后,进攻者必须尽力规避防御者的坚固据点。深入的战略渗透是闪电战成功的关键。

进行闪电战要求将坦克作为战场上的主要武器,步兵和炮兵发挥次要作用。坦克不能分配在步兵作战单元中,而是作为步兵的支持力量。[67]坦克必须集中在大规模的装甲作战单元中,集中使用以实现初始突破和深入的战略渗透。然而在大规模的装甲作战单元中,也需要步兵和炮兵。在两场战争之间,英国有些人认为步兵和炮兵将从战场消失,只剩下大规模的坦克作战。这种情况从未发生,即使在一些接近于这种理想情况的战斗中,实际表现也很差。[68]装甲部队需要步兵和炮兵的支持,尤其是在那些装甲部队不能避免的初始突破型战斗和接下来的激战中。然而,装甲力量不能过于依靠步兵和炮兵的支持,因为将各军种结合在一起带来的指挥、控制和后勤问题会放慢进攻部队的速度,这会给闪电战带来致命打击。

考虑到炮兵存在的问题,闪电战中的进攻力量倾向于依赖近距离空中支援,这有时被称为"飞行的炮兵"。飞机进攻不仅有很强的灵活性,而且对地面力量的后勤需求很少。尽管近距离空中支援是闪电战的关键要素,但仍然需要步兵支持,因为有很多时候空中支援难以获得。

最后,闪电战非常重视个体的主动性和一个灵活的指挥-控制系统。闪电战不是基于一个僵硬的计划,事实情况正相反。在进攻之前,需要设置一个全面的目标,并且要为突破战斗准备细致的计划。然而,指挥者在推进战略渗透的时候没有严格的指导方针可以遵循。潜在的假定是战斗如何发展是不确定的。如克劳塞维茨所说的"战争的迷雾",指挥者经常要在只掌握有限信息的情况下作出决策。不确定性是常态,因此要承担一定风险。指挥者作出快速决策使得装甲部队保持快速进攻的能力是十分重要的。在信息不完整的情况下,进攻部队要保持攻势,胆识是很关键的。此外,指挥-控制系统必须有足够的灵活性以鼓励各个战斗层级大胆决策。

李德·哈特早期关于装甲战的观点与这种对闪电战的描述有很多共同之处,尽管也存在一些不同。关于组织问题,他认为坦克需要在战场发挥主导性作用。[69]他警告说坦克不应被视为"步兵的附属",它们不应该与"步兵混合在一起,在不合适的战场上被逐渐地浪费掉"。相反,它们应该被"集中在一起,尽可能地大规模使用,针对敌人的侧翼和通信系统进行具有决定性的部署"[70]。

他对于步兵和炮兵在这些大规模的装甲战中能发挥什么作用的观点很难被准确描述,尽管他有时好像也认为坦克会主导战场,因此不再需要步兵和炮兵。当时一个偶然出现的观点——即未来的陆地战争会类似于海战,坦克将发挥舰船的作用——暗示不再需要步兵和炮兵发挥作用。李德·哈特在其早期写作中经常引用这个类比,例如他在1927年9月的文章中写道:"今天……机械化力量之间的冲突仍然处于想象中,尽管事实情况很有可能是这种冲突会类似于海上战争,陆地战舰从关键基地开始行动。"[71]

李德·哈特关于步兵和炮兵未来的写作看起来遵循一种特定的模式。他做了一个申明,明确地暗示或者说直接地表示这些军种最终会从战场上消失。然后他稍微修正了一下自己的观点,赋予这两个兵种次要的战场作用。例如,在《帕里斯》(1925年)一书中,他写道:

> 如果一个企业雇用上了年纪并且虚弱的员工,它很快就会

破产，其中的一些可以做看门人，这可能是未来机动战争中步兵唯一可以发挥的作用……

　　然后关于野战炮兵，尽管对付第一次世界大战中的坦克可以发挥有限作用，但如果面对时速达到 20 英里的现代坦克，它的获胜机会就很小了，如果面对大规模坦克作战，炮兵几乎没有取胜机会。如果它不能击中坦克，就会被打击……这样它的作用就完全变成防御性的。(69)

接下来他还认为，在更远的将来，坦克"将完全吞噬旧的军种"(79)。然而，他承认在当下，炮兵和步兵还能在战场上发挥一些次要的作用：消灭和占领坦克所不能克服的敌人的坚固据点，在装甲部队后面清理战场，并且在森林和山地作战。[72] 同样的论点可以在 1924 年他发表在《陆军季刊》的文章中发现，他宣称："坦克将会吞噬步兵、野战炮兵、工程人员和通信兵的作用。"接下来他证明了自己的观点，"合理的次序是陆地或者说主要由坦克和飞机组成的陆上力量，配合以小股炮火围攻，缩小并防御加固的坦克和空军基地，以及作为陆上战舰使用的机械化步兵"。[73]

从这段引文以及他的其他作品中可以看出，李德·哈特认为近距离控制支援发挥重要作用，他在很大程度上将之视为炮兵的替代物。他在 1926 年 6 月的《每日电讯报》的一篇文章中列出的理由给人印象深刻："关于机动部队的问题……坦克前进速度太快，大大增加了标准炮兵配合的难度，基于这个原因我认为真正有效的'进攻性'支持需要更加机动的可以立刻移动的炮火。为达到这个目的，低空飞行力量的紧密配合是至关重要的。"[74]

李德·哈特还认识到进行闪电战需要一个从上到下的灵活的指挥系统，士兵在困难的战斗环境中要有能力发挥主动性。他至少在两个场合讨论过快速移动装甲部队存在的指挥-控制问题。他注意到："控制问题远远超过直接保护，是机械化部队存在的真正问题，主要原因是它的流动性、它所覆盖的距离以及移动和交战的速度。"[75] 对于李德·哈特来说,控制快速移动的力量不是一个新问题,他在发展步兵战术的时候就曾遇到这个问题。在这两种情况下,他的解决办法是不强调僵化的纪律形式,而强调灵活性和主动性。像他在《帕里斯》中所写的那样:"对于机动化部队,控制系统必须更加迅速和灵活。"(25)

现在我们考虑一下李德·哈特对闪电战如何运行的思考,首先讨论他对突破战役的思考,其次是战术推进阶段。他认识到需要在前线一些指定的点集中装甲力量以实现突破。他的步兵战术理论要求几百个小的作战单元在广阔的前线发起进攻,每一个作战单元都要寻找敌人防线上的薄弱点,他的理论不强调集中力量实现单一突破。如果李德·哈特仅仅是将坦克包含到他的步兵战术中,装甲力量就会被分散部署,这与闪电战的要求是对立的。然而他明智地认识到需要集中坦克力量。[76]

在由炮兵和步兵主导的力量突破敌人防御前线之前保存装甲力量,这种想法在20世纪20年代吸引了很多注意力。[77]随后坦克开始前进,继续开拓突破点。换句话说,装甲力量发挥传统的骑兵作用,这是一个与闪电战不匹配的概念。闪电战要求装甲力量实现关键性突破,然后进行深入的战略渗透。李德·哈特很明智地称之为"明显荒谬"的观点。[78]

闪电战的推进阶段是十分重要的,因为敌人的后方被看作致命弱点。李德·哈特当然认识到这一点,因为他的步兵战术理论是基于同一假定。1927年8月,他发表在《每日电讯报》上的一篇文章总结了他对这个问题的思考:"指挥装甲部队的核心指导思想应该是进入敌人的后方,从而使敌人丧失行动自由,然后瓦解敌人士气,破坏他们的组织能力,最终消灭之。"[79]

在这个假定基础上,进行一场闪电战的核心要素是深入的战略渗透,正如李德·哈特在第二次世界大战后所强调的。[80]深入的战略渗透与更加有限的战术渗透明显不同,战术渗透强调使用装甲力量破坏敌人近距离后方的通信网络。李德·哈特没有忽视这个重要的区别,他在第二次世界大战后努力说明他在两场战争中间的时间里支持深入的战略渗透,而富勒倡导进行深入的战术渗透。他争辩道:"富勒倾向于支持使用装甲力量抵抗敌人的近距离后方力量,而不是破坏敌人大后方的通信系统。因此他支持军队向漫长的但有边界的纵深前进,而不是尽可能地快速前进,在我为装甲力量发展'扩展急流'方法时,这个想法变成了我的概念。"(*Memoirs* 1:91)

然而没有证据表明,李德·哈特在第二次世界大战之前就理解深入战略渗透的重要性。具体来说,没有证据表明在第二次世界大战之前,他思考过关于战术和深入的战略渗透之间的区别。他没有讨论过进攻者要深入到防御者后方多远才能使其崩溃,但是在当时,这不是英国装甲力量支持者所思考的中心问题。从 20 世纪 20 年代开始,他的作品中没有出现对闪电战这个概念的讨论,这不足为奇,因为哈特宣称他对深入的战略渗透的思考还没有成形,直到他在1928 年开始研究美国内战中威廉·谢尔曼(William T. Sherman)和内森·福里斯特(Nathan Forrest)发起的战役,他关于装甲战略的大部分作品已经完成。但是从他关于谢尔曼的书中或者两场战争之间任何他后来的作品中,都找不到证据表明他认可深入战略渗透的概念,更不要说引起外界对这个概念的注意了。[81]

我们可以说他的作品中有对这个概念的暗示。[82]并且这么说可能有一定道理。李德·哈特在讨论战役开拓阶段的时候,经常提到"扩展急流"概念。这个概念可以用来说明他相信深入到敌人后方的必需性。[83]在两场战争之间,他从来没有就这一问题表明他的观点。另外,在他宣称深入战略渗透的观点成形之后,他不再经常使用这个概念。[84]他在关于步兵战术的写作中第一次引入"扩展急流"这个概念,但他自己承认,他不是在讨论深入的战略渗透。总之,在第二次世界大战前的几年中,李德·哈特显然没有讨论闪电战开拓阶段的范围问题,并且他看起来也没有意识到这个问题的重要性。

李德·哈特的步兵战术理论同时包含对进攻和防御的讨论,在他的规划中进攻并不占特别的优势。但从20世纪20年代开始,他关于装甲战略的写作不是这个样子。他几乎没有任何写作是关于装甲战场上的防御操作,几乎全都是关于进攻的问题。另外,他坚持认为坦克明显有利于进攻而不是防御。他在写作中暗示采用他的装甲战略观念的军队几乎肯定可以取得快速的决定性胜利。然而他也意识到一个聪明的防御者可以利用坦克的机动性增加挫败进攻的可能性,因此机动性的提升不仅仅有利于进攻性力量。斯潘塞·威尔金森(Spenser Wilkinson)在1927年的一篇针对李德·哈特《改造现代陆军》的评论中提出这一观点。然而,李德·哈特却不接受他的观点:

> 接下来,他争辩道,任何使用坦克力量攻击敌人后方的指挥和通信中心的企图"在下一场战争中都是不现实的,因为马上就会遭遇敌人的坦克力量……"我的回答是一种工具的机动性越强,它躲避的力量也越强,就像遥远过去的骑兵和最近出现的飞机所证明的那样。[85]

李德·哈特关于闪电战的写作表明他是如此努力要找到一种方式,使得进攻成为一个有吸引力的选择,以至于他完全忽视了或者拒绝理会相反的观点,这一点体现在他的《改造现代陆军》一书中的另一段评论中,无视反坦克武器的最新发展,他评论道:

> 很奇怪这种对反坦克武器的热切的、不断上升的希望竟然来自真诚希望回归到机动战争的士兵们,在这种战争中指挥的艺术和寻找突破的锐利目光可以再次找到新的视野。我想知道他们是否意识到发现反坦克的办法会毁掉所有机动性复原的可能性,并使我们注定逃不脱机械化屠杀……如果坦克的地位很低,机关枪就会毫无争议地成为战场的主宰,在不能移动的防御面前,进攻的可能性就会下降并最终消失。(7—8)

另外还有三个关于李德·哈特和防御问题的观点。第一,他关于坦克有利于进攻的结论是错误的,对于一个复杂的问题这个结论过于简单。事实上，有充足的理由可以证明坦克有利于防御者。[86]当然这个观点的前提假定是防御者可以熟练使用装甲力量。李德·哈特本人在 20 世纪 30 年代中期也转变了他的观点，从认为坦克改变了攻守平衡有利于进攻，变为完全相反但是同样极端的观点，即防御者在战场上具有压倒性优势。第二，李德·哈特似乎没有考虑过在未来的某场战争中英国的敌人会关注他的观点，并且使用他的闪电战理论打败英国。毕竟，在 20 世纪 20 年代，李德·哈特对德国军队印象深刻，尤其是德国领导人对机动性的强调。德国可能已经采用了他的理论来对抗英国及其盟国。

最后一点与前面一点相关，是关于威慑问题的。具体来说，如果宣称坦克可以给进攻带来巨大回报，是否可以增加威慑力？是否可以对一个潜在的侵略者说闪电战是蹂躏其他国家的绝妙工具？在 20世纪 30 年代，这个问题对于李德·哈特来说至关重要，但在 20 世纪 20 年代，他几乎不关注这个问题，而是集中精力发现在下一次战争中获胜的方法。然而，他至少在一个场合讨论过防御和威慑的问题。他的讨论值得被详细转引，因为这表现出他是如此专注地研究如何让进攻比防御更加有力：

今天的军队规模很大但是速度不行……再爆发另一场战争我们注定也会陷入上一场战争的麻痹无力状态，对国家的人力和经济能力带来严重伤害。

和平主义者可能会欢迎这一状况的出现，他们的观点是如果军队无法发起进攻，进攻性的战争就不可能发生。他们坚持将军队保持现有状态，理由是保持规模但牙齿（进攻性）被拔掉的军队可以保卫一个国家，但却不能侵略别的国家。

和平主义者如果接受这种观点就是在欺骗自己。如果进攻力量消失，只能防御的军队的花费只是无用的开支。[87]

但是在 20 世纪 30 年代，李德·哈特完全改变了这些观点。

总之，李德·哈特早期关于装甲战略的思考在多大程度上符合我们现在所了解的闪电战？李德·哈特没有认真发展关于闪电战的观念。他没有一个关于进攻性闪电战的完整理论。相反地，他主要忙于发起一场将英国军队机械化的公共运动。为此，他争论说坦克将是未来战场的主要武器，由大规模装甲单元组成的部队需要被组织实现快速运动。他十分认同这个观点。[88]

　　尽管他关于闪电战的写作很少，他似乎已经领会关于这个战略的很多核心要素。尽管他在早些年没有认识到深入的战略渗透的重要性，但他明白防御者的关键弱点是它后方的指挥-控制体系。另外，他认识到要摧毁这个复杂的体系，需要进攻力量在打入防御者后方的时候保持高速运动。在组织问题上，他还没有愚蠢到宣称传统的兵种——如步兵和炮兵——在战场上不能发挥作用，尽管看起来他低估了各兵种联合作战在闪电战中的重要作用。最明显的是，他了解到组织灵活性和个体主动性以及低空飞机支援的重要性。他最明显的判断错误是没能认识到坦克不只有利于进攻，而且还能被有能力的防御者有效利用。撇开这些缺点，从李德·哈特的写作中可以看出他基本上是了解闪电战的。考虑到在坦克还是一个相对新的武器的时候，李德·哈特就形成了他的观点，那么他所取得的成就是令人钦佩的。当时关于坦克战的实际经验还很少，在这个问题上还没有现成的文献。然而，他在这些发现的过程中得到了富勒的重要帮助。

　　关于李德·哈特对闪电战的思考还有最后一点需要讨论。他认为一个国家可以建造两支完全不同的军队，并且这个选择对闪电战有重要意义。具体来说，他认为只有避开征兵制度的相对小型军队并且在专业士兵的主导下才能实施闪电战。[89]建立在征兵基础上的大规模军队只能进行1914年至1918年之间西线战场上的那种消耗战。他认为，大规模和机动性之间是相互对立的关系，在小规模的专业部队与大规模部队遭遇时，前者几乎总是可以取得快速的决定性的胜利。[90]同两支大规模军队交战的情况不同，双方各自军队的人数在这种战斗中不是关键因素。机动性——而不是数量——是小规模部队获胜的关键。事实上，军队的规模越大或者人数越多，这支军队就会越笨重，越有可能在战场上被打败。[91]

在《帕里斯》一书中，李德·哈特认为有三个原因导致大规模军队无法在装甲战中获胜。[92]第一，大规模军队由于本身的数量原因过于笨重而不能在战场快速移动。他认为，动员大规模的征兵部队很可能导致"自我引发的瘫痪状态"，[93]而且在被大规模军队占据的战区部署部队的空间不大。第二，大规模军队由于数量大和移动速度慢，在现代火器面前十分脆弱。他认为空中进攻对破坏大规模军队十分有效。[94]第三，大型军队"会对供给手段造成严重限制"，即使能克服笨拙的问题，但这样的军队一旦处于移动中就很难解决供给的问题。

还有另外一个很重要的原因使李德·哈特相信大规模军队无法进行闪电战。从他的写作中可以明显地看出，他认为使一支大规模军队机动化是不可能的，毫无疑问是因为财政原因，因此这样一支军队的主力将是步兵和炮兵，而不是坦克。[95]而这必然导致西线战场教训的重演，只有一支小规模的、由专业士兵主导的非征召军队能够实现机动化。

总而言之，李德·哈特对闪电战的信赖不是导致他认为英国可以避免另一场消耗战的唯一原因。他还认为未来军队的规模将是较小的，在闪电战失败和陷入僵局的情况下，很难发动大规模的战争。从李德·哈特的写作中可以明确地看出，他希望回归到 18 世纪欧洲的有限战争，并且他认为实现这一点，机动化可以发挥重要作用。[96]当然，第二次世界大战的发生表明这只是一个空想。

李德·哈特，一个伟大的军官

李德·哈特在第一次世界大战后的六年中仍在军队中服役，在这段时间中他主要关心的是寻求恢复进攻在战场上的主导地位。在这些年中，他理所当然地认为英国应该作出大陆承诺，他只是希望英国及其盟国可以在未来的欧洲战争中获得快速的决定性胜利。

李德·哈特坚信，如果他下定决心就一定能够发现战场获胜的关键。他将自己视为一个极具理性的人，可以通过仔细研究解决重要的军事问题，然后将他的洞见传达给负责任的、愿意采用他观点的军事领导人。李德·哈特认为聪明的人们，或者"伟大的上尉们"在很大程度上要在战争中为国家的命运负责。对李德·哈特来说，军事史——用卡莱尔著名的话讲——就是"伟大人物的自传"。[97]在他的一生中，他很少关注影响战争的物质力量，但十分重视观念的力量。他争辩道："世界历史即使不全部是伟大人物的历史，也是具有创造性思想的历史。"[98]当然在他心中，思想与人是连在一起的，因为是人孕育了思想，并且最终要依靠人的思想水平对他们进行评价。下面这段《改造现代陆军》中的评论很好地表达了他的观点："战争与生活和知识的其他方面没有什么不同。科学的伟大发现都来自一些个体的独立研究，他们可以不受所有团体机制所特有的思维惯例的束缚进行调查研究。"(183)李德·哈特的写作中充斥着他对伟大人物和他们思想的重视。[99]我们来看一个很重要的例子。

李德·哈特一直关心造成第一次世界大战中血腥僵局的根本原因。他的结论是最终的责任在于克劳塞维茨，他关于战争的错误理论被欧洲的军队热情地接受。[100]他认为克劳塞维茨是"大规模相互屠杀的救世主"，是推崇血腥激战的战争哲人。[101]另外，他是"一个世纪欧洲军事学者所敬重的大师"。[102]正是这些学者对这位大师教诲的尊崇导致第一次世界大战中的灾难。例如他坚持认为，德国军队在第一次世界大战中的失败可以直接归咎于他们对克劳塞维茨理论的追随，"他的理论使他的祖国变得更加贫弱，甚至不如拿破仑铁蹄下的德国"。[103]这句话的含义很明确：如果没有克劳塞维茨，如果有一个更加明智的人取代他，欧洲就不会经历第一次世界大战的惨痛。

李德·哈特很自然地将他自己视为智慧的来源，可以抵消克劳塞维茨理论的不良影响。然而，因为他只是一个由上校和将军们主导的军队中的低级军官，只有他的上级认真对待他的观点，并注意他的建议，他才能实现他的使命。他认为，（要实现这个目标）需要让这个年轻的军官感到"他的背包里有元帅的指挥棒"。[104] 只有将军愿意接受他的教诲，李德·哈特才能成为"将军的老师"。

他有充足的理由相信在战争后不久的几年中，这个情况就会实现。在这段时间，他对英国军事领导人的总体态度是积极的，当然这与他对第一次世界大战的思考紧密相连。大量的英国将军称赞并推崇他的观点，并且有更多的军官关注他的这些观点，这些情况没有被李德·哈特忽视。例如在 1923 年，他写道："我对由于我的军事理论而受到的大量礼遇和鼓励表示感激，任何其他的初级军官都不会受到这样的礼待。"1936 年，在他对英国的军队变得失望之后，他确认了他在 20 世纪 20 年代的说法："处于主导地位的将军们将我视为一个有同样丰富军事知识的人。"[105]

李德·哈特的观点第一次被他的上级认真对待是在第一次世界大战结束之前，他关于步兵训练的写作被热情地称赞。他在回忆录中写道："看到我的战术观点是如此受欢迎，我写的书如此广泛地传播（1：32），实在是令人兴奋。"然后在战争刚刚结束，大量有影响力的将军竭尽全力帮助他传播观点。[106]李德·哈特对 1922 年他在皇家联合研究所的一次关于步兵战术讲座的描述显示出他的观点的流行程度：

> 当我进入演讲大厅的时候，我被来听我讲座的大量尊贵的听众，包括很多将军簇拥起来……在那之后，军事工程学院的校长请求我尽快到他那里再次演讲。我的讲座除了在《皇家联合研究所期刊》和《皇家工程师期刊》上被刊登之外，两家主要的军事出版商，盖尔＆波尔登以及休里斯提出将我的演讲集册出版，是马克西（Maxse）将军（他是李德·哈特的坚定支持者）建议这样做的。（*Memoirs* 1：47）

这些事值得注意的原因是李德·哈特只是一个年轻的上尉,并没有卓越的战功。他能获得这些声誉主要是因为他有善于分析的头脑,这吸引了一些有影响力的将军的注意。早年军事部门对他的这些礼待很自然地强化了他已经根深蒂固的观点,即军队需要有一位具有很强理性的思想者,他可以找到一种方式恢复进攻的主导地位,并将这个准则传递给将军们。

讨论这些问题不能掩盖一个事实,即李德·哈特后来对英国将军一些根深蒂固的敌意在当时就表现出一些迹象。例如,1923年他在《陆军季刊》上发表了一篇充满争议的文章,在这篇文章中他警告"不加思考地蔑视外部研究者观点的专业人员"。他还警告"思维狭隘的正规兵中有一种不断上升的趋势,依靠最后防线观点,获得在战争(问题上)的更高权威"。[107]在之后的一些问题上,李德·哈特在这几点上受到直接的挑战。他采用一些相当温和的言辞回应,之后他再也没有使用过这种方式。[108]而后来他一直坚持他的观点。即使出现这些醒悟的迹象,但在恢复和平的最初几年里,李德·哈特仍然对将军会欢迎他的新观点充满希望。

总之,1924年之前李德·哈特就相信他已经找到一种方式,可以使进攻重新在攻守平衡中占主导地位。闪电战可以为英国及其盟国提供一种方式,在下一次的大陆战争中赢得快速的决定性胜利。然而问题是他能否说服英国的将军接受他的理论。

注 释

1. 对这个时期英国军事政策的概述,参见 Norman H.Gibbs, *Grand Strategy*, vol.1(London: Her Majesty's Stationery Office, 1976), pt.1; Michael Howard, *The Continental Commitment: The Dilemma of British Defence Policy in the Era of the Two World Wars* (Harmondsworth: Penguin, 1974), chap.4; Paul M.Kennedy, *The Realities behind Diplomacy: Background Influences on British External Policy, 1865—1980* (London: Fontana, 1981), pt.3.

2. 关于这个现象的本质，参见 Martin Ceadel, *Pacifism in Britain*, *1919—1945 : The Defining of a Faith* (Oxford: Oxford University Press, 1980); on the Oxford Union vote, ibid., chap.8。

3. 爱德华·卡尔的经典著作，*The Twenty Years' Crisis*, 2d ed.(London: Macmillan, 1962)在这里尤其有价值。

4. 参见 G.C.Peden, *The Treasury and British Rearmament*, *1932—1939* (Edinburgh: Scottish Academic Press, 1979); Robert P.Shay, Jr., *British Rearmament in the Thirties: Politics and Profits* (Princeton, N.J.: Princeton University Press, 1977)。

5. 关于这个主题，基思·杰弗里(Keith Jeffrey)的研究很有启发性，Keith Jeffrey, "Sir Henry Wilson and the Defence of the British Empire, 1918—22," *Journal of Imperial and Commonwealth History* 5(May 1977), 270—293。

6. 这个时期关于英国军队的最好作品是 Brian Bond, *British Military Policy between the Two World Wars* (New York: Oxford University Press, 1980), 91 and chaps.1—5;还参见 Correlli Barnett, *British and Her Army*, *1509—1970: A Military*, *Political and Social Survey* (Harmondsworth: Penguin, 1974), chap.17; Harold R.Winton, *To Change an Army: General Sir John Burnett-Stuart and British Armored Doctrine*, *1927—1938* (Lawrence: University Press of Kansas, 1988)。

7. *British Military Policy*, 45; also 44—55 and *Memoirs* 1:50—51.

8. B.Bond, British Military Policy, 188.李德·哈特十分明白印度是军队现代化的障碍;参见他的"The Army and the Future," *Daily Telegraph*, 25 Sept. 1928, 8; "Memorandum on the Indian Military Problem," 17 Aug. 1929, 11/1929/13c; *When Britain Goes to War* (London: Faber, 1935), 113; also chap.3 in this book。

9. *British Military Policy*, 34.还参见 Barnett, *Britain and Her Army*, 415; Winton, *To Change an Army*, 133.关于德国对英国(军事)部署的密切关注，参见 Williamson Murray, *The Change in the European Balance of Power: The Path to Ruin* (Princeton, N.J.: Princeton University Press, 1984), 34—35。

10. 一本没有题目的小手册 7/1916/21a。另见 Brian Bond, *Liddle Hart: A Study of His Military Thought* (London: Cassell, 1977), 18 中的引用。

11. LH, "Impressions of the Great British Offensive on the Somme,"

1916，96；copy in 7/1916/22.

12. Ibid.，84.

13. 关于蒙哥马利-马西伯德的引用来源于同上著作，95；关于霍恩，来源于那本小手册(n.10)。

14. "Thoughts Jotted Down——To Be Expanded," memorandum for the record，entry for 17 July 1936，11/1936/2-25c；另参见他在 Memoirs 1：26 中的评论。

15. 尽管有一份排版的副本，但很明显这篇文章没有出版，名为"The Somme and Its Sequel," is in 7/1917/5。

16. Copy of "Pocket Notebook with Jottings" in 7/1917/2.关于弹幕攻击，参见 Shelford Bidwell and Dominick Graham，*Fire-Power：British Army Weapons and Theories of War*，*1904——1945*（London：Allen & Unwin，1982），83——85，111——115。

17. "Somme and Its Sequel."

18. Small Notebook(n.10). F.M.Sir William R.Robertson 在 1915——18 年是英帝国总参谋长。

19. "Somme and Its Sequel."

20. "Impression of the Great British Offensive," 84.

21. *Memoirs* 1：33.

22. 参见他在 *The Remaking of Modern Armies*（London：Murray，1927），27——28 中的评论。

23. "Suggestions on the Future Development of the Combat Unit," *Journal of the Royal United Services Institution* 64(Nov. 1919)：666.

24. "Those Whom the Gods Wish to Destroy They First Make Mad," memorandum for the record，10 Sept. 1939，11/1939/105.

25. *Memoirs* 1：34，28——33.

26. "Suggestions"；"The 'Ten Commandments' of the Combat Unit：Suggestions on Its Theory and Training," *Journal of the Royal United Services Institution* 64(May 1919)：288——293.

27. 关于这个邀请，参见 *Memoirs* 1：37；关于他的演讲内容（时间为 1920 年 11 月 3 日），参见"The 'Man-in-the-Dark' Theory of Infantry Tactics and the 'Expanding Torrent' System of Attack," *Journal of the Royal United Services Institution* 66(Feb. 1921)：1——22，在演讲中他清晰全面阐述了他的理论。事实上他在演讲之前的三篇文章中已经发展出这个理论，"The Essential Principles of War and Their Application to the Offensive Infantry

Tactics of Today," *United Service Magazine* 61（Apr. 1920）：30—44；"The 'Man-in-the Dark' Theory of War," *National Review* 75（June 1920）：473—484；"A New Theory of Infantry Tactics," ibid.（July 1920）：693—702。李德·哈特还撰写了其他关于步兵战术的文章与著作，"The Soldier's Pillar of Fire by Night：The Need for a Framework of Tactics," *Journal of the Royal United Services Institution* 66（Nov. 1921）：618—626；"A Science of Infantry Tactics," pt.1，*Royal Engineers Journal* 33（Apr. 1921）：169—182；"A Science of Infantry Tactics," pt.2，ibid.（May 1921）：215—223；"Are Infantry Doomed?" *National Review* 79（May 1922）：455—463；"Infantry—'the New Model,'" ibid.（July 1922）：712—722；"The Future Development of Infantry," ibid. 80（Oct. 1922）：286—294；*The Framework of a Science of Infantry Tactics*（London：Hugh Rees，1921）；*A Science of Infantry Tactics Simplified*（London：Clowes，1923）；*The Future of Infantry*（London：Faber，1933）。另参见 Lt. Col. L.V.Bond，"The Tactical Theories of Captain Liddle Hart：A Criticism," *Royal Engineers Journal* 36（Sept. 1922）：153—163；LH，"Colonel Bond's Criticisms：A Reply," ibid.（Nov. 1922）：297—309；Ivor Maxse，"Infantry," *Encyclopaedia Britannica*，12th ed.（London，1922），31：469—479.李德·哈特为马克西（Maxse）撰写后部分的一半以上内容（Memoirs 1：54），（这篇文章）是关于李德·哈特步兵战术思考的出色总结，尤其是第 472—479 页。

28. 参见 John J.Mearsheimer，*Conventional Deterrence*（Ithaca，N.Y.：Cornell University Press，1983），30—33；也参见 LH，"Essential Principles of War，" 40；LH，"Infantry—'the New Model,'" 714—716。

29. "Infantry—'the New Model,'" 718.

30. "Essential Principles of War，" 40.

31. "'Man-in-the-Dark' Theory of Infantry Tactics，" 20.

32. Ibid.，12；LH，"'Ten Commandments' of the Combat Unit，" 292—293.

33. Maxse，"Infantry，" 475.

34. LH，"'Man-in-the-Dark' Theory of Infantry Tactics，" 7.

35. Ibid.，2—12.

36. Ibid.，12—15.

37. LH，"Essential Principles of War，" 40.

38. "Are Infantry Doomed?" 461.

39. "Infantry—'the New Model,'" 713.

40. "Suggestions," 666—669,全面展示了李德·哈特在研究步兵战术时期对坦克的思考。

41. Ibid., 667.

42. "'Man-in-the-Dark' Theory of Infantry Tactics," 19，15—20；另见 *Memoirs* 1：43—46。

43. "'Man-in-the-Dark' Theory of Infantry Tactics," 17.

44. 李德·哈特不主张经典的机动防御,他提倡英国采用他提出的防御战术,背景是第一次世界大战中双方在西线都采取前沿防御战略。关于机动防御,参见 Col. J.R.Alford, Mobile Defense：*The Pervasive Myth*（London：King's College, Dept. of War Studies, 1977）；John J.Mearsheimer, "Maneuver, Mobile Defense, and the NATO Central Front," *International Security* 6（Winter 1981/82）：104—122。

45. 关于渗透战术,参见 Timothy T.Lupfer, *The Dynamics of Doctrine*：*The Changes in German Tactical Doctrine during the First World War*, Leavenworth Paper No.4（Fort Leavenworth, Kans.：U.S. Army Command and General Staff College, July 1981）, chap.2；另见 Correlli Barnett, *The Swordbearers*：*Supreme Command in the First World War*（Bloomington：Indiana University Press, 1975）, chap.4；Brig. Gen. James E.Edmonds, *Military Operations*：*France and Belgium*, *1918*, Official British History of World War I（London：Macmillan, 1935）, 1：chap.7, esp. 155—160；Donald J.Goodspeed, *Ludendorff*：*Genius of World War I*（Boston：Houghton Mifflin, 1966）, 242—245；Lt. Gen. Hermann von Kuhl（German army）, *Genesis*, *Execution*, *and the Collapse of the German Offensive in 1918*, pt.1：*The preparation of the Offensive*（Washington, D.C.：Army War College, Dec. 1933）；Lt.Col. Pascal H.M.Lucas（French Army）, *The Evolution of Tactical Ideas in France and Germany during the War of 1914—1918*, trans. P.V.Kieffer（Fort Leavenworth, Kans. 1925）, chap.6, esp. 234—243；Eric Ludendorff, *Ludendorff's Own Story*, August 1914—November 1918（New York：Haper, 1919）, 158—325。

46. *Memoirs* 1：43—44.另见 B.Bond, *Liddle Hart*, 26—27；Jay Luvaas, *The Education of an Army*：*British Military Thought*, *1815—1940*（Chicago：University of Chicago Press, 1964）, 380—381。

47. 例如,他写道,"即使是最好的轻步兵,也不能取代对现代化装甲部队的需求,因为他们不能进行快速打击或跟进,以在战役中取得决定性胜利"。参见 *Future of Infantry*。

48. 参见 LH，*The Real War*，*1914—1918*（London：Faber，1930），390—392；*Future of Infantry*，27—28。

49. 关于德国的防御战术，参见 Lupfer，*Dynamics of Doctrine*，chap.1；Capt. G.C.Wynne，*If Germany Attacks*：*The Battle in Depth in the West*（London：Faber，1940）；也参见 Gen. William Balck，*Development of Tactics*：*World War*，trans. Harry Bell（Fort Leavenworth，Kans.：General Service School Press，1922），chap.6；Capt. Cyril Falls，*Military Operations*：*France and Belgium*，*1917*，Official British History of World War I（London：Macmillan，1940），1：401—404，522—553；Goodspeed，*Ludendorff*，206—210；Ludendorff，*Ludendorff's Own Story*，1—112；Capt. Wilfrid Miles，*Military Operations*：*France and Belgium*，*1916*，Official British History of World War I（London：Macmillan，1938），2：577—579。

50. LH，"Forced to Think," in George A.Panichas，ed.，*Promise of Greatness*：*The War of 1914—1918*（New York：John Day，1968），113.他在《回忆录》中含蓄地承认他了解德国的步兵战术："在撰写'进攻'这一章的过程中，我认识到 1918 年是德国首先发展出这个方法，然后才是同盟国"（1：43—44）。另参见他的 1925 年备忘录，引自 B.Bond，*Liddle Hart*，26—27。

51. 李德·哈特后来从未直接讨论这个问题。考虑到他试图在第二次世界大战后让别人相信两场战争之间的德国将军们是他的信徒，尤其是德国对闪电战的思考源于他的作品，他就不会提供证据，证明德国在第一次世界大战中的思考如何影响他早期对战争的思考。

52. 参见 Official British History of World War I，ed. Brig Gen James E. Edmonds，以及 Wynne，*If Germany Attacks*。

53. J.F.C.Fuller，"The Application of Recent Developments in Mechanics and Other Scientific Knowledge to Preparation and Training for Future War on Land," Gold Medal［Military］Prize Essay for 1919，65（May 1920）：239—274.两场战争之间，富勒在装甲战方面的主要作品有 *The Reformation of War*（London：Hutchinson，1923）；*The Foundations of the Science of War*（London：Hutchinson，1926）；*On Future Warfare*（London：Sifton Praed，1928）；and esp. *Lectures on F.S.R.III*（London：Sifton Praed，1932），also pub. as *Armored Warfare*（Harrisburg，Pa.：Military Service，1943）。关于富勒对装甲战略的思考，参见 Brian H.Reid，"J.F.C.Fuller's Theory of Mechanized Warfare," *Journal of Strategic Studies* 1（Dec. 1978）：295—312；也参见 Luvaas，*Education of an Army*，chap.10；Brian H.Reid "Colonel J.F.C.Fuller and the Revival of Classical Military Thinking in Brit-

ain, 1918—1926," *Military Affairs* 49(Oct. 1985):192—197;idem,J.F.C.
Fuller：Military Thinker(London：Macmillan, 1987), chap.7;Anthony J.
Trythall,"*Boney" Fuller：The Intellectual General, 1878—1966*(New
Brunswick,N.J.：Rutgers University Press, 1977)。

54. *Memoirs* 1:87—90;correspondence in 1/302.

55. Fuller to LH, 25 Aug. 1920, 1/302.

56. LH to Fuller, 1/302.李德·哈特、富勒以及德国人在 20 世纪 30 年
代都没有使用闪电战这个词。事实上,当时没有共同的术语或短语描述后来
被称为闪电战的有关装甲战的思想。关于这个词的词源,参见 Len
Deighton, Blitzkrieg：From the Rise of Hitler to the Fall of Dunkirk(New
York：Knopf, 1980), 102—103。李德·哈特在《回忆录》中极力暗示德国
人是在两场战争之间从他那里借用了这个词汇:"不幸的是,新德国军队比英
国军队更加全面地掌握了这个概念,并且第一个将我所称的闪电战
(lightning war)——德国将其称为 Blitzkrieg——付诸实践。"李德·哈特在
两场战争之间几乎没有使用过闪电战这个词,几乎没有证据表明德国对闪电
战的思考是基于他的作品。不清楚的是德国发明的 Blitzkrieg 这个词,不大
可能是来源于他所声称的"lightning war"概念。

57. 李德·哈特承认富勒的卓越地位以及他在与富勒的通信中受益良
多;参见 LH to Fuller, 11 Mar. 1928, 1/302;LH, untitled note, 14 July
1932, 11/1932/24;B.Bond, Liddle Hart, 30;Trythall, "*Boney" Fuller*,
156—157。认真研读关于李德·哈特装甲战思想的讨论,并仔细分析里德
(Reid)的著作 J.F.C Fuller(尤其是第三章与第 224 页至第 226 页),可以发现
李德·哈特很多关于闪电战的主要思想都是首先被富勒所阐述。然而,没有
证据表明李德·哈特曾公开说明这个事实。李德·哈特在《回忆录》中对他
与富勒之间关系的描述可以说明这一点。

58. 李德·哈特关于闪电战的主要写作包含在两本著作、四篇期刊文章
以及一些发表在《每日电讯报》的文章中,这些文章中的大部分完成于 1925
年至 1929 年,*Paris, or The Future of War*(New York：Dutton, 1925), esp.
62—83;*Remaking of Modern Armies*, esp. the preface and pt.1;"The De-
velopment of the 'New Model' Army：Suggestions on a Progressive, But
Gradual Mechanicalization," *Army Quarterly* 9(Oct. 1924):37—50;"The
Next Great War," *Royal Engineers Journal* 38(Mar. 1924):90—107(两篇都
缩减重印在 LH, *The Current of War*[London：Hutchinson, 1941]);"Mind
and Machine：I.Tactical Training in 1932," *Army Quarterly* 25(Jan. 1933):
237—250;"Mind and Machine：II. Tank Brigade Training, 1932," ibid. 26

(Apr. 1933):51—58;他私人文件第 10 节中的《每日电讯报》文章。幸运的是,他在离开《每日电讯报》不久后,起草了一份备忘录,包含了他在《每日电讯报》上关于装甲战略的所有文章,参见"Suggestions and Forecasts: Salient Points from Captain Liddle Hart's Articles in The Daily Telegraph,1925—1934," undated memorandum for the record,13/3。后来李德·哈特指出,The Decisive Wars of History: *A Study in Strategy*(Boston: Little, Brown, 1929,修订再版为 *Strategy: The Indirect Approach*[London: Faber,1954])中包含一些他关于闪电战的重要写作,但事实不是这样(见本书第四章)。

59. "Diary Notes. 1926," 11/1926/1b.

60. "Suggestions and Forecasts," 5.

61. 整本书中都涉及李德·哈特对攻防平衡不断变化的观点。他的军事思想基于存在可认知的攻防平衡假定,这种攻防平衡主要由既有军事技术的性质决定。我不认为武器可以归类为进攻或防御,也不认为可以衡量进攻与防御之间的平衡,所以我对攻防平衡概念的可用性持严重怀疑,参见 Mearsheimer, *Conventional Deterrence*, 25—26; idem, "Offense and Deterrence"(University of Chicago, 1 August 1987)。

62. "Suggestions and Forecasts," 6;这个主题体现在 *Remaking of Modern Armies* 整部书中。

63. 邦德评论了李德·哈特这个时期的作品,认为它们"有明显的进攻性痕迹"。

64. 他对闪电战的讨论主要是1: chaps.4, 5, 7, esp.159—168,这里他只引用了他第二次世界大战前的两部著作:*Decisive Wars of History* and *The British Way in Warfare*(London: Faber,1932)。这两部著作几乎没有涉及坦克作战,仔细阅读他在《回忆录》中摘录的两个引用,就可以知道这一点。相反地,两本著作都讨论了间接路径,这个概念非常灵活,可以被用来说明对闪电战的讨论,然而在这些著作中这个概念主要是被作为进行大规模地面战争的替代选择,关于这一点,更多参见第四章。

65. *Memoirs* 1:35, 91—92.关于原来的文章,参见"Development of the 'New Model' Army";他在第 92 页引用的另一篇文章是"Next Great War"。

66. 关于这个讨论主要涉及的更加详细的说明,参见 Mearsheimer, *Conventional Deterrence*, 35—43;另参见 Barry R.Posen, *The Sources of Military Doctrine: France, Britain, and Germany between the World Wars*(Ithaca, N. Y.: Cornell University Press, 1984), 85—94, 205—208, 213—215。

67. 在现代工业化国家的军队中,这不是一个主要问题。它们的大多数步兵作战部队都是机械化,与标准的装甲部队区别不大。两场战争期间的步兵作战部队一般不是机械化,因此总是有很大的压力要将军队的坦克分散到以步行为主的步兵部队中。例如,第二次世界大战中的美国军队曾就这个问题进行过激烈的争论,参见 Mildred Hanson Gillie, *Forging the Thunderbolt: A History of the Development of the Armored Force*(Harrisburg, Pa.: Military Service, 1947); Kent R.Greenfield, Robert R.Palmer, and Bell I. Wiley, *The Organization of Ground Combat Troops: United States Army in World II: The Army Ground Forces*(Washington D.C.: GPO, 1947);李德·哈特与约翰·伍德将军的通信,他是一位美国装甲部队指挥官,他对盟军使用装甲力量对抗德国不感兴趣,1/763。

68. 富勒经常倾向于这个观点,尤其是认为未来的装甲战将类似于陆地上的海洋战;参见 *Reformation of War*, chap.8; idem, "The Development of Sea Warfare on Land and Its Influence on Future Naval Operations," *Journal of the Royal United Services Institution* 65(May 1920): 281—298。富勒不是唯一支持这一观点的军事思想家,参见 Trythall, "*Boney*" *Fuller*, 101—102;李德·哈特也倾向于这一方向。两个经常被引用的,装甲部队由于忽视步兵与火炮支援遭遇困难的案例是第二次世界大战初期的英国军队和 1973 年战争中的以色列军队,参见 Richard M.Ogorkiewicz, *Armoured Forces: A History of Armoured Forces and Their Vehicles*(New York: Arco, 1970), 55—61; Maj. Gen. Chaim Herzog, *The War of Atonement*, *October 1973*(Boston: Little, Brown, 1975), 182—192, 270—273。

69. 应该注意的是,李德·哈特强烈支持发展一人坦克(*Remaking of Modern Armies*, chap.5),这个想法被证明是不切实际的。

70. *Remaking of Modern Armies*, 56, 59.另参见 LH, *Paris*, 73。

71. 引用《每日电讯报》上 1927 年 9 月 27 日的文章,"Suggestions and Forecasts," 12;另参见 26, 30 Sept. 1925 articles, ibid., 1, 4; *Paris*, 81; "'New Model' Army," 44; "Next Great War," 106。

72. *Paris*, 69, 81—82.

73. "'New Model' Army," 44.另参见 46 页,他写道,"我们应该逐渐进化现有武器装备的复杂性,首先缩减单兵武器种类,然后是缩减整个军队武器种类,直到发展出以坦克和飞机为主的军队"。

74. 引用《每日电讯报》上 1926 年 6 月 19 日的文章,"Suggestions and Forecasts," 5。

75. 引用 1927 年 9 月 26 日的文章,ibid., 12。另参见 29 Sept. 1925 article, ibid., 3。

76. 李德·哈特在他的《回忆录》中经常给人的印象是，闪电战是将坦克与他的步兵战术理论简单结合的结果。仔细研读他的步兵战术思想以及装甲战略会得出不同的结论。关于集中装甲力量，参见 *Remaking of Modern Armies*，230。

77. Ogorkiewicz，*Armoured Forces*，chap.2.

78. 引用《每日电讯报》上 1927 年 9 月 24 日的文章，"Suggestions and Forecasts，" 11。然而，李德·哈特曾有一次差点接受这个"荒谬"的想法，参见 *Remaking of Modern Armies*，chap.4，esp.44—46。

79. 引用《每日电讯报》上 1927 年 8 月 30 日的文章，"Suggestions and Forecasts，" 11；另参见 *Paris*，73。

80. *Memoirs* 1：164—165.这个重要的备忘录写于第二次世界大战后，即他与德国将军进行对话之后。

81. 李德·哈特关于闪电战的写作，参见 n.58.他对深层战略穿透观点的概念化，参见 Memoirs，1：166；也参见 LH，Foreword，*Memoirs of General William T. Sherman*（Bloomington：Indiana University Press，1957），xiii。关于进一步的讨论，参见本书第四章。在第二次世界大战中，李德·哈特从他之前的著作 *Thoughts on War*（London：Faber，1944）中收集了大量长篇的引文；如果有证据可以证明他早期对深层战略穿透的支持，在那本著作或者他的回忆录中应该可以找到，但在这些著作中没有证据表明他在第二次世界大战之前已经发现深层战略穿透的重要性。另见"Mind and Machine，"pt.1，237—250，pt.2，51—58，两篇在谢尔曼之后关于闪电战的重要文章，都没有任何对深层战略穿透的讨论。在 *When Britain Goes to War*，71—72，209—211 中，李德·哈特表明进攻的军队应该将防御军队的紧后方作为重点目标。两场战争期间唯一能证明李德·哈特认识到深层战略穿透概念的证据是，他在 1935 年撰写的一篇有关美国内战时期骑兵作战的简短备忘录，收于 Luvaas，*Military Legacy of the Civil War*，237—244，尤其是 243—244。他简略地提出一个问题，是"远距离移动"还是"近距离移动"能够最有效地打击敌人后方。尽管他看起来倾向于"远距离移动"，但他的结论模棱两可："远距离移动看起来比近距离移动更加有效……总体来看，在距离敌军力量越近的地方切入，效果越直接；离敌军基地越近，效果越明显。在以上任何情况下，如果对抗移动中的敌军，效果都会更明显和更直接"（243—244）。另参见 *Memoirs* 1：270。

82. 具体观点参见 Luvaas，*Education of an Army*，405。

83. *Memoirs* 1：48—49.

84. 李德·哈特在 20 世纪 30 年代的作品中很少提到闪电战；事实上，在

20 世纪 30 年代中期,他认为防御比进攻有更大的优势,所以他没什么理由阐述深层战略穿透(理论)。

85. LH, letter, *Army Quarterly* 15(Jan. 1928):398; Spenser Wilkinson, "Killing No Murder: An Examination of Some New Theories of War," ibid. (Oct. 1927):14—27.

86. 参见 n.61。

87. *Remaking of Modern Armies*, v—vi.

88. *Remaking of Modern Armies* 的评论说明李德·哈特被普遍认为是机械化的拥护者,而不是具体的闪电战的支持者。尽管这本书包含了他对闪电战的一些重要思考,评论者对(它们)没有什么关注;copies of reviews in 9/3/7。

89. 两场战争之间他的写作中不断出现的一个主题;例如,参见 *Paris*, 62—86; *Remaking of Modern Armies*, chap.2; *When Britain Goes to War*, chaps.2, 3, 6, 8, 10; "New Wars or Old?" *Saturday Review of Literature*, 6 Jan. 1934, 389—390。然而是富勒首先介绍了这个观点(闪电战),参见他的 *Tanks in the Great War*, *1914—1918*(New York: Dutton, 1920), esp.xix, 308—321; also Reid, J.F.C.Fuller, 154, 169, 220。

90. LH, "The Armies of Europe," *Foreign Affairs* 15(Jan. 1937):250.

91. *When Britain Goes to War*, 72;也可参见 152—153。

92. 这段里的所有引证,除另外标注,都来自第 62—63 页。

93. *When Britain Goes to War*, 57.

94. Ibid., 55—56.

95. 他在 20 世纪 30 年代后期关于派遣一支小规模英国装甲部队去法国的思考反映出这一点。

96. *Remaking of Modern Armies*, chap.14.

97. 李德·哈特强调伟大人物是推动历史发展的主要力量是"辉格"或"自由主义"的主要信条,而这是他年轻时期英格兰的主导性历史范式;参见 Herbert Butterfield, *The Whig Interpretation of History*(London: Bell, 1968); Valerie E.Chancellor, *History for Their Masters: Opinion in the English History Textbook*, *1800—1914*(New York: Kelly, 1970); Brian Simon and Ian Bradley, eds., *The Victorian Public School: Studies in the Development of an Educational Institution*(Dublin: Gill & Macmillan, 1975), esp. chap.8。

98. LH, "'Woman Wanders—the World Wavers' or Woman and the World—quake," *English Review* 59(Sept. 1934):311.

99. *Remaking of Modern Armies* 的第十一章精彩地讨论了他关于伟大人物及其思想重要性的观点。

100. *Paris*，10—18 中简要地陈述了这个观点。关于扩展的版本，参见 LH，*The Ghost of Napoleon*（London：Faber，1933）；另见 *British Way in Warfare*，16—18。对克劳塞维茨的辩护，参见 Wilkinson，"Killing No Murder，" 14—27。

101. *Ghost of Napoleon*，120，118—129。

102. *Paris*，10. 这里不是讨论克劳塞维茨在第一次世界大战前影响力的地方，但李德·哈特对(其影响力)的暗示无出其右。如果有人可以被描述为这样一位"大师"，就应该是亨利·约米尼男爵；参见 John Shy，"Jomini，" in Peter Paret，ed.，*Makers of Modern Strategy：From Machiavelli to the Nuclear Age*（Princeton，N.J.：Princeton University Press，1986），143—185；also Peter Paret，"Clausewitz and the Nineteenth Century，" in Michael Howard，ed.，*The Theory and Practice of War：Essays Presented to B.H. Liddell Hart on His Seventieth Birthday*（London：Cassell，1965），23—41。

103. *Paris*，11.

104. "Bardell"［LH］，"Study and Reflection v. Practical Experience，" *Army Quarterly* 6（July 1923）：330. 参见李德·哈特在 *Memoirs* 1：59—60 中对这篇文章的评论。这篇文章的大部分收入 *Remaking of Modern Armies* 的第十一章中。

105. Letter，*Army Quarterly* 8（Apr. 1924）：8；"Thoughts Jotted Down—To Be Expanded，" memorandum for the record，entry for 4 Aug. 1936，11/1936/2-25c.

106. *Memoirs* 1：chap.2；also correspondence with Gen. Ivor Maxse，1/499.

107. "Study and Reflection v. Practical Experience，" 320，321.

108. 对李德·哈特原稿的批评，参见 Bvt. Col. H.R.Headlam，"Scrap the Army?" *Army Quarterly* 7（Oct. 1923）：97—101；P.S.C.，"A Reply To 'Bardell，'" ibid.(Jan. 1924)：382—387。李德·哈特对批评者的回应，参见 letter，ibid. 8(Apr. 1924)：7—10。

第三章
李德·哈特、英国将军与
第一次世界大战

李德·哈特对英国将军未来将如何在欧洲进行战争的评估影响他在两场战争之间军事思想的主要因素。在这段时间，他认为英国在第一次世界大战后的军事领导是无能的，而且如果进行另一场欧洲大陆战争，英国毫无疑问会重复 1914—1918 年间西线的惨痛经历。这个结论深刻影响了他对于大战略、战略和战术的思考。

李德·哈特对英国将军和下一场战争的批评态度在很大程度上源于他在 20 世纪 20 年代与英国军事领导人的联系。在一些很重要的方面他的态度还受到对第一次世界大战思考的影响，而这些思考在 20 世纪 20 年代和 30 年代早期发生了明显的变化。他早期对战争的观点极其积极，但后来热情衰退，他的观点变得极端消极，他认为英国参与战争完全是一场灾难。它在西线的战事存在根本性的缺陷，这种情况不应该再出现。李德·哈特一直都认识到西线战事的糟糕，很难让一个参加过索姆河战役的老兵忽视英国为打败德国所付出的血的代价。但是在战争期间以及战争刚刚结束的时候，他认为英国在第一次世界大战中的指挥官在这种极端困难的情况下已经表现得十分出色。后来他认为这种评价是完全错误的，正是无能的英国将军的大意导致无数的英国士兵牺牲，他很自然地希望这种情况不再发生,这对他的军事思想有重要影响。

李德·哈特对战后军队领导的批评与他对第一次世界大战中领导人的批评是分不开的,主要原因是在 20 世纪 20 年代和 30 年代初,几乎所有的英国高级军事指挥官曾在战争中担任重要的指挥和参谋职位。例如,希特勒即将在德国掌权的时候,蒙哥马利-马西伯德(Montgomery-Massingberd)在 1933 年 2 月成为帝国总参谋长。蒙哥马利曾经是索姆河战役中亨利·罗林森将军(Henry Rawlinson)第四军的总参谋长,李德·哈特极度反感这个人。这种提升是很正常的(所有军队中的提升都与军官的资格联系在一起),但是在英国由于独特的人事政策,这种情况变得更加严重,导致战后的军队都由非常资深的指挥官领导。[1]

这种人员重合的结果是,李德·哈特对英国将军在第一次世界大战中表现的看法与他对这些将军如何进行一场未来战争的期待变得无法区分。简单地说,第一次世界大战中的军事指挥官与战后的军队领导人是同一批人。因此,指向第一次世界大战中的不当行为的每一条证据都可以用来谴责两场战争之间的领导人,同时战后与高级军官接触的每一次负面经历都加强了李德·哈特正在形成的对第一次世界大战的批评看法。他对英国军事领导人变得极端不信任,对于他希望高级军官听从并最终采纳他关于如何赢得一场重要陆地战争的观点,这种信任感影响深远。事实上,他对于他的闪电战观点被接受不抱什么希望;第二次世界大战只能是第一次世界大战的重演。这个结论使他坚定地致力于确保英国永远不再卷入一场大规模的欧洲陆地战争。这个承诺反过来对他军事思想的各个方面都产生了深远的影响。

让我们首先从李德·哈特自己的角度叙述他思考的明显变化,考察他思想的显著变化,然后考虑历史记录能否证实他苛刻的评价。他对英国将军的看法是合理准确的么?对于理解李德·哈特发展出一些重要军事思想的广泛背景和更好地理解他为什么对英国军队如此大失所望,了解他们(英国将军)对机械化和在战场上如何使用坦克的观点尤其重要。

李德·哈特对第一次世界大战的观点

具有讽刺意味的是,李德·哈特最初对战争的质疑源于高级军官对他步兵战术思想的关注。如果这些将军是杰出的战略家,他推论说,他们为什么要依赖"一个像我这样的新手告诉他们战争的教训"?[2] 他甚至还好奇,为什么将军在战争期间没有发现他在后来发展出来的创新步兵战术? 将军们对他的观点的兴趣对改变他虔诚的态度没什么影响。一个聪明的将军会利用有才华的初级军官,李德·哈特毕竟指望将军注意他关于如何进行下一次战争的建议。[3] 然而,他开始认为这些将军不是很明智。越与他们进行直接的接触,他就越感到"大多数将军的思想是多么贫瘠"。[4] 多年以后,在第二次世界大战期间,他对一个也曾参加第一次世界大战的朋友说:"没有什么比与将军保持密切联系更让人灰心了。这解释了为什么……我当时是一个如此有热情的年轻军官——因为后来我才见识到将军们的本来面目。"[5]

1921 年发生了一次特别令人烦恼的经历,曾在索姆河战役中任兵团指挥官并在战争的最后的霍恩将军访问了李德·哈特的部队。李德·哈特曾"将他想象为一个超人",他向霍恩阐释了"战术指导中沙盘的使用"。这位将军被证明是非常"迟钝"的,李德·哈特对这次邂逅深感不安。[6]

李德·哈特还有很多他非常尊敬的朋友,他们对将军的敌视使他的疑虑不断加深,他们中有富勒和劳合·乔治。富勒经常表现为一个愤世嫉俗的人,他尖刻地批评他的同僚,并经常将他的观点传达给李德·哈特。例如在 1922 年，李德·哈特问富勒，在军队服役二十多年之后，他是如何做到一直保持创新性思维的。富勒回答："我不认为一个需要照顾精神病人的医生自己也会疯掉。"[7]李德·哈特在下一年（1923 年）参加了皇家联合研究所的金牌论文竞赛，富勒提前告诉他说，评委不会接受他的先进观点："我担心你不会获胜——你应该证明骑在猴子身上，用弓箭武装的人可以赢得下一场战争。"在他失败后，富勒写道："你没能获胜毫不奇怪——看看那些评委！"[8]

另一位将军的尖锐批评者劳合·乔治的见解无疑也加深了李德·哈特对他的国家军事领导层不断增长的疑虑。这位前首相经常与第一次世界大战中的将军发生冲突，他尤其敌视海格，在第一次世界大战的将军中，海格是李德·哈特极其讨厌的人（bête noir）。[9]劳合·乔治对英国将军的敌视程度可以在李德·哈特对他与劳合·乔治和休伯特·高夫（他当时在某种程度上是军事机构的被驱逐者，因英国军队 1918 年 3 月在西线的严重失败而备受指责）的一段谈话的描述中看出："这是一个令人激动的夜晚，（我）试图阻止高夫过度陶醉于劳合·乔治的慷慨激昂和魄力，并使劳合·乔治处于正轨，不过度地批评'这些士兵'，这样可以阻止高夫进一步展开并拼凑历史。"然而，李德·哈特继续写道，劳合·乔治"过度地斥责海格——愚蠢什么的"。[10]在战争期间，李德·哈特在很多其他的场合与这位前首相会面，很明显他们几乎总是在谈论将军们。[11]

因为一些新信息的出现，李德·哈特对第一次世界大战的思考也发生了变化，他认为这些新信息丑化了英国军队在战场上的表现。他在 1936 年 11 月写了一份正式的备忘录，表明自停战以来他的观点是如何变化的。在其中他提供了一个图表，"里面 R 代表最高指挥部在战争中表现的正面事实，L 代表相似数量的相反事实"：

1919：1L vs 4R

1927：10L vs 10R

1930：24L vs 12R

1933：30L vs 13R

1936：45L vs 15R[12]

他对战略和战术的早期研究当然需要他仔细地思考战争是如何进行的。这项工作没有带来任何发现，破坏他对最高指挥部的信任。尽管他对战争行动的好奇心被激发出来了。随着20世纪20年代的流逝，他开始获得一些关于战争的不为人知的事实和观点，它们总是从负面描述将军。他的积极看法开始出现裂缝——随着时间的推移，裂缝越来越大。

例如在1927年，已故陆军元帅亨利·威尔逊的日记和信件被出版。在第一次世界大战前和第一次世界大战期间，他是一位非常有影响力的高级军官，他在1918年2月成为总参谋长，并担任这一职务长达四年。与亨德森一起，李德·哈特曾在1922年宣称，他是"我们过去一个世纪中唯一的真正军事天才"。威尔逊的日记和信件非常坦诚，揭示了他和其他高级军官的很多缺点。[13]这使李德·哈特很震惊："从没有任何人如此谴责自己。"他认为，这些日记损害了威尔逊的声誉，"说明他只有三流的判断力"。[14]

对改变李德·哈特的战争观点影响最大的人是詹姆斯·埃德蒙兹准将，他是军队的官方历史学家。他们两个人在战争之间经常会面，并且几乎每一次会面埃德蒙兹都会给李德·哈特提供一些信息，这些信息都是从负面角度描述将军的战争行为。[15]这位官方历史学家对英国的战时领导人没什么好的评价，并且他看起来很享受证实李德·哈特最坏的怀疑。埃德蒙兹的行为还促进了李德·哈特思考的转变。在详细阐述了将军在判断方面的错误之后，埃德蒙兹宣称他不能在官方历史中记录这些，然而他认为，尽管他不能完全说出事实，"对那些能领会言外之意的人，事实是明显的"。[16]这个说法激怒了李德·哈特，他猛烈抨击埃德蒙兹。当李德·哈特愈加尖锐地批评最高指挥部在第一次世界大战中的表现，埃德蒙兹开始转变方向，为将军们辩护。李德·哈特在1934年5月17日给埃德蒙兹的一份言语尖刻的便笺中写道："没有人比你就我们高级领导人的缺陷向我提供过更加清楚的证据,然而你现在却假称,他们正视了他们所要面对的问题。"[17]埃德蒙兹在六个月后回应李德·哈特另一次口头攻击时写道："随着我们年龄的不断增长,我们的观点分歧不断增加。我越来越看重作战士兵任务的艰巨性并同情他们,而你对他们的批评越来越严厉,认为他们的错误大于他们的成就。"[18]这位官方历史学家在基于确凿的证据谴责这些将军之后,又为他们进行辩护,这进一步加强了李德·哈特不断增加的怀疑,即整个体系都已腐烂。

李德·哈特与埃德蒙兹将军的关系指向一个值得一提的事实。另一位将军在 1936 年告诉李德·哈特,埃德蒙兹"十足地不知廉耻",并且"仅仅是一个充满恶意的爱传闲话的老家伙"。[19]李德·哈特的文件中有很多信息可以证实这些指责的存在。另外,不只是埃德蒙兹,还有很多其他参与到军队相关事务的将军和文官都曾和李德·哈特闲聊,从他文件中充满大量八卦的信件和备忘录中可以看出,其中一些在他的回忆录中也有提及。卡弗上校(后来成为陆军元帅)1965 年在读过这些回忆录中的一部分之后说道："真是令人惊讶,在那些日子里,高级军官和其他人是如此自由地与军事体制之外的人讨论重要的军事问题,并且还相互说闲话。现在(这种情况)这一定不会被容忍。"卡弗没有细察李德·哈特的档案。李德·哈特在后来坚持认为他是军事体制之外的人,这完全不是事实。在两场战争之间的大部分时期,他非常了解并偶尔卷入当时的官僚斗争中。这种对组织生活阴暗一面的直接的、持续的接触,无疑使他更加不尊重英国的军事领导人。毫不奇怪,他宣称："没有什么与和将军保持密切联系一样让人灰心丧气。"[20]

关于李德·哈特的小道传闻有一点很难被证实,但仍值得一提。仔细查阅他的私人文件,可以清楚地感觉到,随着他对将军的失望变得广为人知——可能是在 20 世纪 20 年代后半期——很多与他通信并交谈的人都从负面角度向他传递关于将军们的信息,强化了他的批判思维。同时，几乎没有任何人看起来愿意在李德·哈特面前为将军们辩护；毕竟，他是一位令人敬畏的知识分子和有技巧的辩论者。这种片面性也强化了他的批判性观点。

李德·哈特报纸撰稿人的职位也部分导致了他与军方关系的破裂。一个好的报纸撰稿人和他所报道的机构之间的关系不是完全对立的，但通常有对立的一面。鉴于他在很多军事问题上的坚定观点，李德·哈特几乎一定会与军队领导层发生冲突。事实上，在 1927 年 4 月，他与军队第一次就一条新闻发生争论，他为《每日电讯报》写了一篇文章，批评军队对试验性装甲力量的处理。这使他之前与军队最高指挥部之间的良好关系严重恶化。争论很快平息，但是相互不信任从此成为他们关系中一个重要部分。

最后，大量的英国民众在战后二十年中改变了他们对第一次世界大战的看法，结论是认为英国参与其中是一个代价极高的错误。李德·哈特的作品强化了这种普遍失望的情绪，这无疑反过来也使他更加失望。他作为不可或缺的一部分，帮助塑造了一个在今天仍然流行的观点，即第一次世界大战中英国的军事领导人是无能的，并且战争本身就是一个悲剧性的错误。李德·哈特与福里斯特和罗伯特·格雷夫斯保持亲密的友谊可以很好地说明这一点，他们是知识界两个主要的修正主义者。事实上，李德·哈特审查了福里斯特的经典反战小说《将军》（1936 年）。[21]

李德·哈特在 20 世纪 30 年代中期就已经成为英国在第一次世界大战中军事表现的严厉批评者，更一般地说，是对军队的严厉批评者。他的（批评）尖锐程度体现在他在 1935 年一篇日记中对海格的描述："他是一个极端自私并完全没有顾忌的人——为了实现狂妄的野心，他牺牲了几十万人。一个甚至出卖他最忠诚的助手以及他为之服务的政府的人。一个为达到目的不仅使用不道德的，甚至是罪恶诡计的人。"事实上，在这时哪些将军应该负责对他来说关系不大；他认为，问题远不止于个人。正如他在 20 世纪 30 年代中期写道：

"在第一次世界大战中领导这个国家的人已经离去；但是这个体制仍然存在。"[22]

评价英国将军

李德·哈特将英国将军描述为无能之辈被广为接受，但这是不准确的。他给予我们的是歪曲的描述。大多数将军并不是老顽固，而是聪明的、有思想的军官，如果准确评价他们面对的问题，他们的表现看起来令人印象深刻。这不是说大多数将军都是伟大的战略家或者杰出的战略指挥官。他们当然不是，但期待他们达到这一标准是不现实的。现代历史上没有军队拥有接近这一理想状态的指挥官。一些军队表现得比其他军队好，因此可以对一支军队的领导力进行批判。因此，英国的指挥官看起来非常优秀。

李德·哈特对将军们的反对有三个要素：他们在第一次世界大战中的无能表现；[23]战后他们不倾听或至少认真地对待他的观点（他作为一个局外人，在很大程度上被军事机构忽视）；在两场战争之间，他们坚定地反对改革，对机械化不感兴趣，不理解如何将坦克融入军队，并在战场上使用。

关于第一次世界大战行为的文献总体上质量很差。没有多少研究系统地考察盟国1914—1918年在西线的军事政策。例如，很难追溯英国、法国和美国战场战术的发展。而且尽管文献中经常提到在西线与德军一决胜负的替代战略，却没有研究系统地考虑那些替代战略。另外，很少有关于德国战争行为的好的研究，不管是战术层面还是战略层面。[24]因此，不仅评估英国将军们的表现很困难，并且从对比的角度考虑他们的战争表现也很难，而这对于恰当地评价他们的失败和成就尤为重要。要讨论这个复杂的问题，需要写一本书；这里,我只能提供一些挑战传统假定的观点。我的目的不是用一个过于简化的描述取代另一个。这个主题过于复杂,不允许这样做;另外,由于现有文献质量很差,因此不能进行明确的判断。不过有足够的证据表明,现有描述是有缺陷的,对英国将军的表现进行详细和系统的分析可以展现他们正面的一面。如果将英国军队的表现与其他主要军队对比,这一点尤其明显,在这种情况下,英国将军看起来很有能力。

评价英国将军在第一次世界大战中的行为,必须回答四组问题。第一,他们制造了什么结果? 谁赢得了战争,英国军队的总体表现与其他军队对比如何? 第二,在建设军队的过程中,他们面对什么样的组织问题,他们处理得如何? 他们为西线战事建设并训练军队的工作是否令人满意,以及他们是否为这些力量提供了足够的支持? 第三,他们是否选择了明智的战术和战略? 他们对德军的抵抗是否适当? 将军们是否主动地寻求替代战略? 他们是否愿意在战场上使用新的武器和思想? 第四,后见之明是否揭示出一个替代性的大战略? 换句话说,除了在西线与德军作战,是否有其他选择?

英国和它的盟国赢得了战争,而不是德国。任何公平的评估必须重视一个事实,即英国军队最终在一场规模前所未有的战争中战胜了一个可怕的对手。另外,在参与到第一次世界大战的主要军队中(德国、英国、法国和俄国),英国是唯一一个既没有崩溃又没有面临大规模暴乱的国家。[25] 俄罗斯实际上在 1917 年后期就从战争中退出,他们的军队由于要面对国内的严重社会动乱和德军在前线的打击而不堪重负。德国在 1918 年秋季求和,主要因为他们的军队在不断强大的盟军攻势下崩溃。在失败的尼维尔攻势之后,法国在 1917 年春季遭受了严重的暴动。[26] 在战争的剩余时间中,法国的指挥者担心再发生暴动,在使用军队发起进攻时非常谨慎。与欧洲大陆的军队相比,英国军队从没崩溃,并且随着战争发展,变得愈加强大。

英国军队在战争最后一年打败德国时发挥的作用突显了它的强

大力量。德国军队在1918年3月在西线发起了大规模攻势。[27]随后德军不断发起进攻。英国军队首当其冲,遭受了严重的挫败并且承受巨大压力。盟军在1918年7月中旬开始发动进攻,一直持续到1918年11月初德军被彻底击败。英国军队在这些进攻中发挥了核心作用。想一下,在战争的最后四个月,英国军队抓获的俘虏比法国、美国和比利时军队(抓的俘虏)加起来还多,并且英国军队缴获了2 540支德军枪械,而法国和美国军队分别缴获了1 880和1 421支德军枪械。[28]领导英国军队经历这些艰难的战争岁月和1918年大规模进攻的指挥官无疑值得称赞,他们的军队表现出非凡的生命力,并且随着时间推移,战斗力量日益增长。

英国的将军要面对一个其他主要军队的指挥官得以避免的重要组织问题。根据欧洲大陆标准,第一次世界大战前的英国陆军规模很小,无法在发生战争情况下快速扩张。当深度卷入一场大规模战争中时,英国要面对望而生畏的任务,即筹建和训练庞大的、强有力的陆军。更糟糕的是,将作为新军队基础的小规模战前军队没什么经验——尤其在训练过程中——为在战争中司空见惯的大规模作战作准备。而另一方面,德国人、法国人和俄国人曾为一场大型的欧洲陆地战争组织并训练他们的战前军队。英国在欧洲之外的巨大承诺使这个问题更加严重,这对它的军队提出了新要求,使为西线(战场)筹建并训练一支陆军的任务变得更加复杂。因此,英国肯定要在战火中面临特别的、不断增长的痛苦。[29]战场表现提供了实质性的证据,证明将军们战胜了这些令人生畏的组织问题。

关于英国将军试验新的武器和战术思想的意愿,以及他们从战场经验中学习的能力,有什么好说的呢? 在西线的战争,经常被描述为不动脑筋的恶战,实际上在战术层面,它具有令人惊讶的能动性。[30]毕竟,毒气、坦克和飞机都是在第一次世界大战(而不是第二次世界大战)中首次使用。这些武器需要融入当前的战场教义中。另外,关于如何使用传统武器——步兵和火炮——的辩论一直在进行。

在前线,这些辩论也在上演,形式是频繁的战术调整和主要参战者的反制性调整。

英国的将军相当好地回应了不断变化的环境。他们当然愿意使用飞机、毒气和坦克获得军事优势。实际上,英国军队在索姆河战役期间将坦克引进战场,并且到 1918 年中期,对之非常倚重。尽管如此,在战争的早期,将军们在重要的战斗之后作出战术调整方面不是特别有效率。[31] 在战争中间改变战术是一件非常困难的事情,尤其在战争早期,军队需要从和平(时期)费力地转换到战时组织(结构)。即使是因战术创新而被高度推崇的德国军队,在冲突的早期取得进步的速度也很慢。它的主要战术创新出现在最后两年中。战火压力下的快速扩大,加上在 1914 年之前它对一场大陆战争缺乏准备,进一步加剧了英国军队的问题。无论如何,英国将军到 1917 年已经能够相当熟练地从之前的战斗中吸取战术经验,这当然有助于解释英国军队在 1918 年获得的成就。

有人可能会问,如果英国的将军们在战术思维方面基本上是不断进步的,为什么打败德国花了这么长时间,并带来如此多的伤亡?聪明的将军无疑应该能够找到更有效的方式获胜。令人不快的事实是创新性战术并不能为打败德国军队这样可怕的对手提供重要的优势,他们总是能快速适应英国的新战术。这不是要否认应用巧妙战术的可取性,只是注意到它不会导致伤亡明显减少。[32]

有时会有人争论,尽管无法快速地打败第二帝国的敌人,也可以采用一个替代战略,使英国付出更少的伤亡,但却能损耗德军的力量,直到他们投降。英国在西线的战略过于依赖发动大型的进攻,以服务于两个宽泛目标:消耗强大的德军,每次进攻都是使德国力量消耗殆尽的累积过程中的一步;[33] 找到一种极度理想的方式,从已经在西线开始的消耗战中解脱出来。因此,特定进攻的目的在于突破德国的前线,希望取得决定性胜利。这两个目标的相对重要性因时间和指挥官不同而变化。

对这种进攻路径的一些批评认为，英国应该采用一种防御战略，只允许一些有限的进攻。[34] 他们认为，获得决定性的突破是不可能的，如果发起消耗战，伤亡比例明显地有利于防御者，而不是进攻者，这样排除了支持进攻的两个理论基础。因此目标应该是迫使德国对防御坚固的英国军队不断发起徒劳的攻击，以消耗它自身。发动有限的进攻符合这一目标。发动有限的攻击——英国军队对德国前沿实施突然的、快速的侵袭——是可以接受的，因为结果是英国的伤亡会很少，并且这样的攻击适合引诱德军发动徒劳的进攻。一旦德国被连年的进攻搞得筋疲力尽，就有必要发动一场大规模进攻，彻底击败他们。然而，批评者的战略本质是在战争中尽可能久地保持守势。

这个替代战略完全是不可行的。在西线采取守势意味着放弃所有获得快速胜利的希望，相反地接受一场持久的消耗战，这对英国的政治和军事领导人来说是一个站不住脚的立场，他们承受着在西线快速结束战争的巨大压力。政治私利需要发动攻势，突破德国的防御并决定性地击败他们。有人可能会认为，英国将军应该很清楚，取得重要的突破完全不可能，因此无法快速地结束战争。但是在几次试图突破德国前沿失败之前，将军们对此并不确定。事后看起来很明显的事情在当时却不是如此显而易见。（例如想一下，盟军1918年的攻势并不被期待能获得胜利，但是它们成功了。盟军的指挥官认为战争至少还会拖延一年。）使事情更复杂的是，有合理的原因认为进攻会导致重大胜利。例如，德国在东线的进攻经常获得巨大成功，德军确实击败了俄国。并且，施利芬计划和1918年的德国攻势看起来就要彻底打败盟军了。因此当时不是完全清楚，进攻战略注定会失败。

英国军队要发动大规模进攻的最重要原因是这对于维持协约国的完整以及使击败德国的可能性最大化全关重要。尽管没有得到广泛的认同，英国在西线的最初计划实际上要求采取一种防御战略，[35] 目标是让法国和俄国发起有力的进攻，消耗德国的力量。这两个盟国在这个过程中当然也会消耗他们自己,使英国处于有利的地位,给予(德国)致命打击,然后支配媾和条款。英国的盟国,尤其是俄国,不会容忍这一战略。他们坚持英国军队发动强有力的进攻,并完全参与消耗第二帝国强大地面力量的任务。英国因此被迫在1915年期间抛弃了它的防御战略。[36]

采取进攻姿态还有第二个原因,也是源于英国对协约国的参与。为了增加打败德国的可能性,每一个盟国都要对它所面对的德国军队持续地施压,同时任何一个盟国军队在德国的压力下开始崩溃的时候,其他盟国要能够赶来援救。[37]这意味着所有的协约国伙伴都要发动大规模进攻。例如,海格1917年对伊普尔发动的进攻成功地消除了法国的压力,它在灾难性的尼维尔攻势之后摇摇欲坠。并且,发动这个攻势的决定在很大程度上源于他相信这样可以帮助当时正处于崩溃边缘的俄国军队。如果英国军队采取并坚持防御战略,德国就可以减少部署在英国前线对面的军队数量,集中更多的力量对付法国和俄国。在彻底击败它们之后,德国接下来就可以用全部军事力量对付英国。换句话说,德国应该可以依次对付它的敌人。在对付像德国这样强大对手的战争中,英国唯一的希望是有强大的同盟伙伴,它们与英国一起,愿意对德国军队发动大规模进攻。[38]

另一个论点是采取进攻战略的强有力证据最终会输给对相对伤亡的考虑。[39]这个论点认为,进攻者遭受的伤亡大大超过防御者,这使任何进攻性战略代价极高。伤亡水平这个问题很复杂,并且不幸的是,对伤亡对比的历史记录是模糊不清的。然而,有证据明确地表明,进攻者不是不可避免地要遭受比防御者更多的伤亡,德国对法国的进攻很明显地总是给法国带来更多的伤亡,这很好地说明了这一点。[40]然而看起来,发起进攻的英国的伤亡水平确实高于防御的德国,尽管差别不是很大。

关于英国-德国的伤亡比例,有两派思想。温斯顿·丘吉尔认为在英国发起进攻的情况下,这个比例大概是介于3∶2和4∶2之间。

埃德蒙兹准将、查尔斯·阿曼和约翰·特莱恩质疑丘吉尔的数字,并认为这个比例大概是1:1。[41]从关于这个问题的少量研究中可以清晰地看出,丘吉尔的数字最为可信。[42]然而丘吉尔的数字需要限定性条件,因为他没有考虑英国在1918年发起进攻时,这个比例是1:1,他使用的是整个前线,而不是具体战场区域的伤亡数字,这一算法可能使这个比例发生有利于德国的偏向。推断英国-德国的伤亡比例为3:2看起来是合理的。尽管这不是一个理想的数字,但差别不是十分明显,不足以说明进攻的代价极大。是德国在消耗战中失败,而不是英国。[43]

最后,如果将注意力转移到边缘区域,或者使用间接路径让德国突然崩溃,英国和它的盟国就不可能打败德国。致力于这些次要的工作只会增加德国赢得战争的机会。[44]原因很简单:扩展横向(战线)的政策不可能决定性地击败德国,却能够使大量的英国和法国军队以及很少的德国军队从关键的西线转移,削弱盟军的总体防御态势。当时或者后来再也没有军事思想家为英国提供一种可采纳的替代性大战略,可以对德国实施快速的、决定性的打击。

这里面包括李德·哈特,他从没解释在面对与德国的战争时,第一次世界大战中的英国将军如何获得了胜利,但却避免了在西线的持久冲突。1930年,陆军元帅乔治·米恩(帝国总参谋长)问李德·哈特:"你是否曾经想过问你自己:'你会如何进行第一次世界大战?'。"他对李德·哈特对将军战争行为的批评十分清楚。李德·哈特对这个问题的回答并没有给出一个替代政策:

> 事实上,我尝试做你建议的事情,尽管这不算是一个测试,由于我知道,从敌人的描述中,什么样的方式会奏效。另外,在已经来不及修改的事情上,去争论应该做什么实在不是历史学家工作的一部分……我不能说我的解决办法会更加有效,但是我可以说我屡次发现,现实的指挥官选择了我首先考虑的,但又被视作太明显或不可靠而拒绝的方法之一——并且在执行中,

这个方法正如所预见的那样失败了。[45]

李德·哈特对于英国如何避免卷入到西线的战争中,却仍然能够给予第二帝国决定性打击的最好一次解释出现在他1931年1月在皇家联合研究所的一次著名演讲中,演讲是关于战争中的英国方式。在演讲中他认为,英国应该避免建设庞大陆军,在欧洲大陆作战,而应依靠海上封锁和在近东的军事行动。[46]这个建议没有为打败德国提供一个战略,而是为了让俄国和法国,而不是英国,承担消耗第二帝国强大军事力量的可怕任务。

要打败德国,英国和它的盟国没有其他选择,只能将他们的力量集中在法国东北部,进行一场带来可怕伤亡的血腥消耗战。值得赞扬的是,英国将军在当时认识到这点,拒绝尝试将军队从法国的决定性战场转移。[47]英国的将军和法国、德国和俄国的将军一样,应该从他们在消耗战中的表现来评判他们。英国军队不仅没有崩溃,而且在战争结束时成为在西线的主导军队。它的将军不可能像李德·哈特和其他人宣称的那样无能。

很容易可以反驳李德·哈特的第二个指责,即他在两场战争之间是一个局外人,很难在军队的领导人中找到一个专心的听众。在战后的军旅岁月(1918—1924年),他与少数高级军官密切合作,这些军官尽力保证他的观点会得到严肃认真的考虑(第二章)。据他自己承认,他受到高级军官的真正尊重,尽管他只是一名初级军官。记得他在1923年写道:"我很感激我的军事理论得到很大程度的礼遇和鼓励;可能超过任何一个行业对一个相对初级人员的态度。"[48]简短地说,他军旅生涯的证据表明他的观点得到了严肃的考虑。

他在军队期间与将军的关系很好,但是他们在他退役后拒绝支持他的观点,这个说法是不真实的。在整个20世纪20年代和30年代,他与军队最重要的将领以及很多有前途的年轻军官一直保持联系,他的私人文件中那些年大量的通信表明了这一点。他还与处于支配地位的总参谋长定期见面和通信。除蒙哥马利-马西伯德(总参谋长，1933 年 2 月—1936 年 4 月）之外，这些军官总是热情地邀请他参加严肃的讨论。他在 1936 年 7 月的一篇日记中写道："我从这些职业军人中得到的友善远多于敌意。"[49]虽然李德·哈特给人的印象是他是军事体制的局外人，军队对他怀有根深蒂固的猜疑和敌意，但接下来的一些事情并不能支持这一描述。相反，这些事情反映了李德·哈特和将军们关系的基本模式，它们（这些事情）并不是例外。

第一，在 1926 年后期，李德·哈特成为陆军和海军俱乐部的一员。他得知他是得到总参谋长、陆军元帅米尔恩的提名，并且提名得到"炮兵巡视员的附议"。第二，在 1927 年 4 月，在他写了那篇有争议性的文章，批评陆军对试验性装甲力量的处理之后，他被告知陆军部不再对他完全开放，到特定的区域需要有人陪同。他在《每日电讯报》的编辑告诉他，他并不对这一限制感到惊讶，因为"其他的报纸都在抱怨我的特权"。第三，当《泰晤士报》的编辑考虑让李德·哈特担任报纸的一个职位时，在陆军部进行了有关他的调查。一位编辑在他的日记中写道："我的调查……显示他的任命会得到这里很多人的欢迎，包括总参谋长。"第四，在 1935 年后期，李德·哈特收到一封来自吉法德·马特尔少将的信，他告诉哈特：

> 我感觉我必须给你写封信，告诉你我所见到的所有军人有多么欣赏你在《泰晤士报》上的文章……你可能会认为你从所有这些作品中得不到结果。在英国陆军，结果慢慢出现是很正常的，就像在英国的任何其他部门一样，但是我听到很多对你作品的称赞，我可以肯定，你的作品远比你想象的产生了更大影响。

第五，在 1937 年 6 月，他收到一封来自驻守在巴勒斯坦的约翰·埃维茨中将的一封信："总参谋长去年 3 月在这里的时候，我开玩笑地问他，一个人如果与你通信和交谈，是否还会被列入黑名单。他觉得很好笑并且回答：'相反地我应该鼓励任何想发展新的想法和观念的人'。"在给埃维茨的回复中，李德·哈特写道："奇怪的是，他对在近东的另一位指挥官说了几乎一样的话，并且是自发的。"[50]这些事情表明,虽然李德·哈特与将军的关系不总是平稳的,并且他们也不总是遵从他的建议,但他绝不是一个陷入困境的局外人,与一个有凝聚性但怀有敌意的机制相对抗。

理解两场战争之间李德·哈特与军队关系的关键是,认识到他对个体军官的态度与他对作为一个抽象机构的军队的态度有很大不同。[51]毫无疑问,到20世纪20年代后期,他对这个机构充满敌意,并且对这个机构认真关注他的想法不抱什么希望。尽管他对军队持负面态度,他却与大多数军官保持很好的关系,与他们一直保持联系。他的通信说明他喜欢并尊重他遇到的大多数军官。因为他们之间真挚的友谊以及这些军官尊重他的观点,他总是受到尊重,即使他不总是赞同他们。

然而,还有其他原因使这些军官认真地关注李德·哈特的观点。他是一个被高度推崇的记者,为大量的读者写作。作为《每日电讯报》以及后来《泰晤士报》的军事通信记者,他可以在重要的方面帮助或伤害军队。富勒早在1925年就告诉他:"我的批评可以扰乱陆军委员会,而你的批评会动摇它的根基……你有更加广泛的大众声誉。"[52]这个声誉当然逐渐提升,同时(大众)认真关注他的动机也逐渐加强。

一个能够说明李德·哈特有能力迫使军队领导层认真对待他(的建议)的绝好例子牵涉一件事,通常被称为"蒂德沃思事件"。陆军大臣在1926年3月宣布,不久后将成立一支试验性装甲力量,并决定那一年的12月由富勒负责这支新的部队,它将于1927年早期在索尔兹伯里平原的蒂德沃思成立。富勒最后拒绝担任这一职位,原因与这件事并不直接相关。在1927年春季,陆军部看起来要违背建立这样一支力量的承诺。李德·哈特随后在4月22日的《每日电讯报》撰写文章谴责陆军部的倒退行为。这篇文章对陆军部犹如霹雳,迫使陆军部立即行动并公开地重申它对建立新的机械化部队的承诺。很难反驳布赖恩·邦德的说法,即"这是一个突出的例子,说明李德·哈特成功地使用媒体影响政府决策"。[53]

军队领导人开始认识到在促进军队利益方面,李德·哈特可以成为一个强有力的盟友。[54]一些军官还认识到他可以帮助他们促进事业发展,尤其是李德·哈特在1937年成为莱斯利·霍尔-贝利沙的合作伙伴之后(第五章、第七章)。因为他可以让陆军大臣倾听他的建议,他处在一个极好的位置,可以帮助友好的军官促进他们的事业,而损害那些敌对的军官。事实上,1937年后期他确实在说服霍尔-贝利沙开除军队领导人时发挥了关键作用,后来又帮助挑选新的领导人。因此在两场战争之间的最后两年中,领导英国军队的军官普遍对他的观点持有好感。仅仅这个例子足以质疑他的说法,即军队领导层总是排斥他的观点。但是李德·哈特在战后坚持认为,他在人事问题上的影响力不只限于霍尔-贝利沙的任期内。例如,他在1965年写道:

> 即使以我的个人经验来看,霍尔-贝利沙的做法也没什么新意。他的前任达夫·库珀要我对陆军军官名册作一个分析,并编纂一个值得关注的军官列表,从将军到上校;他明显地认为这个很有用处,并且被他自己随后的观察所证明,因此在移交权力的时候把这个交给他的继任者。另外,在那之前很多年,作为遴选委员会成员的高级指挥官就在这些事情上咨询我的意见,并且认识到他们自己不可能对候选者有如此广泛的了解……大概……他们认为我没有自己的"小算盘",因为我曾在退役的名单上,没有参与升职的竞争。[55]

有人可能争辩,尽管将军们认识到李德·哈特的重要性,并倾听他的观点,但在最后,他们漠视他的建议,固执地坚持过时的、愚蠢的观点。这是他对将军们第三个指责的基础:他们对机械化和闪电战持敌视态度。[56]我们已经有理由怀疑这个观点:英国陆军在20世纪20年代和30年代早期对装甲力量的开创性使用不可能出现在一支由坚决反对机械化的军官领导的军队中。尽管英国最后在30年代中期失去了它的领先地位，但不是因为军事上的蒙昧，而是源于政治决定（第七章）。

李德·哈特关于将军们对机械化态度的描写与他对骑兵在英国命运的描述直接关联。他在他的《回忆录》和其他第二次世界大战后的作品中花很大力气描述骑兵游说集团重要却负面的影响。他在20世纪20年代和30年代暗示这个强大的游说集团明显地阻碍了机械化的发展："骑兵集团反感放弃战马的想法，因此本能地诋毁坦克。他们在陆军部和议会中得到大量支持。惠灵顿关于滑铁卢战役获胜于伊顿战场的说法仅仅是一个传说，但令人痛苦的是，第二次世界大战早期的战役葬送在骑兵手里"（*Memoirs* 1:77）。这个说法也必须被质疑。尽管英国军队在第二次世界大战前夕规模很小并且缺乏装甲力量，它却是唯一一支完全拥有铁路和汽车运输力量的军队。军队领导层在20世纪30年代中期决定将所有的骑兵和步兵力量机械化，这是一个相当大的举动，因为机械化的主要反对者经常是来自这两个部门的军官。在关于不同工业化国家中骑兵作用的经典研究中，爱德华·卡赞巴赫指出在两场世界大战之间，英国和德国是最进步的国家。他承认有英国军官反对减小骑兵的作用，但注意到这些反对分子占少数，因此输掉了保护战马的斗争。[57]

布赖恩·邦德对两次战争之间英国军队的综合性研究证实了卡赞巴赫的观点。[58]邦德也认识到军队中存在反对进步的军官，但他也注意到他们不是主导力量。邦德认为，在军官团体中存在"五种对机械化的态度"，只有一种态度是"真正的反动"。[59]持其他四种态度的军官都支持机械化，尽管有一类军官——即"保守派"——反对"独立的装甲编队概念"。[60]毫无疑问，持这四种态度的军官决定了两次战争之间的军队政策。

最后，这段时期没有什么证据表明李德·哈特将一个强大的骑兵游说集团视为对军队现代化的严重阻碍。他的私人文件中有足够的证据表明，他当时认识到骑兵和步兵正在变得机动化，并且在某些情况下，正在变得机械化。例如，他在 1937 年早期对他在《泰晤士报》的编辑抱怨说，一篇讨论为使骑兵现代化而采取的重要措施的文章被"隐藏在报纸中一个不引人注目的地方"。"这似乎显示出对英国陆军历史性进化中如此重要一步的一个不充分的认识。"[61]

如果认为，尽管军队总体上接受机械化，但掌权的人在这一点上特别保守，这也是不符合事实的。陆军元帅米尔恩（总参谋长，1926 年 2 月—1933 年 2 月）、陆军元帅德弗雷尔（总参谋长，1936 年 4 月—1937 年 12 月）和洛德·戈特将军（总参谋长，1937 年 12 月—1939 年 9 月）都致力于军队机械化，李德·哈特的文件可以充分显示这一点。只有蒙哥马利-马西伯德（总参谋长，1933 年 2 月—1936 年 4 月）对机械化并不十分热心。然而，他也不是公开地反对，因为他在骑兵机械化上发挥了主要作用。[62]

尽管李德·哈特如此描述战争之间的事情，但是否将英国军队机械化根本不是个问题。真正并且不容易解决的问题是，英国是否应该将它的传统编制机械化——骑兵和步兵——或者建立一支独立的装甲力量。军队经费不足，因此需要在两个选项中作出选择。如果军队准备在欧洲大陆作战，建立强大的装甲部队就是明智的；如果要保卫帝国，更可取的是将现有的骑兵和步兵部队机械化。最后，军队领导人选择了后者，但决策过程却是漫长而且复杂的。军队思考的演变对于评估他们对闪电战的态度有重要意义。

英国军队在 1925 年 9 月举行了战后的第一次大规模军事演习。[63] 当时军队中对于建立一支旅级规模的装甲力量有相当大的兴趣，并在年度的演习中进行试验。当然有人抗拒这种观点，尽管阻力最终被克服，试验性机械化部队在 1927 年得以成立。军队在 1927 年和 1928 年的演习中对这支部队的训练吸引了国内外大量的关注，使英国军队处于装甲力量发展的前沿。不幸的是，这支更名后的装甲部队在 1928 年的演习结束后即解散，军队领导层决定集中精力使传统武装机械化。财政考虑在这里发挥了关键作用，并且一些有影响的高级军官想要使现有的步兵和骑兵部队机械化。然而陆军元帅米尔恩坚持他将在 1930 年建立一支永久的装甲旅。

1929—1930 年这段时间对建立一支独立装甲力量的倡议者来说毫无希望。这两年的年度演习是用来推进传统武装的机械化。唯一的亮点是 1929 年出版了查尔斯·布罗德上校关于装甲战的初级读本《机械化装甲编队》。布罗德坚定地认为坦克是革命性武器,会在未来战争中主导战场。事实上他曾得到总参谋部的指示编写了一本描述如何组织和使用装甲力量的手册。这本手册经常被称为"紫色读本",因为它的封面是紫色的,这成为"对机械化战争概念的官方认可"。[64]

英国军队在整个 20 世纪 20 年代受到严格的预算限制,又进一步受到 1931 年金融危机的打击。然而,1931 年的演习鼓励了装甲力量的支持者。军队的三个坦克营和一个轻型力量营被临时编入一个由布罗德指挥的装甲旅。在接下来的演习中,这支力量第一次展示了可以通过无线电指挥移动的坦克,这是有重大意义的发展,因为它意味着可以整合快速移动的大型装甲力量。这支临时装甲旅在 1931 年演习中引人注目的表现在下一年再次出现。在这之后不久,米尔恩就宣布将建立一个永久性的机械旅。然而,这不是最后的决定,到下一年,蒙哥马利-马西伯德取代米尔恩成为总参谋长。

坦克旅在 1934 年春季成立,由珀西·霍巴特上校指挥。他是英国在装甲战方面最为进步的思想家之一。[65]同时,(军方)作出决定促进坦克旅和半机械化的第七步兵旅之间的紧密合作。他们开始思考建立一个装甲师,或者后来被称为"机动师"的部队,期待 1934 年的军事演习成为对这样一支大规模装甲力量潜力的关键性示范。希特勒在德国掌权的时候,英国军队正在认真地思考发展一个可以在欧洲大陆作战的装甲师。这是一个有前途的局面,因为德国直到 1934 年才建立第一个坦克营。[66]

但是英国建立一个装甲师的努力在 1933 年后开始动摇。1934

年的演习给人很大希望，但即使乐观地看，它也是令人失望的，从最坏的角度看，它是对装甲力量支持者的挫败。坦克旅和第七步兵旅在一起进行演习，效果很差。看起来有三个原因导致这次重大的失败。第一，指导这次演习的约翰·博内特-斯图尔特将军为演习制定了大量的规则，这明显地阻碍了部队的表现。博内特-斯图尔特并不反对建立独立的装甲力量，但他可能是爱捣鬼的，认为有必要利用演习提升步兵的士气并突出坦克旅的一些弱点。[67]为此，他设计了演习规则。第二，第七步兵旅的指挥官（乔治·林赛准将）和坦克旅指挥官（霍巴特上校）对于装甲力量的使用有不同想法，这导致训练场上出现麻烦。第三，博内特-斯图尔特、霍巴特和林赛的个人关系不能令人满意。1934 年演习令人失望的结果不是源于反对独立装甲力量的军官的干涉。霍巴特和林赛是建立大规模坦克编队的强有力支持者，而博内特-斯图尔特对这个观点持有好感。[68]

尽管效果不佳，总参谋长蒙哥马利-马西伯德仍然宣布将建立一个机动化师；然而，在 20 世纪 30 年代余下几年中，军队大部分的稀缺资源被用来将现有的步兵和骑兵部队机械化。机动化师在很大程度上失败了，因为它没有明确的任务。它将在欧洲大陆对抗德国国防军，或者是为应对帝国内的突发事件作准备？作这个选择将决定它的规模和形态。这两个选择由这个时期的一位学者哈罗德·温顿明确提出：

> 有两个正好相反的主张。第一个认为这个师应该是一个装甲编队，主要由坦克构成，可以在一场大陆战争中穿透到敌人后方。第二个支持一个机动化的，或者是轻型装甲的骑兵师，可以为机动化步兵执行侦察和掩护任务，就像骑兵师对徒步步兵的作用一样，但不是专为一场欧洲战争所设计。[69]

英国的决策者从没直接解决这个问题，尽管政策转向建立一支在帝国内作战的部队。英国直到 1939 年才接受大陆承诺，尽管在1934—1937 年间一直摇摆不定。这一政策转向使得建立一支可以与德国在战争中作战的独立装甲部队变得几乎不可能。另外，强调保卫帝国为机械化骑兵和步兵部队的决定提供了一个合理的基础，鉴于它们在保护帝国方面发挥的历史性作用。如果要为参加一场大陆战争作准备，这个政策一定是愚蠢的，但是英国军队直到1939年才准备与德国国防军作战，但这时再采取必要的措施制造有效的威慑已经太晚。

很难判断如果作出另一个选择，英国军队会发展出什么样的力量。几乎可以肯定的是，考虑到军队对机械化的接受，这支力量会包括很多坦克。甚至是没有认识到坦克潜力的法国，也拥有大量的坦克，事实上到1940年5月10日为止，法国比德国的坦克还多。[70]至于英国的坦克是被编入装甲师（像德国的坦克一样），还是被分配到步兵和骑兵师中（这是法国的方式，尽管他们确实拥有一些装甲师），很难作出结论性的回答。然而，在1933年前处于装甲力量试验前沿的英国军队很可能建立一支强大的装甲师。

英国的将军是否认识到这些独立的装甲力量可以被用来实施闪电战，这个问题仍然没有得到解答。军队中对这个观点没有广泛的支持，关于如何使用机械化力量存在一些竞争性观点（邦德的"关于机械化的五种态度"）。然而，期待英国陆军这种受传统束缚的机构中大多数高级军官能够在1939年就坚定地热衷于像闪电战这样的激进战略，是不现实的。在这一点上，德国的经验很有启发性。

一种趋向认为德国国防军非常易于接受新的观念和武器。例如，20世纪20年代德国军队的领导人，汉斯·冯·塞克特将军经常被描述为头等进步的思想家。并且人们普遍认为，德国国防军的领导人认识到了坦克的潜能和古德里安关于装甲战革命性观点的价值，在20世纪30年代发展出闪电战。但记录显示的并非如此。塞克特尽管接受恢复战场机动性的观点，却一直到20世纪30年代后期仍支持高度依赖骑兵。[71]另外，他对坦克几乎不感兴趣。至于闪电战，直到1940年2月，当最高指挥部不顾一切地寻求一种可以在法国获取决定性胜利的战略时,古德里安关于装甲战的观点才最后被接受,即使是那时,仍然存在阻力。[72] 在整个 20 世纪 30 年代,德国的军事领导人多半不接受一种说法,即坦克可以在未来战争中提供一种方式,赢得快速的、决定性的胜利。[73]

这不意味着德国军队是由反对进步的军官所主导的,因为它并不是。它只是显示出对装甲战的新观点存在一些强大的阻力,这是很正常的事情,对于评判大规模装甲力量脱离传统军队要素而独立行动的能力,德国没什么实际经验。没有接受古德里安关于装甲战的观点并不能说明一个军官成为没有希望的反动分子,毕竟陆军元帅埃里克·冯·曼施坦因在 20 世纪 30 年代也没有被古德里安的观点所吸引,并且隆美尔在一开始也反对古德里安对闪电战的断言。当然德国人最后接受了古德里安的观点,尽管是在战争开始之后。

很难将英国和德国的军队作比较,原因是我们永远都不会知道,英国是否在战争爆发之前就认识到大规模的、独立的装甲部队的潜在力量。有理由相信他们可能已经开始认识到坦克的革命性潜能。毕竟,有大量的高级军官或赞同富勒和李德·哈特关于装甲战的早期观点,或对之有好感。[74] 后来出现了关于洛德·戈特的有趣案例,他在战争爆发前的两年担任总参谋长,并于 1940 年 5 月指挥英国军队与德军作战。他在李德·哈特的协助下获得军队高层位置,几乎不可能是一个反对进步的人,尽管他不认同坦克具有彻底变革战争的潜能。[75] 看这段关于德国可能对法国发起进攻的评论,是在 1937 年写给李德·哈特的:"但愿装甲师和集中的空中力量不会打开缺口,这种进攻可以发生在没有预警的情况下。如果借助速度、欺骗和突然袭击,有可能建立桥头堡,战争就会再次如入无人之境。我感觉创新在于这样的方向,就像比利时被奴役一样。"[76] 李德·哈特当时已经是一个坚定的防御优势的支持者,并否认闪电战的有效性,他告诉戈特说,他有先见性的建议是有缺陷的,因为机械化有利于防御者。[77] 然而,戈特看起来几乎不像一个统帅,不会解雇那些相信坦克能够在很大程度上改变战争行为的军官。[78] 一定要谨慎,不要过于重视戈特的一些言论,过于正面地描述英国军队领导人是有风险的;然而英国军队却比李德·哈特所认为的更加先进。

李德·哈特的观点为什么会变化?

当我们观察李德·哈特对将军们和第一次世界大战想法的变化过程,有两点很突出。一是从 1916 年至 1932 年,他的态度从极度的赞美变为根深蒂固的仇视。二是他最后的评价根本是错误的。这些将军当然不是他最初所认为的战略天才,但他们总体上也是一个有能力的群体。李德·哈特对他们有缺陷的评价产生了严重的后果。这导致哈特在很大程度上改变了他的军事思考,这个变化不仅在学术上是有趣的,而且由于他的观点得到如此多的关注,影响了英国人如何应对第三帝国的想法。

李德·哈特对英国将军看法的变化在很大程度上是一个很正常的事情。毕竟很多其他英国人也得出了相似的争论。即使这样,李德·哈特作出如此负面的评价也是令人惊讶的。他在整个 20 世纪 20 年代和 30 年代早期与很多将军的良好关系至少会让人期待他给出一个相对温和的评价。为什么结果出乎意料是一个难以回答的问题。他的个人文件和作品提供的线索很少。我只能根据对李德·哈特生活的研究推测,一个重要的经历激发了他的仇视态度,即他在1924 年被迫离开军队。

他非常喜欢当一名军官,竭尽全力避免被排除在军队之外并且积极履行职责。[79] 这种对始终待在军队中的渴望很大一部分原因是他对军事问题着迷,他在儿童时代就产生这种兴趣并且一生如此。说他对军事问题的兴趣近乎狂热既不是夸张也不是批评。他希望留在军队中可能还源于他相信可以发展出一种战术理论或者战略;快速并决定性地赢得下一场战争。他大概认为,一旦他离开军队,要影响军队的思想会更加困难。[80]英国没有平民专家对实际的战术和战略问题产生重大影响的先例,并且军队中所有的将军都不喜欢并且不信任军队外的专家。

李德·哈特一定因为军队决定让他退役而深受伤害。这意味着与一个机构和他一直深爱的生活方式分离。另外,这个决定所传达的信息是军队既不承认又不需要他的才华。他们不会允许他成为一个给将军做老师的上尉。尽管没有确凿的证据,这种伤害可能最终转化为他对军队这个机构的强烈反感。他在 1936 年写道:"因为我在军队里的时候一直深爱它,我对它的缺点的认识是在离开之后产生的。"[81]

不论他被迫离开军队在多大程度上导致他愈加反感英国的将军,毫无争议的是,李德·哈特从 1933 年开始狂热地致力于确保英国再也不会进行一场大陆战争。这个努力不仅导致他改变了军事思想,并且他支持的政策损害了任何能够威慑希特勒和避免英国卷入另一场欧洲陆地战争的机会。

注　释

1. 关于李德·哈特对蒙哥马利-马西伯德的反感,参见 *Memoirs* 1:19,70—71, 102—103, 120—121, 21, 227—231;在发动索姆河攻势时,李德·哈特曾经认为蒙哥马利-马西伯德是一位很有才干的将军。关于人事体系,参见 chap.2, n.7 以及这本书中的附文。

2. Brian Bond, *Liddell Hart：A Study of His Military Thought*（London：Cassell，1977），20.

3. 这点对李德·哈特是有影响的,例如,参见 *The Remaking of Modern Armies*（London，Murray，1927），178。

4. *Memoirs*;他的评论引自 B.Bond, *Liddell Hart*, 32。

5. LH to Vivian Gaster, 19 July 1941, 1/309.

6. *Memoirs* 1:58.

7. 富勒给李德·哈特的信，12 Apr. 1922，1/302；在富勒给李德·哈特的信中随处可见，1/302.

8. *Memoirs* 1：92.

9. 参见 David Lloyd George，*The War Memoirs of David Lloyd George*，6 vols.（London：Nicholson & Watson，1933—36）；David R.Woodward，*Lloyd George and the Generals*（Newark：University of Delaware Press，1983）。

10. "Talk with Lloyd George and General Sir Hubert Gough（at the Athenaeum）—28/11/35，" memorandum for the record，11/1935/107.

11. 例如，参见"Talk with Lloyd George at Criccieth，" memorandum for the record，24 Sept. 1932，11/1932/42a；"Talk with L.G. and Hubert Gough，at Reform Club，dinner—27/1/36，" memorandum for the record，11/1936/31；也参见 *Memoirs* 1：357—375。最后，值得注意的是李德·哈特帮助劳合·乔治撰写了他的《战争回忆录》（*War Memoirs*）。

12. "Explanations by Avoirdupois，" memorandum for the record，29 Nov. 1936；copy in LH's correspondence with J.M.Scammell，1/622.李德·哈特的文件中有很多在案的备忘录，记录了他对战争的幻想不断破灭，例如，"Some Odd Notes for History（1933），" 11/1933/35；"Peccavi—Contra Veritatem：How Opinions Must Yield to Facts，" 1935，11/1935/160；untitled note，7 Dec. 1935，11/1935/52。

13. 引自 B.Bond，*Liddell Hart*，54. Maj. Gen. Sir C.E.Callwell，ed.，*Field Marshall Sir Henry Wilson：His Life and Diaries*，2 vols.（London：Cassell，1927）。

14. Jay Luvaas，*The Education of an Army：British Military Thought*，*1815—1940*（Chicago：University of Chicago Press，1964），391.

15. 关于官方史学家埃德蒙兹，参见 David French，"'Official But Not History'? Sir James Edmonds and the Official History of the Great War，" *Journal of the Royal United Service Institutes for Defence Studies* 131（Mar. 1986）：58—63；也参见 Jay Luvaas，"The First British Official Historians，" *Military Affairs* 26（Summer 1962）：49—58。李德·哈特记录他们很多次会面细节的备忘录都在他文件的第 11 部分；他们有关第一次世界大战信息的大量通信，参见 1/259.

16. *Memoirs* 1；211.李德·哈特在 1938 年出版了一本关于一战的著作，名为 *Through the Fog of War*（New York：Random House）；它是献给"阿基米德"的（埃德蒙兹将军的化名，他知道更多关于第一次世界大战的历史，但没有写出来）。

17. 李德·哈特在他的私人通信中总是彬彬有礼，明显的例外出现在他与埃德蒙兹的通信中；参见 esp. their correspondence for 1934 and 1939，in 1/259。

18. Edmonds to LH, 9 Nov. 1934，1/259, 由李德·哈特 1934 年 11 月 6 日写给埃德蒙兹一封言辞刻薄的信件引发。

19. "Cruttwell's Opinions，2ⁿᵈ Oct. 1936，" memorandum for the record, 11/1936/80.

20. Col. Michael Carver to LH, 22 Feb. 1965，1/153. LH to Gaster，19 July 1941，1/309.

21. 关于对第一次世界大战不断变化的观点，参见 Bernard Bergonzi, *Heroes' Twilight：A Study of the Literature of the Great War* (London：Constable, 1965)；Paul Fussell, *The Great War and Modern Memory* (New York：Oxford University Press, 1975)；Samuel Hynes, *The Auden Generation：Literature and Politics in England in the 1930s* (London：Bodley Head, 1976)；Robert Wohl, *The Generation of 1914* (Cambridge, Mass.：Harvard University Press, 1979)，chaps. 3，6。他与福莱斯特及格雷夫斯的通信，参见 1/292 and 1/327 respectively. The vetted copy of Forester's *The General* (Harmondsworth：Penguin, 1936) is in 15/7/17。

22. Untitled note，7 May 1935，11/1935/137；untitled note，1 Dec. 1935，11/1935/50.在他撰写的关于冲突的著作中，李德·哈特没有表达出他对战争根深蒂固的幻灭感。他相信在面向大众的作品中过于批判会适得其反；参见 untitled note，7 Dec. 1935 entry，11/1935/52；也参见他的评论文章 *The War in Outline* in his "Explanation by Avoirdupois." 他的书 World War I are：*The Real War*，*1914—1918* (London：Faber, 1930) pub. in rev, and enlarged form as *A History of the World War*，*1914—1918* (London：Farber, 1934)；*The War in Outline*，*1914—1918* (London：Faber, 1936)；*Reputations* (London：Murray, 1928)，81—123；*Through the Fog of War*。

23. 李德·哈特从没对英国将军如何指挥第一次世界大战进行系统的分析，而只是关注他们在具体战役中的表现，尽管他有时作出一些可以被传闻证明的笼统归纳。因此，很难直接挑战他指控（英国将军）的这部分内容。

24. 关于英国如何在西线进行战争的最好作品是 Shelford Bidwell and Dominick Graham, *Fire-Power：British Army Weapons and Theories of War*，*1904—1945* (London：Allen & Unwin, 1982)，59—146；Hubert Essame, *The Battle for Europe*，*1918* (New York：Scribner's, 1972)；Maj.

Gen. E. K. G. Sixsmith，*British Generalship in the Twentieth Century* (London：Arms & Armour，1970），chaps.2—8；John Terraine，*Douglas Haig：The Educated Soldier*（London：Hutchinson，1963）；T.H.E.Travers，*The Killing Ground：The British Army，the Western Front，and the Emergence of Modern Warfare，1900—1918*（Boston：Allen & Unwin，1987）。多卷本也是有用的，Official British History of World War I，ed. Brig. Gen. James E.Edmonds。关于战场战术，Bidwell and Graham，*Fire-Power*，and *Travers，Killing Ground* 很有帮助。关于德国如何进行战争，两个例外是 Timothy T.Lupfer，*The Dynamics of Doctrine：The Changes in German Tactical Doctrine during the First World War*，Leavenworth Paper no.4（Fort Leavenworth，Kans.：U.S. Army Command and General Staff College，July 1981）；以及 Capt. G.C.Wynne，*If Germany Attacks：The Battle in Depth in the West*（London：Faber，1940）。

25. 这不意味着英国军队没有面临任何动荡，参见 Douglas Gill and Golden Dallas，*The Unknown Army*（London：Verso，1985）。

26. 关于俄国人，参见 Gen. A. A. Brussilov，*A Soldier's Notebook*，*1914—1918*（London：Macmillan，1930）；Maj. Gen. Sir Alfred Knox，*With the Russian Army，1914—1917：Being Chiefly Extracts from the Diary of a Military Attache*，vol. 2（London：Hutchinson，1921）；Allan K. Wildman，*The End of the Russian Imperial Army：The Old Army and the Soldiers' Revolt*（March-April 1917）（Princeton，N.J.：Princeton University Press，1980）。关于德国人，参见 Essame，*Battle for Europe*，chaps.14—15；John Terraine，*To Win a War：1918，The Year of Victory*（New York：Doubleday，1981），esp. chaps.8—9。关于法国人，Jere Clemens King，*Generals and Politicians：Conflict between France's High Command，Parliament and Government，1914—1918*（Berkeley and Los Angeles：University of California Press，1951），chaps. 8—10；Richard M. Watt，*Dare Call It Treason*（New York：Simon & Schuster，1963）。

27. 关于英国贡献的简要总结，参见 Brian Bond，*British Military Policy between the Two World Wars*（New York：Oxford University Press，1980），1—6。关于英国的作用，另见 Brig. Gen. James E.Edmonds，ed.，*Military Operations：France and Belgium，1918*，5 vols.，Official British History of World War I（London：Macmillan，1935—47）；Essame，*Battle for Europe*；Terraine，*To Win a War*。强大的加拿大和澳大利亚军队与英国军队并肩战斗。关于德国的攻势，参见 Martin Middlebrook，*The Kaiser's Battle，21*

March 1918: *The First Day of the German Spring Offensive* (London: Lane, 1978)。

28. War Office, *Statistics of the Military Effort of the British Empire during the Great War*, *1914—1920* (London: His Majesty's Stationery Office, Mar. 1922), 757.

29. John Gooch, *Armies in Europe* (London: Routledge & Kegan Paul, 1980), chap.5.美国在 1917 年 4 月派遣一支小规模军队参战，面临与英国类似的问题。然而英国在战争伊始就过多地卷入西线战事，美国得以有条不紊地增强力量，英法军队牵制着德军。关于美国快速建立大规模陆军所面临的问题，参见 Col. Leonard P.Ayres, *The War with Germany: A Statistical Summary* (Washington, D.C.: GPO, 1919)。关于英国扩大陆军规模面临的问题，参见 Dominick Graham, "Sans Doctrine: British Army Tactics in the First World War," in Timothy Travers and Christon Archer, eds., *Men at War: Politics, Technology and Innovations in the Twentieth Century* (Chicago: Precedent, 1982), 62—92; Edmonds, *Military Operations: France and Belgium*, *1918*, 5: 587—602; *Sir Douglas Haig's Despatches*, ed. J. H. Boraston (New York: Dutton, 1920), 311—357。

30. Bidwell and Graham, Fire-Power; Lupfer, *Dynamics of Doctrine*; Hew Strachan, *European Armies and the Conduct of War* (Boston: Allen & Unwin, 1983), chap.9; Wynne, *If Germany Attacks*.

31. 关于英国对坦克的使用，参见 Kenneth Macksey, *The Tank Pioneers* (London: Jane's, 1981), chaps.2—3;也参见 LH, *The Tanks*, vol.1 (London: Cassell, 1959), pt.1。关于英国对飞机的接受能力，参见 Malcolm Cooper, *The British Independent Airpower: British Air Policy in the First World War* (Boston: Allen & Unwin, 1986); H.A.Jones and Walter Raleigh, *The War in the Air: Being the Story of the Part Played in the Great War by the Royal Air Force*, 6 vols;以及 apps.(Oxford: Clarendon, 1922—37);关于英国进行毒气实验的意愿，参见 Maj. Gen. C.H.Foulkes, "Gas!": *The Story of the Special Brigade* (London: Blackwood, 1936); L.F.Haber, *The Poisonous Cloud: Chemical Warfare in the First World War* (Oxford: Clarendon, 1986)。关于战术调整，参见 Bidwell, *Fire-Power*, 59—146; T.H.E.Travers, "Learning and Decision-Making on the Western Front, 1915—1916: The British Example," *Canadian Journal of History* 18 (Apr. 1983): 87—97; idem *Killing Ground*。

32. 对比英国军队在 1917 年 8 月、9 月、10 月的伤亡水平(此时英国军队在伊普尔德军据点进行血腥的正面攻击)与1918年同期三个月的伤亡水平(当时德国军队开始缩小作战范围,英国军队更多地在战术层面展开机动行动),(数字)可以表明以上观点:英国在1918年三个月胜利战斗中的伤亡人数分别为122 272,114 831和121 046。而1917年同期三个月(的数字当时英国正在进行声名狼藉的帕斯尚尔攻势)的伤亡人数分别是81 080,81 249和119 808。Winston Churchill, *The World Crisis* (New York:Scribner's, 1927), 3:299。

33. *Sir Douglas Haig's Despatches*, 319—327.

34. 参见 F.M. Sir William Robertson, *Soldiers and Statesman* (London:Cassell, 1926), 1:184。Churchill, *World Crisis*, vol.3, chap.2 很好地阐明了防御战略主张。

35. 参见 David French, *British Strategy and War Aims*, *1914—1916* (Boston:Allen & Unwin, 1986)。这一段剩余部分的讨论都是基于这本著作。

36. 英国领导人尤其关切盟国在这一问题上的分歧有助于德国分裂协约国;参见 L.L.Farrar, Jr., *Divide and Conquer*:*German Efforts to Conclude a Separate Peace*, *1914—1918* (Boulder, Co.:East European Quarterly, 1978)。

37. Keith Neilson, *Strategy and Supply*:*The Anglo-Russian Alliance*, *1914—1917* (Boston:Allen & Unwin, 1984)。

38. 关于海格的进攻,参见 Terraine, *Western Front*, 152—154;Neilson, *Strategy and Supply*, chap.7。关于团结一致的必要性,同样的逻辑也适用于遏制德国首先发动战争,这在20世纪30年代得以证实。

39. 海格看起来对这个观点很敏感,参见 *Sir Douglas Haig's Despatches*, 325。

40. Churchill, *World Crisis* 3:40—41.假定双方的战斗技巧大致相等,并且任何一方都没有明显的战术缺陷,那么进攻将会比防御方遭受更多的伤亡,大概的比例是3:1。但这一经验法则在第一次世界大战中并不适用,因为被认为是防御的一方总是在延长的战斗中进行反击,这事实上意味着,防御方变为进攻方,而通常被认定为进攻的一方开始进行防御。例如巴尔克(Balck)将军在他关于德国步兵战术的著名文章中写道,"索姆河战役导致防御观点的完全改变。(军队)不再被动地忍受敌方攻击,新的进攻精神被纳入防御之中" (*Development of Tactics*:*World War*, trans. Harry Bell[Fort Leavenworth, Kans.:General Service Schools Press, 1922], 80)。在第一次世界大战中很多最血腥的战役中,防御方与进攻方没什么区别。3:1法则可以站得住脚,但是在使用进攻方和防御方两个词时需要仔细辨别。

41. Churchill, *World Crisis* 3:41—42; Edmonds, *Military Operations: France and Belgium*, 1916, 1: 496—497; Miles, *Military Operations: France and Belgium*, 1916, 2: xii—xvii, 553; Sir Charles Oman, "The German Losses on the Somme," *Nineteenth Century and After*, 101 (May 1927):694—705; Terraine, *Haig*, 231—236. See also John Terraine, *The Road to Passchendaele: The Flanders Offensive of 1917, a Study in Inevitability* (London: Cooper, 1977), 215, 343—347; idem, *The Smoke and the Fire: Myths and Anti-Myths of War, 1861—1945* (London: Sidgwick & Jackson, 1980), chaps.3—5.

42. Robin Prior, *Churchill's "World Crisis" as History* (London: Croom Helm, 1983), 221—230; M.J.Williams, "Thirty Per Cent: A Study in Casualty Statistics," *Journal of the Royal United Services Institution* 109 (Feb. 1964):51—55; idem, "The Treatment of the German Losses on the Somme in the British Official History: 'Military Operations France and Belgium, 1916' Volume II," ibid. 111 (Feb. 1966):69—74.

43. Prior, *Churchill's "World Crisis" as History*, 228; 3：2不是固定的数字;全面分析英国和德国的伤亡比例显示出比例更加有利于英国。丘吉尔在战争期间认为这样的攻击代价过于高昂,不会赢得胜利(World Crisis 3: 29, 42—44)。

44. 参见 Spenser Wilkinson, "Killing No Murder: An Examination of Some New Theories of War," *Army Quarterly* 15 (Oct. 1927): esp.14—19; 也参见 Paul M.Kennedy, *The Rise and Fall of British Naval Mastery* (London: Lane, 1976), chap.9。

45. Milne to LH, 2 Sept. 1930, and LH to Milne, 6 Sept. 1930, both in 1/512.参见 Gen. William E.Ironside to LH, 19 Mar. 1937, and LH to Ironside, 23 Mar. 1937, both in 1/401。

46. "Economic Pressure or Continental Victories," *Journal of the Royal United Services Institution* 76 (Aug. 1931):486—510; rep. almost verbatim in LH, The British Way in Warfare (London: Faber, 1932), chap.1.

47. 在这个问题上的冲突,参见 David R.Woodward, "Britain in a Continental War: The Civil-Military Debate over the Strategical Direction of the Great War of 1914—1918," *Albion* 12 (Spring 1980):37—65; 也参见 useful: Paul Guinn, *British Strategy and Politics, 1914—1918* (London: Clarendon, 1965); Lord Hankey, *The Supreme Command, 1914—1918*, 2 vols. (London: Allen & Unwin, 1961); Robertson, *Soldiers and Statesmen*。

48. Letter，*Army Quarterly* 8(Apr. 1924)：8.

49. "Thoughts Jotted Down—To Be Expanded," memorandum for the record，17 July 1936 entry，11/1936/2-25c.

50. "Diary Notes. 1926," 27 Nov. entry，11/1926/1b；"Diary Notes—early 1927," 16 May entry，11/1927/1b，emphasis added；Donald McLachlan，*In the Chair：Barrington-Ward of the Times，1927—1948* (London：Weidenfeld & Nicolson，1971)，155；Martel letter quoted in a joint talk by Anthony J.Trythall and Brian Bond，12 Oct. 1978，at the Royal United Services Institution—see "The Fuller-Liddell Hart Lecture," *Journal of the Royal United Services Institution* 124(Mar. 1979)：25；Evetts to LH，18 June 1937，1/272；LH to Evetts，9 July 1937，1/272.

51. Reflected in LH，untitled note，1 Dec. 1935，11/1935/50.

52. LH，"1929 Diary：Engagements and Notes," 2 Oct. entry，11/1929/1b；see also F.M.Cyril Deverell to LH，10，15 Nov. 1937，1/232；Milne to LH，30 May 1927，1/512.

53. B.Bond，British Military Policy，141.特赖索尔和温顿得出类似的结论；参见 Anthony J.Trythall，*"Boney" Fuller：The Intellectual General，1878—1966*(New Brunswick，N.J.：Rutgers University Press，1977)，143；Harold R.Winton，*To Change an Army：General Sir John Burnett-Stuart and British Armored Doctrine，1927—1938*(Lawrence：University Press of Kansas，1988)，86—87.关于蒂德沃斯事件，参见 B.Bond，*British Military Policy*，140—141；*Memoirs*，vol.1，chap.5；Luvaas，*Education of an Army*，385—386；Trythall，*"Boney" Fuller*，chap.6；Winton，*To Change an Army*，chap.4。

54. 例如，参见 LH，"Talk with Field Marshall Sir C.J.Deverell," memorandum for the record，13 Nov. 1936，11/1936/99；也参见 Macksey，*Tank Pioneers*，97，100，134—135。

55. Letter，*Army Quarterly* 91(Oct. 1965)：5—6.

56. 从 1934 年至 1940 年，李德·哈特不是闪电战的支持者(chap.5)，所以他指责将军们拒绝接受他对于闪电战的观点，至少在那段时期，是毫无根据可言的。

57. Edward L.Katzenbach，Jr.，"The Horse Cavalry in the Twentieth Century," in Robert J.Art and Kenneth N.Waltz，eds.，*The Use of Force* (Boston：Little，Brown，1971)，277—297.

58. B.Bond，*British Military Policy*，chap.6；也参见 Robert H.Lawson，

The British Army and the Theory of Armored Warfare, *1918—1940*（Newark：
University of Delaware Press, 1984）, 16—32。

59. B.Bond, *British Military Policy*, 130—132.邦德从温顿那里借用了
这个有用的分类（参见 *To Change an Army*, 27—30）。

60. B.Bond, *British Military Policy*, 131.

61. LH to Robert Barrington-Ward, 2 Mar. 1937, 3/107.（尽管他的法
律登记名字是 Robert, Barrington-Ward 通常被称为 Robin,在整本书里他
都被称为 Robert。）关于表明他知道装甲部队正在向现代化发展的作品,参见
"Mechanization of the Army," *Listener*, 1 Jan. 1936, 33; "The Army in
1935：Signs of Recovery," *English Review* 60（Feb. 1935）：145—158; "Ar-
mament and Its Future Use," *Yale Review* 19（June 1930）：658—659; "Cost
of the Army," *Times*, 18 Mar. 1935, 19; "The Attack in Warfare：Chan-
ging Tactics," ibid., 10 Sept. 1937, 13—14.

62. 关于蒙哥马利-马西伯德对英国军队机械化的影响,参见 Winton,
To Change an Army, 188—189。

63. 接下来对军队部署和关于装甲力量命运的决策的讨论主要是基于
B.Bond, *British Military Policy*, chaps.5—6 and Winton, *To Change an Ar-
my*, chaps.4—5, 7.同样适用于 LH, *Tanks*, vol.1, pt.2; Macksey, *Tank
Pioneers*, pts.3, 5。

64. B.Bond, *British Military Policy*, 152.

65. Kenneth J.Macksey, *Armored Crusader：A Biography of Major-
General Sir Percy Hobart*（London：Hutchinson, 1967）.

66. LH, *Tanks* 1：336.

67. Winton, *To Change an Army*, 179.

68. 关于霍巴特的观点,参见 Macksey, *Armoured Crusader*;关于博内
特-斯图尔特的观点,参见 Winton, *To Change an Army*;关于林赛的军事思
想,参见 Macksey, *Tank Pioneers*, 54—62, 129—134;另见 B.Bond, *British
Military Policy*, 130—131,在这里他对有关机械化的观点进行了分类。

69. Winton, *To Change an Army*, 174.

70. Barry R.Posen, *Sources of Military Doctrine：France*, *Britain*, *and
Germany between the World Wars*（Ithaca, N.Y.：Cornell University Press,
1984）, 82—86; R.H.S.Stolfi, "Equipment for Victory in France in 1940,"
History 52（Feb. 1970）：1—20.

71. 例如,参见 the chapter "Modern Cavalry" in Gen. Hans von Seeckt,
Thoughts of a Soldier, trans. Gilbert Waterhouse（London：Benn, 1930）,

81—107。

72. John J. Mearsheimer, *Conventional Deterrence* (Ithaca, N. Y.: Cornell University Press, 1983), chap.4.关于阻力（问题），参见古德里安在 *Panzer Leader* 中对他在法国战役所遭遇问题的描述，trans. Constantine Fitzgibbon(London: Joseph, 1952), chap.5; also Hans-Adolf Jacobsen, "Dunkirk 1940," in Hans-Adolf Jacobsen and J.Rohwer, eds., Edward Fitzgerald, trans. *Decisive Battle of World War II: The German View* (New York: Putnam, 1965), 29—68。

73. Matthew Cooper, *The German Army, 1933—1945* (New York: Stein & Day, 1978), pts.1—2; Guderian, *Panzer Leader*, chaps.2—3; Posen, Sources of Military Doctrine, 205—219.

74. B.Bond, *British Military Policy*, 130—131.

75. 参见戈特对李德·哈特 1937 年 10 月发表在《泰晤士报》上著名文章的评论，"Defence or Attack?"(see chap.5, n.51)。参见 Gort to LH, 20, 24, 31 Oct. 1937, 1/322;另见 B.Bond, British Military Policy, 131; J.R. Colville, *Man of Valour: The Life of Field-Marshall the Viscount Gort*(London: Collins, 1972)。

76. Quoted in B.Bond, *Liddell Hart*, 118, n.41.

77. "Defence or Attack—Notes on Gort's Notes," memorandum for the record, 6 Nov. 1937, 1/322/54.

78. 关于另外两个英国高级军官（都不被视为闪电战的支持者），听起来像戈特一样，参见 Winton, *To Change an Army*, 186—187; Maj. Gen. H. Rowan-Robinson, "Defence or Attack? *The Times* Articles(A Review)," *Army Quarterly* 35(Jan. 1938), 277—290。

79. *Memoirs* 1:34—36, 49—50, 62—65.

80. Ibid., 65.

81. "Thoughts Jotted Down—To Be Expanded," memorandum for the record, entry for 17 July 1936, 11/1936/2-25c, emphasis added.他还在自己的《回忆录》中描述了被迫离开"我所钟爱的事业"。

第四章
大战略与间接路径，1925—1932 年

　　20 世纪 20 年代中期，在开始发展他的闪电战思想后不久，李德·哈特开始对大战略产生兴趣，并且在第二次世界大战爆发之前一直对这个问题保持关注。他特别地关注大陆承诺问题。尽管他继续就闪电战进行写作，他对它的兴趣在 20 世纪 20 年代后期逐渐减弱。他在 1929—1932 年很少就装甲战进行写作，并且从没对他的闪电战思想进行全面的讨论。他有可能根据《野战条令（三）》的思路撰写了一部作品。[1] 在《野战条令（三）》这本书中，富勒详细地展示了他的装甲战思想，李德·哈特却没有（关于装甲战的写作），尽管他在 20 世纪 30 年代后半期彻底改变了对闪电战的看法。

　　李德·哈特从没有无视一个事实，即英国可能再一次面对一个欧洲大国的军事威胁。然而，他质疑英国是否需要承诺派遣地面部队到欧洲大陆作战，以应对这种威胁。相反他认为，英国应该更加侧重经济和外交手段，如果使用军事力量变得不可或缺，就找一个替代方法，而不是建设大规模的陆军在欧洲进行另一场地面战争。英国应该使用其他手段打败一个谋求欧洲大陆霸权的国家，可以是空中力量或它的海军。他最终将这个政策建议转变为呼吁采取间接路径，他认为英国在历史上就是依靠这个手段打败欧洲大陆的敌人。毕竟，这就是战争中的英国方式。

李德·哈特对大战略感兴趣有几个原因。他的求知欲十分强烈,导致他从狭窄的战略和战术领域转向更加广泛的大战略问题;严肃的战争研究学者最后发现,考虑大战略问题有利于战略和战术研究。[2]1924年离开军队之后,哈特几乎完全依靠写作来谋生,因此就广泛的军事政策以及更加具体的战略和战术进行写作,可以吸引更多的观众,这对他有利。最重要的是,李德·哈特改变了对英国军事领导人和他们行为的评估。他开始相信,如果在欧洲大陆发生另一场战争,英国的将军会重复第一次世界大战中在西线的经验。因此他决心让这件事永远不再发生,他开始寻找一种方式,在不派遣大规模军队到欧洲大陆的情况下,打败欧洲大陆的敌人。第一个原因可以解释他对大战略的兴趣,而最后一个因素,就绝大部分而言,解释了他不断发展的大战略思想的内容。他的结论是,英国需要采取间接路径打败欧洲大陆的敌人。[3]在大战略上的这个观点,反过来直接影响了他对战略和战术的思考。事实上,因为他的大战略观点是避免参与到任何未来的欧洲战争中,他对战略和战术的兴趣很自然地开始减弱。然而,他最终要彻底改变对装甲战略的思考,以适应他的大战略观点。

李德·哈特在20世纪20年代中期开始怀疑闪电战能否提供一种手段,避免另一场世界大战。然而,这些最初的怀疑与战略本身毫无关系,因为在这时他不相信防御者可以明智地使用坦克挫败闪电战,也不认为可以发展出反坦克武器,对坦克造成严重威胁。更确切地说,他最初的怀疑与他对英国将军的看法直接关联。他相信他们不会接受他关于闪电战的观点,因此不会在未来战争中使用装甲力量实现快速的、决定性的胜利。换句话说,是英国将军对新观念的抗拒激起了他的怀疑。

李德·哈特早在1923年就持这些保留意见,并且这些意见被他对第一次世界大战不断变化的观点所加强。[4]这个重要的关联体现在他第一本讨论大战略的书中,《帕里斯或战争的未来》(1925年)。他在开篇中认为,战争是一个"无意义的胜利",并且"站在废墟中,我们有理由质疑战争的战略目标和方向"。然而,他认为"覆水难收……我们担心的是未来"。然而,他没有掩饰对未来的悲观情绪:

> 正统的军事学派作为政府顾问仍然在掌权,他们顽固地坚持教条,明显地无视第一次世界大战的徒劳,无论是它的战略还是结果,这是最坏的征兆。对于这些在大多数首都回归到权力中心的军事保守分子,一个说法可以回应:"他们什么也没学到,什么也不会忘记……"

> 新的武器会被视作另一个源头,不久就会血流成河。[5]

哈特认为,这些官员"普遍存在的偏见"使他们"甚至不愿检验一个业余人士的建议,更不用说承认它们的价值或接受它们"。[6]这个结论打破了其创新观点可以影响下一场战争的希望。

然而,李德·哈特在早期并没有完全地绝望。在他更加乐观的时候,当然这样的时候很少,他坚持认为他观点的强大逻辑可以使公众和政治领导人要求将军们接受他的观点。[7]另外,他对年轻的官员还有一些信心,他相信他们会看到他教诲的智慧之处。从 1925 年至1927 年,李德·哈特还与陆军元帅米尔恩(帝国总参谋长)以及大量其他的高级军官保持友好的关系,他当时为《每日电讯报》写文章批评军队对试验性的装甲力量的处理。尽管这一争议产生了不好的感觉,但李德·哈特与米尔恩(他到 1933 年一直是总参谋长)的关系仍然是亲密和相互尊重的。[8]

然而,(对现实的)醒悟最终导致他(发展出)著名的间接路径理论。[9]理解间接路径的关键是认识到它是一个模糊的、弹性的理论。在纯粹的概念层面,很难理解它的真正含义,即使不是不可能。几乎每一次军事胜利都可以归因于间接路径。李德·哈特曾经总结说:"战略史本质上是间接路径使用和发展的记录。"他认为"长久以来,战争中决定性的结果都是在使用间接路径的情况下实现的"。[10]这些评论清楚地说明间接路径理论是一个循环论证。[11]每一次军事胜利,在某种定义上,都是间接路径的结果。暂且将这个一般性理论的主要问题放在一边,李德·哈特在20世纪20年代后期和30年代早期进行写作的时候,确实对间接路径有一些具体的观点,这里的目标是尽可能多地确定他是什么意思。

军事问题学者将间接路径与闪电战联系在一起已经司空见惯,李德·哈特在第二次世界大战后强调这一关联。[12] 做出这个关联并不困难,因为间接路径是一个如此有弹性的概念。然而,当李德·哈特在两场战争中间谈及间接路径时,他并不是在谈论闪电战,而是在寻找一种方式,即在不使用陆军的情况下打败欧洲大陆的敌人。间接路径提供一种手段,避免派遣地面部队到欧洲大陆。[13] 如果他不能劝服英国的将军按照他的创新理论进行一场陆地战争,他就需要寻找一种方式,排除与对手作战的可能。

李德·哈特间接路径的一般性理论假定每个国家都有一个致命的弱点,会使其在战争中崩溃。这个弱点不一定会成为国家军事力量的一部分,尽管他不排除这种可能性。战争中的主要目标是发现对手的致命弱点,并寻找一种方式快速地打击它,实现快速的、决定性的胜利。李德·哈特认为,进攻性力量应该表现得像"一个拳击手……其目标是尽早对某个关键点发起决定性的打击——下巴或者心口——这会瞬间瓦解对手的抵抗"。这个路径的最终目标是"在造成最小的人力和经济损失的情况下,瓦解敌人抵抗的意志",以最少的流血获取胜利。只有尽可能多地减少实际战斗,才能实现这一目标。最好的情况是寻找一种方式,不战而屈人之兵,正如他在1929年关于间接路径的一本主要著作中所写的那样:"战略的完美在于制造一个结果——通过让他们缴械投降,消灭敌人的武装力量——没有任何战斗。"[14]

虽然李德·哈特讨论了这种一般性理论,他是否进一步说明了他所认为的一个国家的阿喀琉斯之踵是什么,以及如何打击这个要害? 换句话说,如何使他的模糊理论变得可操作化? 在这段时期,哈特基本上认为一个对手的阿喀琉斯之踵就是他的平民。在战争中获胜的关键是打击敌人平民的士气,而不是消灭他的军事力量,这当然是闪电战所关心的事情。因此在他第一本讨论间接路径的著作《帕里斯》中,谈及很多"实现道德方面目标的手段"(27)以及"压制反抗意志"(20)。他认为,如果进攻者可以"削弱一个国家部分的士气,它抵抗意志的崩溃可以迫使整个国家投降"(22)。这个观点假定现代民族国家是一个精细的机械装置,可以轻易地使其崩溃:"随着文明的进步,作为征服敌人抵抗意志的手段,控制敌人的工业中心和交通或给其造成混乱变得更加有效,更加容易"(35)。[15]他争辩说:"如此扰乱敌国的人民"相当容易,"他们会求和,而不是继续面对斗争。"(28)投降的结果将是"更少的危害"(29)。这种对敌国平民"道德混乱"的关注明显地出现在他讨论间接路径的其他著作中。[16]

李德·哈特提倡采用多种手段实现这一宏大目标:"战场上打败对手、宣传、封锁、外交或者攻击政府和人口中心。"他还强调从空中打击敌人的经济。[17]他认为,要恰当地理解间接路径,它不强调任何单一工具;使用什么工具取决于面对的情况。他希望实现一种情况:"我们不会局限于一种固定的手段,而是自由地权衡每种手段的优点。"[18]这种关于工具的教义,加上每个国家都有一个对阿喀琉斯之踵的松散定义,当然使间接路径变得如此有弹性。李德·哈特还关注不同的军事工具,并且他通常特别重视其中的一个。

李德·哈特在他最初关于间接路径的著作中对空中力量表现出很大兴趣。他将战略轰炸视为打击敌人士气的极好手段。他看起来相信对敌人城市快速的大规模空袭可以扰乱并削弱它的国民士气,使其求和。他在《帕里斯》和《重塑现代陆军》中支持空中力量的论点与早期空中力量的支持者——例如朱利奥·杜黑、比利·米切尔和休·特伦查德——的观点相似。[19]看一下摘自《帕里斯》中的这段话:

> 想象一下,交战中的两个集权国家,一个空中力量更有优势,一个陆军更有优势。如果打击足够快速和强大,在双方交战

的几个小时内,最多几天之内,在空中力量上处以劣势的国家的
神经系统一定会瘫痪。

现代国家是一个复杂的、相互依赖的组织,它对突然的、压
倒性的空中打击具有高度敏感性。(40—41)

李德·哈特很清楚恐怖性轰炸带来的道德问题。他用一个功利
主义观点还击:像上面所描述的空中进攻当然会杀伤很多平民,但由
于它持续时间较短,最终会比一场持久的陆地战争导致更少的伤亡。
他还认为,进攻型飞机可以用毒气取代炸弹,减少战略轰炸的恐怖
性。他将毒气视为相对人道但却有效的武器:"如果发生另一场世界
大战,毒气还能挽救文明于不可避免的土崩瓦解之中。"[20]

在出版关于间接路径的第二本主要著作《历史上的决定性战争》
时,李德·哈特已经在很大程度上放弃了他关于空中力量的观点。
他从未直接地解释他为什么(对此)失去兴趣,尽管可能有几点原因。
他最后相信可以采取一些措施,保护平民免受毒气进攻。他争论说,
"危险"会"降低到一定程度,使这样的进攻与空中力量的其他用处相
比变得得不偿失。"另外,他一定认识到,如果使用毒气攻击敌国的城
市使战争不再那么可怕,受害的民众就会降低寻求和平的诉求。那
么就有必要使用炸弹或接受一场持久战,尽管这都是没有吸引力的
选择。[21]他明显开始怀疑,即使在空战中使用炸弹,能否快速地获胜
也是个问题。例如,他在 1935 年写道:"摧毁任何大型城市所需的高
能炸弹的数量远远超过任何国家现有轰炸机的装载能力,这看起来
是一个相当稳妥的估算。"因此他在 20 世纪 30 年代不再认为空中力
量提供了给敌人造成致命打击的手段,这么做当然损害了他的功利
主义道德论点。[22]另外,德国人有可能看到了使用空中力量的优势,
并在战争一开始就从空中轰炸英格兰。然后问题将是哪一方更容易
受到战略轰炸的伤害,因此首先会退出? 李德·哈特的结论是德国
更有优势,而不是英国。[23]

《历史上的决定性战争》是一部陆地战争的历史,中心思想是一

支军队有能力实施间接路径,李德·哈特的间接路径不意味着一支军队使用闪电战打败另一支军队。他非常关注如何避免两支相互敌对的军队直接交战:"战略的完美在于制造一个结果——通过让他们缴械投降,消灭敌人的武装力量——没有任何战斗。"(153—154)他希望进攻力量或者绕到敌军的侧翼,或者出现在敌军后方,直接打击对手的平民。当李德·哈特在《历史上的决定性战争》中讨论"向敌人后方移动"的需要时,他不是在谈论打击易受攻击的司令部和指挥网络,这是闪电战的主要目标,而是进攻对手的大后方。具体地说,他希望使用军队对敌国的平民实施大规模惩罚,由此打击它的士气。

他心中的典范当然是威廉·谢尔曼将军,美国内战的指挥官,因他在冲突最后一年在美国南方腹地进行的毁灭性进攻而闻名。[24]李德·哈特在撰写《历史上的决定性战争》的同时,还写了一本重要的谢尔曼传记。两本书都在 1929 年出版。他在《历史上的决定性战争》中对谢尔曼的讨论充满赞美之辞,关于谢尔曼对内战结果的影响,他的评价十分清晰:[25]"南部邦联抵抗的瓦解源于其士气的空虚。通过间接路径影响敌人的经济和后方士气在最后阶段被证明是决定性的,像在西线准备作出这个决定的阶段一样。任何对战争进行过细致和全面研究的人最终都会了解到这个事实。"(133)

第二次世界大战之后,李德·哈特认为正是在研究谢尔曼战役的时候,他才开始了解深层战略穿透对闪电战的至关重要性(第二章)。他还清楚地表示他对闪电战的一些早期思考展现在《谢尔曼》和《历史上的决定性战争》中。[26]情况并不是这样。这些书中几乎没有任何对坦克战的讨论,此外,这些书中很少有证据表明他认识到深层战略穿透的重要性。而且,他认为军队不应该被用作打击敌军,而是直接打击他的平民,我将此称为"谢尔曼模式",这种看法与闪电战有本质区别。

李德·哈特对谢尔曼模式的兴趣很短暂。[27]他从没解释他为什么抛弃间接路径这种变体,尽管他可能认识到英国在大陆战争的早期阶段使用谢尔曼模式是不可能的;在第一次世界大战中当然也没有这种机会。另外,他很可能认识到谢尔曼在战争的早期不能发动进攻,只能等待漫长的消耗战制造机遇。[28]这个政策还有严重的道德问题。正像布赖恩·里德注意到的,谢尔曼模式"将大规模消耗战的恐怖性从军队转移到平民身上"。[29]最后,也许是最重要的,间接路径的这个形式意味着要建设庞大军队并接受大陆承诺。

李德·哈特在《战争中的英国方式》(1932年)一书中概述了间接路径的第三种和最后一种形式。[30]他的中心论点是英国的军事战略传统上就是避免派遣大规模地面力量到欧洲大陆作战,相反地使用海军力量对敌人施加巨大的经济压力。战争中的英国方式本质上是"通过海上力量施加经济压力"(37)。李德·哈特争论说,英国在第一次世界大战中接受大陆承诺是一个历史性过失,在未来应该避免。他的海上战略的最终目标是给敌国的平民造成严重的经济困难,由此削弱士气并瓦解战斗意志。

李德·哈特在《战争中的英国方式》中所表达的对海军的信任与他在其他地方对海上力量持严肃保留意见形成鲜明对比。他在两场战争之间坚持认为盟国的海上封锁是第一次世界大战中的决定性武器;[31]然而,早在1925年,在《帕里斯》一书中他就认为海上技术的发展,尤其是潜水艇严重地损害了"海上武器"。[32]这当然有助于解释他为什么在20世纪20年代中期对空中力量如此感兴趣。另外,在1933年之后面对如何对付第三帝国的问题时,他抛弃了在《战争中的英国方式》中表明的立场,回归到早期在《帕里斯》中的态度。[33]尽管他在1938年写道,失去捷克斯洛伐克将如何影响英国对德国的封锁(它本身就是一个令人困惑的问题),他在20世纪30年代后半期对海上力量表现出很少的兴趣。因此战争中的英国方式是一个短暂的想法,仅从1931年持续到1933年。

战 略 和 战 术

与他在战争和大战略方面不断变化的观点相比,这一时期李德·哈特在战略和战术上的想法在很大程度上保持不变。在 20 世纪 20 年代早期之后,他很少写步兵战术,一个重要的例外是 1931—1932 年冬季,他给陆军的南部司令部做了一场讲座。讲座基本上是重述他早期关于步兵战术的看法,1933 年被编辑成一本小册子出版(《步兵的未来》)。[34]1925—1932 年,他对在战场上赢得战争的思考都是围绕装甲战略展开,而不是步兵战术。另外,他对大陆承诺的敌视使他不再思考如何在欧洲进行地面战争。

李德·哈特很多关于闪电战的重要作品出现在 20 世纪 20 年代中期,尽管他在 20 世纪 20 年代初开始就这个题目进行思考。[35]《帕里斯》和《重塑现代陆军》都包含他对间接路径的最初思考,还包括关于闪电战的内容。自相矛盾的是,这两本书包含了他在闪电战和战略轰炸方面的一些主要文章。然而,从他的作品中可以明显看出,在1925—1932 年,他对闪电战这个主题快速地失去兴趣。1929 年之后,他很少在《每日电讯报》的文章中讨论他的闪电战思想,在《历史上的决定性战争》(1929 年)中完全没有讨论。他仅仅在 1930 年的两篇关于未来战争形态的杂志文章中谈及这个主题。唯一明显的例外是,他于 1933 年第一季度发表在《陆军季刊》上的两篇关于装甲战的文章。[36]

李德·哈特在两场战争之间没有发表任何对闪电战进行系统阐述的作品。杰伊·卢瓦斯认为哈特没有这么做的原因是他"陷入其他更加紧迫的问题中,时间不允许他对关于装甲战的观点做全面的综合"。[37]这个观点很难接受,因为在 20 世纪 20 年代后半段和整个20 世纪 30 年代,对于这么一个多产的作家来说,李德·哈特有相当多的时间，至少可以写一篇关于这个主题的文章。而且对李德·哈特来说，很难想象有"一个比装甲战略更加紧迫的问题，它与避免陷入另一场世界大战的僵局紧密相关"。

也许他对闪电战的兴趣不断减少是由于他重新评估了装甲战场上攻防平衡的观点。也许他断定坦克基本上是一个防御性武器，或者更谦虚地说，它可以被有能力的防御者利用以挫败闪电战。他确实在20世纪30年代后半期作出了这些论断，但都是在他已经停止讨论闪电战之后。现在没有证据表明他考虑过这些问题。我认为他抛弃闪电战不是因为他有"更紧迫的问题"要处理，或者因为他改变了对装甲战要素的看法，而是因为他对要在下一场欧洲战争中应用他的观念的将军失去了信心。

传 记 作 品

在1926年至1934年间，李德·哈特撰写了四本传记和两本小传合集。除了劳伦斯的传记可能是一个例外，这些书，正如人们对快速完成的作品的期待，不是经过仔细研究的学术论文；它的目的在很大程度上是说教。李德·哈特用历史提供证据并阐述他们的军事理论，他几乎完全从现实需求的角度去描述过去。正如杰伊·卢瓦斯恰当地注意到，他"鼓励他的研究对象从有利于当前的角度对战术、战略和组织问题发表意见。"[38]读者当时认识到哈特用他的历史研究作品作为媒介，宣传他对当代军事战略的想法。在读过李德·哈特20世纪20年代早期关于成吉思汗的论文之后，曾提携李德·哈特发展事业的马克西将军写信给他说："我很欣赏关于成吉思汗的这篇文章，尤其是里面巧妙地渗透了我们的训练成果！"[39]作为对《伟大军官揭秘》（1927年）的评论，他的好朋友斯科梅尔写道："这些小传不只是传记——它们是宣传……在每一个合适的场合都为坦克说好话。"[40]
李德·哈特的历史研究作品充斥着他关于当代军事战略的思想，因
此值得研究。

这些传记就其本身性质而言，说明李德·哈特赋予指挥官个体，
或者是他所称的"伟大的军官"以很大的重要性。例如，威廉·谢尔
曼是"最后的……伟大军官"，[41] 而他的一本小传合集被恰当地命名
为《伟大军官揭秘》。思想的重要性——这些伟大军官展现的智
慧——在这些作品中自始至终都在被强调。他暗示，挖掘这些伟大
的人物，可以提供深刻的见解，帮助英国避免陷入另一场类似第一次
世界大战的冲突：例如，他在《一个比拿破仑更伟大的人：西庇阿·阿
弗里卡纳斯》（1926 年）的序言中写道：

> 写这本书的理由是最近没有关于西庇阿的传记……写这本
> 书的真正原因是……与其他过去的伟大军官相比，他的军事成
> 就对战争学者来说更有价值……因为与历史上其他任何指挥官
> 相比，西庇阿的战役中包含了更多的策略和计谋，它们在今天仍
> 然可行，对军人来说有经久不衰的深刻意义。[42]

六本传记中的两本聚焦第一次世界大战中的指挥官。《名誉》
（1928 年）是对第一次世界大战中一些主要指挥官的评价，写于停战
十年之后。这本小传，虽然不是对将军的严厉指责，也清晰地反映出
当时李德·哈特如何对他们大失所望。[43]《福煦》（1931 年）对这位曾
领导盟国军队在 1918 年获胜的法国陆军元帅的贬损。很明显由于
法国官方的不满，这本书明显没能在法国出版。[44]

李德·哈特对福煦的厌恶不仅是基于他对这位陆军元帅在战争
中表现的批判性评价。他还认为福煦是第一次世界大战前克劳塞维
茨军事理论的主要支持者之一，而李德·哈特认为他的理论应为战
争的发展方向负主要责任。[45]他声称，福煦——这个进攻到底信条的
热忱拥护者——"放大了克劳塞维茨更加极端的想法"。另外，他认
为是福煦劝服英国决策者在第一次世界大战之前接受大陆承诺，他

在撰写《福煦》的时候认为这个承诺是一个极大的错误。[46]

《名誉》和《福煦》很少谈道李德·哈特对装甲战和大战略的思考。然而，其他四本传记作品不是这种情况；我们可以在这些书中轻易地追溯他军事思想的发展。《一个比拿破仑更伟大的人：西庇阿·阿弗里卡纳斯》和《伟大军官揭秘》中很多地方不加掩饰地提到闪电战。他认为，西庇阿的伟大在很大程度上源于他理解"获胜的战术关键在于拥有一支出众的机动武装——骑兵"。他有远见"打破建立在步兵力量基础上的传统束缚"。[47]《伟大军官揭秘》中很多地方赞许地提到骑兵，它被认为是现代装甲力量的先驱。"只有骑兵，"他在关于古斯塔夫斯·阿道弗斯的章节中写道，"可以损坏……（敌人的力量）并不可挽回地破坏它的组织——换句话说，骑兵本质上是决定性的装备"。(120)在感叹现代火器对骑兵的毁灭性影响之后，他说道："幸运的是，科学拯救了我们，为我们提供了有盔甲的机械化战马——坦克；后者不过是骑兵的现代形式，在明天的快速坦克突击中我们可以看到骑兵冲锋的再现——以及伟大军官的决定性战争"(120)。

这两本书中没有提到使用间接路径代替直接与敌军交战。[48]这很令人惊讶，因为包含他早期关于间接路径理论作品的《帕里斯》在这两本著作之前已经出版（1925年）。一个可能的原因是因为《一个比拿破仑更伟大的人：西庇阿·阿弗里卡纳斯》和《伟大军官揭秘》两本书讨论的是陆地战争，并且李德·哈特在那些年中仍然希望他关于闪电战的思想被军队所接受，他选择在关于历史的讨论中融入他的装甲战思想，而不是间接路径理论。

很正常，在他接下来的两本传记《谢尔曼》和《劳伦斯在阿拉伯》中，几乎没有提到坦克和它们的革命性潜能。正如我已经说过的，李德·哈特在后来认为，他在为撰写《谢尔曼》进行研究时开始认识到，深层战略突破对闪电战的重要性。在这本书中没有对强调深层战略穿透的闪电战的讨论，甚至没有含蓄地提及这些主题。尽管《谢尔曼》是一本探讨陆地战争的书，它事实上主要是对间接路径的赞美

（被认为是闪电战的替代品），或者是我之前所称的"谢尔曼模式"。具体地说，李德·哈特赞美谢尔曼不是因为他直接与南部军队交战并打败了他们，而是因为他避免了与他们交战，相反地专注于在敌军后方攻击平民。哈特称赞谢尔曼，因为他认识到"一个武装国家的力量取决于它的民众的士气——如果士气崩溃，他们军队的抵抗也会瓦解，这是不可避免的结果"。(330)他在后记中阐明了这一点，揭示出在这个过程中他的注意力如何从可以实施闪电战的战场上转移："打断人们的日常生活并断绝恢复正常（生活）的希望比任何不能完全消灭敌军的军事行动更加有效，而（完全消灭敌军）这个理想在过去很少能够实现，自从国家被武装起来之后，变得愈加困难。"(429)[49]

《劳伦斯在阿拉伯》是关于李德·哈特非常钦佩的一个人物的故事。毫不夸张地说，他膜拜劳伦斯，他在这本书的最后一句话中将他描述为"自由的精神，化身来到一个被束缚的世界"。[50]在李德·哈特看来，劳伦斯是一位卓越的军事领导人，可能是第一次世界大战中唯一展现出理解间接路径的指挥官。但是这本书中也没有讨论间接路径或者他在未来的战争中如何应用，这说明李德·哈特难以操作其模糊定义的（间接路径）概念，使其有利于英国对抗欧洲大陆的敌人。在这本 1934 年出版的书中也没有关于坦克前途的讨论，尽管李德·哈特可以很容易地利用劳伦斯的军事经历突显他的装甲战理论，李德·哈特无法为另一场欧洲战争提供令人满意的军事理论。尽管他在 20 世纪 20 年代和 30 年代早期作出很大努力，但看起来如果发生第二次世界大战，结果也会和第一次世界大战一样。当希特勒在 1933 年掌权之后，这毫无疑问成为他非常关心的事情。

注　释

1.（London：Sifton Praed，1932）.

2. LH made this point in "Notes," 1939, 11/1939/141.

3. 我在书中自始至终说的都是"间接路径理论"，尽管它通常被称为"间接路径战略"。"间接路径"最早被视为大战略议题，而不是战略议题（正如我对这两个术语的定义),虽然它是一个模糊的概念,可以互换使用,这就是为什么我避免称它为"间接路径战略"。因为这个概念是如此模糊,就有理由怀疑使用"理论"一词描述一个同义反复的观点是否合理。我认识到这个问题,但仍然认为这是最不易引起歧义的术语。

4. "Study and Reflection v. Practical Experience," *Army Quarterly 6* (July 1923):318—331.

5. (New York: Dutton), 6—7;也参见 4—5。

6. *The Remaking of Modern Armies*(London: Murray, 1927), 178;也参见 12—13, 54, chap.11; "Study and Reflection v. Practical Experience"; Brian Bond, *Liddell Hart: A Study of His Military Thought*(London: Cassell, 1977), 82—84。

7. *Remaking of Modern Armies*, 29—31。

8. 关于年轻的军官,参见 LH, "Diary Notes. 1926," 13 Nov. entry, 11/1926/1b; LH to Brig. Gen. J.E.Edmonds, 10 Feb. 1934, 1/259。关于(李德·哈特)与高级军官的关系,请回顾第三章。(李德·哈特)与米尔恩的关系在他们的通信中有清晰的体现(参见 1/512) and *Memoirs 1*: chap.5;也参见 LH, "Seven Years: The Regime of Field = Marshall Lord Milne," *English Review* 56(Apr. 1933):376—386。

9. 李德·哈特关于间接路径的主要作品是 *Paris*(*The Future of War*); *The Decisive Wars of History: A Study in Strategy*(Boston: Little, Brown, 1929)——后来修订再版为 *Strategy: The Indirect Approach*(London: Faber, 1954); *The British Way in Warfare*(London: Faber, 1932)——后来修订并扩展为 *When Britain Goes to War*(London: Faber, 1935)。*Remaking of Modern Armies* 的第七章也很重要,因为它重复了很多 *Paris.*一书中的重要观点。

10. *Strategy*, 18; *Decisive Wars of History*, 4;也参见 5 and *Strategy*, chap.10。

11. 其他作者得出了相同的结论:B.Bond, *Liddell Hart*, 54—61; idem, "Future Reflections on the Indirect Approach," *Journal of the Royal United Services Institution* 116(Dec. 1971): 70; Tuvia Ben-Moshe, "Liddell Hart and the Israel Defence Forces: A Reappraisal," *Journal of Contemporary History* 16(Apr. 1981):369—372; R.A.Mason, "Sir Basil Liddell Hart and the Strategy of the Indirect Approach," *Journal of the Royal United Services Institution* 115(June 1970):41。

12. 例如,参见 *Memoirs 1*:161—168, 179—182。(李德·哈特)在《回忆录》中对间接路径的讨论没有体现出他在两场战争之间赋予这个理论的含义。

13. 提醒:(李德·哈特)确实考虑了使用地面力量实施间接路径的可能性,但他没有预想使用它们在战斗中吸引敌军,参见 *Decisive Wars of History*。

14. *Remaking of Modern Armies*,104—105; *Paris*,19; *Decisive Wars of History*,153; ibid.,153—154.

15. 第二次世界大战很明显地证明了这个假设是错误的。

16. *Decisive Wars of History*,146.

17. *Paris*,20.参见 14—15,27—53; *Remaking of Modern Armies*,chap.7。

18. *Paris*,20.

19. 关于李德·哈特对空中力量的观点,参见上面著作的第 17 页,另外他贬低了陆军和海军的作用部分参见 *Paris*(32—37,53—62)。关于早期空中力量支持者的观点,参见 Edward Warner,"Douhet,Mitchell,Seversky: Theories of Air Warfare," in Edward Mead Earle,ed., *Makers of Modern Strategy: Military Thought from Machiavelli to Hitler*(Princeton,N.J.: Princeton University Press,1943),485—503; David Maclsaac,"Voices from the Central Blue: The Air Power Theories," in Peter Paret,ed., *Makers of Modern Strategy: From Machiavelli to the Nuclear Age*(Princeton,N.J.: Princeton University Press,1986),624—647。皇家空军对李德·哈特关于空中力量的作品印象深刻,参见 B.Bond,*Liddell Hart*,43; Jay Luvaas,*The Education of an Army: British Military Thought*,*1815—1940*(Chicago: University of Chicago Press,1964),387。

20. *Paris*,45.关于恐怖轰炸的道德问题,参见 43—53。

21. *When Britain Goes to War*,50.尽管李德·哈特不再相信他之前声称的用毒气进行空中打击的有效性,他在整个一生中都是毒气战的坚定支持者;参见 Brian H.Reid,"Gas Warfare: The Perils of Prediction," in David Carlton and Carlo Schaerf,eds., *Reassessing Arms Control*(London: Macmillan,1985),143—158。

22. When Britain Goes to War,49—50.在 20 世纪 30 年代后期,英国非常担心德国会在未来一场战争中通过战略轰炸快速打败英国;李德·哈特不接受这个观点,这点明显体现在 *Europe in Arms*(London: Faber,1937)和 The *Defence of Britain*(London: Faber,1939)两本著作中。李德·哈特没有淡然对待关于轰炸的道德问题。他在第二次世界大战中坚定反对战略轰炸,他的立场主要是基于道德基础;参见他与奇切斯特主教的通信,George Bell,1/58; B.Bond,*Liddell Hart*,144—148。

23. *When Britain Goes to War*,55—57.

24. 关于谢尔曼战役,参见 Joseph T.Glatthaar,The March to the Sea

and Beyond: Sherman's Troops in the Savannah and Carolinas Campaign (New York: New York University Press, 1985)。

25. Decisive Wars of History, 123—134.

26. 例如,参见 *Memoirs* 1: 162—172; LH, Forewaord, *Memoirs of General William T. Sherman* (Bloomington: Indiana University Press, 1957), xi—xvi。

27. 有一个条件:李德·哈特在 *When Britain Goes to War* 中发表的两个短章节(5, 16)引用了他在 *Decisive Wars of History* 中的主要论点。

28. 富勒撰写了一部尤利西斯·格兰特的传记,*The Generalship of Ulysses S. Grant* (London: Murray, 1929),同时,李德·哈特在撰写 *Sherman: Soldier, Realist, American* (New York: Dodd, Mead, 1929)。这两位英国战略家当时对(美国)内战战略产生了严重的分歧,富勒认为格兰特的胜利是谢尔曼获胜的关键。参见 B.Bond, *Liddell Hart*, 49; Brian H. Reid, "British Military Intellectuals and the American Civil War: F.B.Maurice, J.F.C.Fuller and B.H.Liddell Hart," in Chris Wrigley, ed., *Warfare, Diplomacy and Politics: Essays in Honour of A.J.P.Taylor* (London: Hamilton, 1986), 42—57; idem, J.F.C.Fuller: *Military Thinker* (London: Macmillan, 1987), chap.5。

29. Reid, "British Military Intellectuals," 50.

30. 这本书的第一章与(李德·哈特)1931 年 1 月在皇家联合学会上的讲话几乎一致;参见"Economic Pressure or Continental Victories," *Journal of the Royal United Services Institution* 76(Aug. 1931):486—510。对李德·哈特观点的一个精彩评论,参见 Michael Howard, *The British Way in Warfare: A Reappraisal*, The 1974 Neale Lecture in English History(London: Cape, 1975)。

31. 例如,参见 *The Real War, 1914—1918* (London: Faber, 1930), 470—476;也参见 *Decisive Wars of History*, 231。

32. *Paris*, 56—62.

33. 关于希特勒掌权后他(李德·哈特)对海军的观点,参见 chaps.5 and 6。

34. (London: Faber, 1933).

35. See chap.2, n.58.

36.《每日电讯报》上的文章副本收录在他的个人文件第十部分中。1929 年之后没有发表在《每日电讯报》上的关于闪电战的作品收录于"Suggestions and Forecasts: Salient Points from Captain Liddell Hart's Articles in the

Daily Telegraph，1925—1934，" undated memorandum for the record，13/ 3。关于未来战争的性质,参见"Armament and Its Future Use," *Yale Review* (June 1930)：649—677；"The Next War," *Fortnightly Review*，1 May 1930，585—598；关于装甲战,参见"Mind and Machine：Part II. Tank Brigade Training，1932," ibid. 26(Apr. 1933)：51—58。

37. Luvaas，*Education of an Army*，406.

38. Ibid.，388.

39. 引自 B.Bond，Liddell Hart，46。这篇文章于 1924 年第一次发表于 *Blackwood's*,再版于 LH，*Great Captains Unveiled*（London：Blackwood，1927），chap.1。

40. 引自 B.Bond，*Liddell Hart*，46。

41. LH，*Sherman*，403.

42. *A Greater Than Napoleon：Scipio Africans*（London：Blackwood，1926），vii.也参见 *Sherman*，vii—viii。

43. 李德·哈特在发表的作品中缓和了对将军们的批评（正如我在第三章中所解释的）。

44. 毫不奇怪,这本书的评论者突出了福煦被贬低的形象,参见 9/9/9. LH，"Note on the French 'Banning' of My Book on Foch," 1933，11/ 1933/34；Luvaas，*Education of an Army*，391；articles in 9/9/10。

45. 参见 *Foch：The Man of Orleans*（London：Eyre & Spottiswoode，1931），23—26；LH，*The Ghost of Napoleon*（London：Faber，1933），132—139；LH，"French Military Ideas before the First World War," in Martin Gilbert，ed.，*A Century of Conflict*，1850—1950：*Essays for A.J.P.Taylor*（London：Hamilton，1966），135—148。关于李德·哈特对克劳塞维茨和第一次世界大战的观点,回顾第二章。更多有关福煦在第一次世界大战前的军事作品,参见 Stefan T.Possony and Etienne Mantoux，"Dupicq and Foch：The French School," in Earle，*Makers of Modern Strategy*，206—233。

46. *Foch*，24，chap.6；*Memoirs* 1：280—283.

47. A Greater Than Napoleon，96，97.

48. 我在这里假定"间接路径"与"闪电战"是相互矛盾的军事政策。

49. 一般参见 *Sherman*，428—431。

50. "*T.E.Lawrence*" in Arabia and After（London：Cape，1934），448. 关于李德·哈特与劳伦斯的关系,参见 Brian H.Reid，"T.E.Lawrence and Liddell Hart," *History* 70(June 1985)：218—231。

第五章

李德·哈特与纳粹德国：
军事政策，1933—1940 年

在 20 世纪 20 年代和 30 年代早期，李德·哈特提出他的军事理论时，德国只是一个抽象的威胁。德国的军事力量被《凡尔赛条约》大幅削减，魏玛共和国的领袖也没有兴趣将它的军事力量转为强大的侵略工具。希特勒在 1933 年 1 月掌权，欧洲开始面临真正的威胁。李德·哈特自然密切关注英国将如何对付纳粹德国。这一章和下一章将考察他在 20 世纪 30 年代支持的政策，尤其是比较他的政策建议和他在 20 世纪 20 年代发展的理论。这一章主要论述他在战略和大战略方面的军事思想。然而，英国如何对付纳粹德国不仅涉及军事手段，所以他还考虑经济制裁和外交问题。他的具体外交政策建议将是下一章讨论的主题。

在讨论 1933 年后李德·哈特军事思想的细节之前，有两个重要的问题需要考虑：一是英国在 20 世纪 30 年代面临的大战略形势以及英国官方军事政策的大致轮廓；二是 20 世纪 30 年代李德·哈特在英国所处的地位，以及他和官员、军队的关系。对他在决策过程中的作用评估将留到第七章讨论。

第一次世界大战后，自满情绪充斥着英国的军事政策。尽管国家安全的设计者在 20 世纪 20 年代也曾担忧苏联对印度的威胁，这段时期却是相对平静的。日本人而不是德国人首先动摇了这种自满情绪,日本在 1931 年入侵中国东北。在希特勒成为德国总理时,英国已开始反思严重弱化的军事力量。英国加强军事力量的资源有限,加上证据显示日本成为太平洋地区的潜在威胁,以及德国再次成为欧洲的威胁(接着意大利成为地中海地区的威胁),这些情况促使英国严肃地考虑大战略问题[1]——具体来说,哪个威胁是最严重的?对付这些不同的对手分别需要什么样的军事力量? 英国政府在 1933年秋天成立了国防需求委员会(DRC)以研究这些问题。委员会的第一份报告在 1934 年 2 月发布,呼吁与日本建立友好关系,将德国称为"我们所有的长期防务政策必须要应对的终极敌人"。[2]因此从早期看,英国很有可能接受大陆承诺,而这一政策是李德·哈特极力想避免的。

然而英国国内没能对德国威胁的严重性达成一致意见,并且他们也不确定如何对付来自德国的威胁。从 1934 年到 1937 年春天进行的漫长辩论也没能得出明确的结论,结果是军心涣散。接下来,在1937 年 5 月,内维尔·张伯伦接替斯坦利·鲍德温成为英国首相。意志坚定并充满活力的张伯伦决心要解决这些问题。[3]他的内阁辩论持续到 12 月 22 日,在一次历史性的内阁会议上决定英国不会为欧洲大陆的战争建设一支陆军。英国会集中精力保卫自己的国土,防守海岸线,并管理好帝国势力范围。大部分的国防经费将拨给空军和海军。陆军的命运与是否作出大陆承诺关系紧密,因此将严重缺乏经费支持。李德·哈特在 1938 年 6 月 17 日的《泰晤士报》上简要地总结了形势:"去年我们的军事政策发生明显的改变,并得到明确说明……很明显在去年冬天的军事政策评估中,派遣一支地面部队到欧洲大陆被置之脑后,而重复 1914—1918 年大规模行动的想法被完全排除。"[4]

放弃大陆承诺的决定与张伯伦政府对更全面外交议题的思考直接相关,这将在下一章讨论。这里可以说,尽管张伯伦和他的主要幕僚认识到德国将对世界和平构成潜在威胁,他们相信外交手段,具体来说就是外交让步,可以阻止希特勒发动一场全面战争。这在本质上就是绥靖政策,即通过外交手段而不是威胁使用军事力量处理德国问题。

拒绝作出大陆承诺意味着英国陆军继续维持小规模的、较弱的力量,英国当然就丧失了可以用来抗衡第三帝国的唯一军事杠杆。如果希特勒在东部表现出进攻意图,一支强大的英国陆军与法国陆军一起行动可以威胁进攻德国;如果希特勒首先在东部发起进攻,英国陆军还可以帮助防卫法国。尽管空军和海军对于保卫英国自身和英国在欧洲之外的利益至关重要,却不能在危机中向第三帝国施加巨大压力。[5]只有陆军能做到这一点。

在 1938 年 9 月慕尼黑危机期间,英国开始出现对 12 月 22 日的内阁决定和全面绥靖政策的严重怀疑。很多政策制定者开始认识到纳粹德国是一个更具侵略性的敌人,绥靖政策无法有效应对,如果欧洲大陆爆发大规模的陆地战争,英国需要与法国和它的盟友一起对抗德国。英国需要再次为欧洲大陆筹建大规模陆军。然而,慕尼黑危机没能直接改变 12 月 22 日内阁会议确定的政策优先次序。在 1939 年初,距离第二次世界大战爆发不到一年时,英国的官方政策继续拒绝作出大陆承诺。在希特勒占领了捷克斯洛伐克的其余领土之后,这一政策在 1939 年初开始瓦解,在 1939 年 3 月下旬被放弃。张伯伦随后采取有争议的政策,承诺英国将保卫波兰,接下来又承诺保卫罗马尼亚和希腊。正如当时一个将军所惊叹,这是"报复性的大陆承诺"。[6]英国很快开始筹建可以与法国一起战斗的大规模陆军。

随着战争不断临近,李德·哈特最严重的担忧正在成为现实。在 20 世纪 30 年代,他没有担任任何公职。他的主要职业是写作。他在 1935 年早期不再担任《每日电讯报》的军事通讯作者,在更有声望和影响力的《泰晤士报》接受了一个类似的职位,他在这里一直工作到 1939 年 11 月。他还撰写了大量的期刊文章并出版了三本重要的著作，分别是《英国何时走向战争？》(1935 年)、《武装的欧洲》(1937年)和《英国的国防》(1939 年)，每本书都流传甚广并获得好评。[7]事实上，如果书评是准确的指标，每本书都比之前一本受到更多的关注和赞美。他在两场战争之间的最后一本书《英国的国防》一书的评论给人的印象是，很多英国人将它的出版视为一个里程碑式的事件。他的书在 1939 年 7 月出版后不久，一个朋友在给李德·哈特的便笺中写道："祝贺你的著作获得欢迎！我从没见过这样的著作。它势必影响历史进程。"[8]

李德·哈特还频繁地与政策制定者会面，并与保守派重要人物通信。他的自传中没有提到他的文章，而是描述了他在那些年中广泛的个人交往。他决不是一个不被重要人物倾听的局外人。正如迈克尔·霍华德所注意到："他的观点从不缺乏有影响力并与之投合的听众"。[9]然而，他的个人关系中有一个在其他所有关系之上。当张伯伦在 1937 年 5 月就任首相，莱斯利·霍尔-贝利沙被任命为战争大臣。霍尔-贝利沙对军事事务知之甚少，在上任后不久就与李德·哈特会面，哈特给他留下了很深的印象。[10]哈特的回忆录中显示，他对霍尔-贝利沙的影响很大，并且没有什么理由质疑他的描述。战争部大臣有一次对李德·哈特说："一切都归功于您的建议，我在每一步都遵从您的建议。"[11]李德·哈特不仅影响了霍尔-贝利沙对大陆承诺和陆军作用的思考，还直接参与为军队选择高级官员等事务。这种紧密的合作关系持续了大约一年左右，包括从 1937 年 5 月到 12 月这段关键时期，在这期间，英国作出反对大陆承诺的决定。

在这些年里，李德·哈特和英国高级指挥官之间是一种什么样的关系？他在 1932 年后期就已经对英国的军事很不满意。他认为陆军领导层接受他关于装甲战先进观点的希望渺茫，这决定了下一场战争将和第一次世界大战没什么区别。他在 1932 年 4 月写道："武器的进步已经超过思想的进步，尤其是对于掌控武器的人来说。连续发生的每场现代战争显示出这种不断扩大的滞后性，思想适应现实的速度缓慢……任何短暂出现的优势最后都会在徒劳和愚蠢中丧失。"[12]

希特勒刚刚掌权之后,一些态势的发展毫无疑问证实了李德·哈特对英国将军最严重的怀疑。最重要的是,在希特勒就任德国总理之后,蒙哥马利-马西伯德将军成为英帝国总参谋长。李德·哈特非常讨厌这位新任总参谋长,将他称为"谎言大祭司",认为他"只擅长消灭创新性"。尽管李德·哈特对两场战争之间的参谋总长的评价都不高,但蒙哥马利-马西伯德是唯一让他烦感的。[13]李德·哈特认为高级军官倾听并遵从他的意见很重要,因此希特勒和蒙哥马利-马西伯德的同时掌权只能强化他让英国陆军远离欧洲大陆的想法。

在希特勒掌权之后的一到两年中,有关英国陆军的一些事态发展十分困扰李德·哈特。英国陆军在 1933 年 6 月宣布美国内战将是军官晋升考试军事史部分的主题。[14]课程指定的三本教材中的两本分别是富勒的《格兰特和李》和李德·哈特的《谢尔曼》。一个月以后,学习的主题被改变,明显是根据蒙哥马利-马西伯德的命令。根据李德·哈特的了解,"反对意见"源于总参谋长认为他和富勒"是具有颠覆性的作家,不应该鼓励他们的著作"。

在李德·哈特看来,1934 年情况也没有改善。在那一年他与埃德蒙兹准将就官方历史学家不愿意表述真实的历史进行了激烈的争论。埃德蒙兹愿意向李德·哈特提供关于将军们的确凿证据和评判,但却不愿意将这些信息公之于众。深受困扰的李德·哈特总结道:"军人身份不能与忠诚剥离开来,对任何其他事情而不是事实的忠诚使科学探究成为闹剧。所以错误还会继续,经验不能被吸取。"[15]毫无疑问,他还对 1934 年军事演习的差劲结果感到不安。由于这些演习是第一次检验装甲师的概念,结果只是证实了李德·哈特对英国军队领导人最严重的担忧。在 1934 年后期,李德·哈特改变原有观点,即坦克可以恢复进攻在战场上的优势地位,开始持相反的观点,认为即使在坦克主导的战场上,防御也占绝对优势。毫无疑问，这个转变是源于他认为再无希望使英国将军认识到他的装甲战理论的智慧。

蒙哥马利-马西伯德在 1936 年 4 月退休，取代他的是西里尔·德弗雷尔爵士。尽管李德·哈特对他的评价也不高，但认为他将使情况有所改善。事实上却是，李德·哈特在 1937 年 12 月鼓动霍尔-贝利沙免去德弗雷尔总参谋长的职务。在选择德弗雷尔继任者以及任命其他一些高级军官时，李德·哈特发挥了重要作用。[16]因此，他与新的总参谋长洛德·戈特以及他的一些主要助理关系友好。事实上，李德·哈特与一些新的军队领导人保持了长期的友谊。[17]

然而没过多久，李德·哈特与军队的关系就开始恶化。将军们抱怨李德·哈特与霍尔-贝利沙的紧密关系。他们认为战争大臣有官方的军事顾问，却依赖一个民间顾问寻求军事建议是不合适的。[18]他们将李德·哈特视为对他们权威的直接威胁。李德·哈特对军方的不信任感也变得根深蒂固，不可避免的结果是，最初的意见分歧螺旋上升，李德·哈特最终成为他帮助挑选的那些军队领导人的敌人。[19]这就是所发生的事实。[20]在希特勒掌权后的几年中，李德·哈特对军队的疑虑丝毫没有减少，他仍然在随后十年中公开地反对大陆承诺。

新军事理论的出现：问题

李德·哈特在面对第三帝国不断上升的威胁时仍然坚决反对大陆承诺，这带来一个关键问题：李德·哈特支持什么样的军事政策以应对德国的威胁？他是否依靠他在 1933 年之前发展的军事理论，即"间接路径"和闪电战？或者是他发展出了新的观点？他在 20 世纪 30 年代放弃早期的理论，并发展出全新的军事观点。从 1933 年到

1940 年,他几乎没有提到过间接路径;他也没有证明这一方法可以打败德国。布赖恩·邦德指出,李德·哈特事实上反对英国军队在第二次世界大战初期应用间接路径所采取的军事行动。例如,李德·哈特反对英国 1940 年春季对挪威发动的攻势,因为"英国军队试图在敌人区域的一些偏远地区进行侧翼控制时,应该避免在战略上被冻结"。[21]直到第二次世界大战结束,他才开始复兴间接路径理论,通过与闪电战相关联,给予它新的活力。[22]

尽管李德·哈特在希特勒掌权之后艰难岁月中没有提到"间接路径"理论,外界认为他会强调英国可以有效地利用海军对抗纳粹德国。毕竟,他的间接路径概念的最后变体是战时的英国方式,即关注海军(封锁)向对手施加巨大经济压力的能力。然而,他在为《泰晤士报》撰写的第一篇文章中争论说,海军力量对英国在一场战争中抵抗欧洲大陆国家没什么帮助:"重建我们原有的相对于其他舰队的强大海上力量,会带来庞大的支出;而且考虑到由此引发的军备竞赛,这笔费用一定还会增加。即使假设我们可以忍受财政紧张,我们也无法重获过去的海上力量,因为情况已经发生改变。"他认为英国作为海洋强国的地位受到"岸基飞机……高度轻型飞机的威胁",尤其是潜艇。他认为这三种武器使严密地封锁一个欧洲大陆国家变得几乎不可能,并且对德国施加巨大的经济压力变得非常困难。同时,潜艇使大陆国家可以给英国的海上交通线造成严重破坏,正如在第一次世界大战中所证明的那样。[23]

他的第一篇文章导致一位海军士兵写信给《泰晤士报》,他(在信中)挑战李德·哈特对海上力量的观点。[24]李德·哈特自己写了一封回信,在信中他再次表达了对海上力量效用的怀疑。他在信的最后一段强调,尽管他仍然相信海上力量对第一次世界大战中德国的战败起到了决定性作用,但在未来对德国的战争中不会有什么作用:"我自己关于海上力量重要性的观点,已在其他地方的论述中表述,即第一次世界大战的结果是由英国海军的压力而不是德国陆军的战败所决定的。但是必须认识到一些基本的事实(qualifying facts)以及不断变化的情况。"[25]李德·哈特在整个 20 世纪 30 年代都对海上力量的效用表示怀疑,[26]尽管他在慕尼黑危机期间确实暗示(海上)封锁可能成为有效的武器。

李德·哈特还放弃了他的闪电战理论,并接受了相反的观点:不管进攻者是否使用坦克,防御者几乎总能在战场上阻止进攻。到 20 世纪 30 年代后期,他极端地支持防御者将在另一场欧洲战争中占据优势的观点。

20 世纪 30 年代,李德·哈特军事思想的发展可以在历史视角中得到最好的理解。在 20 世纪 20 年代早期,他主要关心的是发现一种方式,重新恢复进攻的优势,并在战场上赢得快速和决定性的胜利,前提假定是英国的军队领导人总是采取他的办法。这是他研究步兵战术和后来研究装甲战略的最终目标。他在 20 世纪 20 年代中期对大战略兴趣的不断增长与另一个深深的担忧直接相关,即避免大陆承诺,这个担忧在 20 世纪 30 年代早期仍然强烈。因此从 1925 年左右到希特勒掌权,李德·哈特有两个目标:在战略层面,确保英国陆军在未来的欧洲战争中取得战场胜利;在大战略层面,确保英国不会派陆军在这样一场地面战争中作战。他的想法有两个基本问题,都与他最终放弃的闪电战理论有关。

首先,他的装甲战略和大战略思想之间存在深层的矛盾。他的闪电战理论的重点是赢得快速胜利,这很难阻止英国的决策者建立大规模的陆军并将他们派遣到欧洲大陆。他认为闪电战恢复了进攻在战场上的优势地位,可以避免持久血腥的冲突。另外,他没有讨论防御方如何挫败闪电战的问题,因此(他的理论)给人的印象是使用闪电战的陆军几乎是不可战胜的。这一观点会鼓励犹豫不决的英国决策者接受大陆承诺;毕竟,李德·哈特使他们可以期望下一场战争将速战速决。

对李德·哈特来说,这个问题变得更加复杂,因为他强烈地相信军队领导人会本能地被进攻战略所吸引,这是他在20世纪30年代所有写作中一个共同的主题。他在1937年9月的《泰晤士报》中写道:"进攻在军事传统中是如此根深蒂固,在恰当引导的进攻精神下,获取胜利是士兵信条的第一要义。"[27]这样就会出现一种危险,有进攻倾向的英国将军专注于坦克具有很大进攻性潜能这个一般性的说法,而没有真正理解闪电战的精髓。[28]这就是问题的根源:闪电战确实提供了在战场上快速赢得胜利的手段,但英国将军们忽略了李德·哈特的一些想法,几乎没能理解如何正确地使用坦克。这样英国就会卷入一场世界大战,而不知道如何避免陷入消耗战。相反他们的想法会受到错误幻觉的影响。

李德·哈特可能察觉到,公开地讨论装甲力量内在的进攻潜能支撑了这些幻觉,这是危险的。尽管没有直接证据表明情况是这样的,但他在1929年之后的写作中就很少提到闪电战这个事实有力地说明了他认识到这个问题。1933年之后,他的军事思想的重大变化进一步证明,他认识到阐述闪电战的优点会阻碍他规避大陆承诺的努力。

李德·哈特对闪电战的支持还有一个主要问题,即强调进攻将在战场上取得胜利会破坏威慑的力量。告诉德国人或任何潜在的侵略者,恰当地使用坦克可以使他们快速地侵占邻国,这毫无意义。只有让敌人相信防御有巨大优势,侵略会导致消耗战,威慑才能最有效。

李德·哈特在20世纪20年代很少关注威慑。发动而不是阻止战争是他的主要关切。[29]1931年春天,英国政府向他咨询在日内瓦即将召开的裁军会议上应该采取什么态度,他才第一次开始思考威慑。他沉浸于这个题目中,不久就得出了结论,即威慑问题的"根源"是"天生有利于进攻的武器"。[30]具体地说,在闪电战理论指导下的坦克使进攻更加容易,战争更易爆发。[31]这个结论使他明白,"他恢复军队进攻优势的努力"事实上会在未来的某次危机中增加发生战争的可能性，[32]他在回忆录中描述向英国政府提供关于裁军会议的建议时，明确地说明了这一点：

> 这是我试图采取一种完全客观的观点所面临的一次最严峻的考验……我很快意识到明显的解决方法不仅会损害坦克作为一种军事工具的发展，还威胁到恢复进攻性力量和战争艺术的整个概念体系——即使用高度机动化的机械力量发动闪电式打击，如此我在过去十年中发展并宣扬这一新的军事概念（闪电战）的努力就付之东流。如果我提出"裁军"的办法，并使其在接下来的会议上被采纳，就意味着勒死我自己的"宝贝"。(1∶186)

尽管有这些最初的担忧，李德·哈特仍然成为定性军备控制的强有力支持者，并且有力地主张在世界主要陆军中废除坦克。他的首要目标是"帮助防御者，而不是入侵者"，或者换句话说，"给进攻以及侵略制造明确的障碍"。他认为，要最好地实现这一目标，需要抑制坦克的发展："只要陆军保留他们的'开罐利器'，侵略的可能性就仍然存在……仍然有职业的军事顾问支持那些有战争思维的、军事上无知的政治家对获胜的希望。只有凸显进攻力量的无力，才能够消除潜在的对进攻的激励。"[33]

很明显，在 1933 年早期希特勒开始掌权的时候，任何通过军备控制"保证防御在陆地战的优势"的努力都不会成功。[34]然而，在这余下的十年时间里，李德·哈特投入全部精力寻找威慑未来侵略者的方法，而不是探讨英国如何与这个侵略者进行战争的问题。他一定是认定英国不能赢得战争，威慑是必要的。

简单地说，1932 年之后，李德·哈特专注于两大目标。他要确保英国不接受大陆承诺，不在和平时期建设可以在另一场世界大战中使用的大规模军队；他寻求设计一项可接受的政策，阻止德国发动另一场世界战争。这两个目标当然是紧密相连的，因为成功的威慑政策很大程度上使得英国卷入另一场欧洲大陆战争的议题变得没有意义。

然而，这两个目标之间存在严重的矛盾，因为威胁英国军队将对希特勒发动进攻是实现威慑的有效手段。大陆承诺是英国威慑希特勒唯一的现实方法，这个问题在第七章中做了一些讨论。这里可以说，英国决策者有很大的压力要接受大陆承诺。李德·哈特因此需要发展一系列的军事思想，保证在不作出大陆承诺的情况下实现威慑。

新军事理论的出现：解决办法

对这两个问题，李德·哈特采纳了基本一样的三管齐下的办法。避免卷入欧洲大陆战争的最好方法是首先证明在战场上，防御比进攻有更大优势；其次，作为结果，第二次世界大战将只是第一次世界大战的重演。要做的事情不是将坦克视为革命性武器，而是强调即使有坦克，进攻者也不大可能取胜。换句话说，下场战争将与第一次世界大战非常类似。考虑到未来战争的情景，英国决策者不会重复派遣一支陆军到欧洲大陆的"错误"。实质上，李德·哈特需要将他对战略的观点与他主张的大战略结合到一起。然而，要做到这一点，他需要放弃在"闪电战"上的观点，而采纳相反的态度，即防御总是比进攻有更大优势。

由于相信军队领导人会受到进攻战略的吸引，李德·哈特很自然会担心德国人的进攻倾向。然而他相信，这种进攻倾向在英国和法国官员中也存在，并且他尤其担忧法国人。他非常正确地认识到，法国人面对德国的威胁采取了防御战略，但是他强烈地相信"法国人的性情是进攻性的，而且在陆军中，这种性情被仍关注于进攻行为的教条和训练所加强"。因此他担心在危机中，法国军队会放弃防御态度，对德国发动进攻，在这个过程中会将英国拉入战争。[35]需要强调的是他关于进攻在现代战场上不会获得成功的预言是针对英国的，但尤其是针对法国和德国的。或许他对威慑的思考在他 1939 年春季的一段陈述中得到了最好的阐释："我们文明的唯一希望在于没有人能够赢得下一场战争，或者更好的情况是，每个人都能提前认识到试图赢得战争是徒劳的。"[36] 这个观点与他之前关于坦克的革命性潜能的看法是相互矛盾的，他对装甲战略的思考也要改变。

李德·哈特阻止英国作出大陆承诺的方法还有第三个方面。他还关注一个被普遍接受的观点，即法国自身不是德国的对手，德国有更多的人口和更强大的工业基础，这种不平衡为英国向欧洲大陆投入地面力量提供了一个强有力的理由。（如果）令人相信法国军队其实更加强大，而德国的军队没有那么可怕，就可以削弱支援法国的理由。然而，李德·哈特在整个 20 世纪 20 年代都（有先见地）认为法国军队是脆弱的，而德国军队是强大的战争机器。[37] 他需要改变这个评价。

变化不是突然发生的。李德·哈特不能（突然）接受防御的优势地位；毕竟在 20 世纪 30 年代早期，他明确支持坦克是进攻性武器的观点。幸运的是，不断变化的国际环境有利于他逐渐改变对攻守平衡的看法。具体来说，在希特勒刚刚掌权之时，德国威胁的真正性质很难分辨。第三帝国在 1934 年构成的威胁并不像 1939 年那样大。用大陆承诺对付这一威胁的紧迫性是逐渐上升的，这使得李德·哈特可以逐渐转变他对装甲战略的观点。

李德·哈特改变他关于闪电战观点的第一个证据可以在他 1934 年后期写的两篇关于未来战争形态的文章中找到。[38] 他的结论是，第二次世界大战将重复第一次世界大战的情况。他强调"防御的优势会胜过以往"。[39] 他很清楚他的观点正在发生转变："由于很多年我都是一个机械化的提倡者，并且经常宣称坦克可以恢复机动能力，如果我对最高当局接受这些观点在某种程度上提出异议，就会显得奇怪。"然而，他继续解释，他（产生）怀疑基础是认为军队领导人对机械化持敌对态度,他认为机械化与机动化不同。他们支持机动化,或者说是为军队提供轮式车辆;但对机械化持反对态度,机械化意味着使用履带式车辆,例如坦克:

> 就最近告一段落的军备发展而言,军队实现了机动化但仍不能防弹。他们有更强的机动性,直到遭遇抵抗。在交火时要保持机动性,就需要带有装甲的机动性(也就是,坦克)。
>
> 与当前流行的军事信条相反,我认为军队的机动化更有可能加强防御力量,而不是恢复进攻力量。[40]

李德·哈特在这时仍然坚持认为,机械化提供了避免再一次发生世界大战的手段,但是他怀疑英国军队的领导人是否会同意他的观点。

李德·哈特在 1935 年早期转到《泰晤士报》工作;那年 11 月,他在《泰晤士报》发表了一个三期连载,名字是"今日陆军"。[41]他再一次称赞防御的力量,但却没有提及机动化和机械化的区别。事实上他明确地暗示,与他在 1934 年写的两篇文章的内容相反,即使有了机械化,防御的力量也可以得到很大提升:

> 我个人的观点是进攻力量的潜在发展远不及防御力量实际的进步,这点在很大程度上没有被认识到,迄今为止,机械化的进步,对抵抗能力的强化远胜于对进攻能力的加强。除炮火之外,阻碍和破坏的手段现在也可以快速移动到任何受到威胁的地点,挫败敌对力量。[42]

尽管他认为在一个机械化的世界里,进攻处于明显的劣势,但他确实写道,与第一次世界大战中所使用的"完全不同的方法",可能是闪电战,可能会恢复进攻的主导地位。[43]然而,这个观点最后也在他的作品中消失了。

一年以后(1936 年的 10—11 月),李德·哈特又在《泰晤士报》发表了一个两期连载文章,在文章中他再次提出攻守平衡的问题。[44]他的结论与"今日陆军"连载中的观点相似,但删掉了一个观点,即坦克如果被恰当地使用，可以带来快速和决定性的胜利。相反，他讨论了坦克在现代战场上会遇到的困难，第一次强调"反坦克武器的发展是对坦克不断增长的威胁"。[45]

一个月以后，《大西洋月刊》发表了李德·哈特一篇关于未来战争的文章，在这篇文章中他再次直接挑战了他早期的观点，即"机械化为总参谋部的机动战提供了一个新的基础"。[46]相反，他强调机械化为防御者提供了必要的手段，可以将力量快速部署到前线受威胁的地点。他认为"尽管机械化带给进攻明显的优势，但防御力量却得到更大程度的强化"。他再次强调坦克会受到"大规模发展的穿甲武器"的威胁。他的结论是"有理由怀疑这种机械化先锋（"闪电战"中的关键要素）是否会产生决定性的优势"。[47]

到 1937 年，李德·哈特已经在很大程度上接受防御优于进攻，以及第二次世界大战将重演第一次世界大战的观点。这将是关键的一年：内维尔·张伯伦在 5 月就任首相，他决定就大陆承诺作出明确的决定，他的政府在 12 月决定不作出大陆承诺。李德·哈特的《武装的欧洲》在 3 月出版，这本书基本上是由他过去 3 年所写的报刊文章编辑而成。关于战略的章节大部分是之前引用过的文章，这些文章详细阐述了他关于防御优势地位的观点变化。几乎所有的评论者都开始关注防御在现代战场上的优势地位。[48]

《武装的欧洲》的另一个主题是避免作出大陆承诺，[49]这也被评论者关注，并在哈特的早期文章中得到详述。这本书出版后不久，张伯伦就成为首相。他读完这本书后，就写信给李德·哈特："我认为您在《泰晤士报》上关于陆军作用的文章非常有用并具有启发性。我确定我们永远不会再派遣第一次世界大战中那样规模的陆军到欧洲大陆。"[50]

几个月之后，在 10 月，出现很多关于外交政策承诺的公开讨论，政府中也展开全面的辩论，李德·哈特为《泰晤士报》写了三篇关于防御与进攻的重要文章。[51]在第一篇文章中简短提到"战略进攻仍有可能"之后,他争辩道:"防御力量有很大的不断增长的优势。"他在第二篇和第三篇文章中描绘了现代战争的鲜明图景,防御者可以掌控整个局势:

> 战争意味着战斗到底的假定,是基于一个虚幻的基础。坚持这个观点是由于没有认识到,通过武力对抗一个同等的对手,不大可能获得任何决定性的胜利,甚至在对付一个次等对手要获得决定性胜利也是极其困难的。在当今时代,防御力量是如此强大,小小的增援就足够制造(战场)僵持。[52]

李德·哈特认为,有证据表明,英国军队在关键的 1937 年正在接受进攻主义信条。例如,英国军队的领导人在引起李德·哈特注意的一次重要演讲中提道:"进攻将总是胜过防御。"[53]另外,英国军队 1937 年的演习也是以进攻为导向的。[54]"防御还是进攻?"系列文章在某种程度上明显是针对迷恋进攻战略的将军们。

在《泰晤士报》这些重要的文章中,李德·哈特将他对防御优势地位的观点与他对大陆承诺的观点和他的威慑理论关联起来。他坚持认为采取攻势获益很少,因为防御者在现代战场上的优势如此明显。如果德国的领导人认识到这一点,他们就不会挑战现状,这样英国就可以回归它的"传统政策和战略"。因此必须"将我们的军事目标限制在可能的范围内,使我们的对手(德国)相信他不能打败我们"。换句话说,有必要促进"对战争(前景)不明确趋势的认识"。这一信息不只是针对德国,还针对那些法国将军,他们认为盟军可以对德国发动一场成功的攻势:"我们的责任是阻止任何盟国因发动进攻而危及他们(保持)防御的前景。"简言之,李德·哈特相信,只要所有国家"认识到防御在现代战争中的力量,以及进行一场防御战争的可能性……世界就比任何理想主义(设想的)更有可能实现集体安全"。[55]如果所有国家都意识到防御的巨大力量,威慑就能行得通,也就没必要作出大陆承诺。[56]这样李德·哈特在战略上的观点现在就与他在大战略上的观点一致了。

在战争爆发前的最后两年,李德·哈特继续钻研防御者获胜的可能性。例如,他在慕尼黑危机期间发表了一篇很重要的文章,在其中他强调"当今时代一个基本的军事形势是不断上升的防御力量超过进攻力量",他认为这个形势,"已经非常明显"。他的论据值得详细地引用,因为它明确地表明在战争爆发前的最后一年,他对坦克的信心丧失殆尽:

> 1914—1918 年之间,机关枪在阻止进攻方面发挥了首要作用。现在机关枪在所有军队的武器中所占比例更大,无论是轻型还是重型,却没有反制武器得到相应的发展。坦克确实得到改进并且数量增加,但是反坦克武器取得更快的进步,造价更低廉,增长速度更快。机械化和机动化加速了这一发展,但更有助于防御,可以将机关枪和反坦克武器快速移动到任何受威胁的地点。[57]

在接下来的夏天(1939 年 7 月),他给一个比利时记者朋友写信,"现代战争的主要现实是防御处于优势……在主要的前线,有可能很快就出现僵局"。[58]事实上,李德·哈特相信下一场战争很有可能再现堑壕战。他在 1938 年后期出版了一部关于第一次世界大战的著作,叫作《穿过战争迷雾》,一位评论者认为:"对于如何不再发动堑壕战,他给出了几条有价值的经验。但是所有人都知道,我们可能永远都不再需要这么做。"李德·哈特回应:"尽管什么都不确定,但从现在西班牙的战争经验可以看出,不久的将来在任何一场更大规模的欧洲战争中,堑壕战都可能再现。由于(未来战争)的空间-力量比例将超过西班牙发生的战争,进行作战的空间更小,这是产生堑壕战的条件。"[59]这个论点支持了李德·哈特的假设,即第二次世界大战将类似于第一次世界大战。欧洲看起来正处在另一场战争的边缘,这本关于第一次世界大战的著作讲述了很多当时被人熟知的关于英国军事的惊悚故事,给人的总体印象是从第一次世界大战结束至今的 20 年中,(情况)几乎没有什么变化,很多评论者都讨论了这个暗示。[60]

1938年2月,有关《泰晤士报》对西班牙内战报道的一个事件显示出,李德·哈特是如此致力于证明防御的优势地位。他对《泰晤士报》关于弗朗哥将军发起进攻的报道非常不满,他认为"这关系到《泰晤士报》对现代条件下英国军事政策的总体观点"。他在给报纸编辑的一封信中陈述了他的不满:"我们一直从民族主义的角度报道最近在特鲁埃尔地区的进攻,我们的标题强化了外界对他们(弗朗哥军队)宣称将要获胜的印象。由此,我们正在鼓励我们自己的公众和军事评论固守陈旧的错觉,即进攻本身是一个好政策。"[61]第二年,他仍然抱怨《泰晤士报》中的各种报道,认为"(它们)支持了'进攻是最好的防御'这个过时的观点,忽视了我在很多文章中指出了,在现代战争条件下这个观点的根本性错误。"他随后争辩说这种报道的"后果"将是"再次犯下类似于帕斯尚尔战役的愚蠢错误"。[62]

很正常地,当李德·哈特写到像西班牙内战和阿比西尼亚战争这样的冲突时,他用了很大篇幅支持自己的观点。看一下他关于西班牙内战广为流传的分析,他评论道:

> 在陆地上,(西班牙)战争的经验已经有力证明了第一次世界大战所证明的事,即防御在当前处于优势地位。这个(结论)尤其有意义,因为与密集的西部前线相比,分布在广阔区域的相对小规模力量可以为进攻提供更大的空间和机会。作战行动取得了一些成功。但总体上,任何一方发动进攻的成效都与他们的伤亡人数不成比例。另外,即使局部的士气崩溃暂时帮助进攻者清除了前进障碍,(西班牙)的经验表明客观条件限制了他们进攻的能力,这再次证实了第一次世界大战的经验。[63]

鉴于李德·哈特的目标是使欧洲的领导人相信进攻没有收益,那么从阿比西尼亚、西班牙及后来波兰的冲突中吸取的经验就值得关注。毕竟在这些冲突中,入侵者都获得了胜利,这只能破坏威慑的有效性。尽管如此,直到德国进攻法国,李德·哈特都坚定地认为这些冲突支持了他关于防御优势地位的观点。[64]

　　战争爆发之前，李德·哈特对防御与进攻主题的最后一次重要阐述出现在 1937 年 3 月出版的《英国的国防》一书中。这本书像《武装的欧洲》一样，主要是他前些年文章的编纂。因此这本书传达的信息是熟悉的，评论者很容易理解。一位评论者很到位地描述了他对防御优势地位的思考，写道"他膜拜防御到底（的观点）"。在战争爆发前的两周，《潘趣周报》上的一篇评论反映出大多数评论者从他的书中获得的信息："他赞同其他有才华的作家（英国和德国的）的观点，相信防御（的优势）正在超过进攻，所以现代条件下的前沿战争很快会近乎于静止状态，大量的战争机器在最小程度的人为控制下徒劳地相互对抗。"[65]约翰·巴肯曾向李德·哈特指出，"也许你关于防御的观点有点过于绝对"，但是他继续说，这是"对的，因为夸张一点是必要的，可以帮助公众摆脱相反的、最危险的理论。"[66]

　　李德·哈特对攻防平衡思考的最后进展值得一提。它与军队数量如何影响军事胜利的前景这个复杂的问题有关。他曾在 20 世纪20 年代认为，随着小型但有巨大威力的装甲力量的出现，机动性、而不是任何数量优势将成为在战争中获胜的关键（第二章）。事实上，他认为一支小规模的装甲力量几乎一定能打败更大规模的军队。他相信，有了坦克，与人数占优势的军队战斗并取胜是可能的。在 20世纪 30 年代，他试图用第一次世界大战中两支大规模军队对抗的模式，描述一场未来战争，他认为数量将在很大程度上决定结果。更确切地说，他认为要取得胜利，进攻者的总体力量优势应该达到 3∶1，而德国和盟军都无法达到这一优势。[67]结果就是任何一方都不能获胜。

　　毫无疑问，在其他条件不变的情况下，如果进攻者有 3∶1，而不是 2∶1 或者 1.5∶1 的总体优势，进攻者就更有可能获胜。在消耗战中尤其如此，任何一方都不大可能找到一种战略获得快速的、决定性的胜利。[68]然而，进攻者总是有可能找到一种战略，使他在与防御者相比没有总体数量优势，或者只有很小优势的情况下获胜。1940年德军与盟军相比没有力量上的优势，但他们却获得令人震惊的军事胜利。[69]

德军取胜的关键是他们在主要攻击点获得压倒性的优势，他们能够在阿登高地对面地区的关键突破性战役中击溃法国军队。这一胜利接下来导致决定盟军命运的深层战略突破。这里的重点是，在具体的突破性战役中，3∶1是一个有用的经验法则，赢得这些战役可以在战争中获得决定性胜利。[70]一般来说，进攻者需要3∶1或更大的局部优势赢得一场突破性战役。关于进攻者需要3∶1的整体优势才能获胜的观点，即使不是完全错误，也是有误导性的。

1940年的深冬，李德·哈特在这个问题上两次遭到挑战。埃德蒙兹将军在《旁观者》中对他的说法提出质疑，一位军队少校在《标准晚报》上挑战了他的观点。[71]李德·哈特当时的关切是确保虚假战争不会成为现实，他质疑埃德蒙兹的说法，即尽管3∶1的局部优势对于获得某场战役的胜利是必须的，但赢得整个战争的胜利并不需要"3∶1的整体优势"。[72]李德·哈特的态度支持了他的说法，即任何一方都不能期待在西线获胜，因为盟军或德军都无法在整体上达到3∶1或者更大的优势。[73]而且，他不再相信以赢得突破性战役为重点的闪电战，相反认为下一场战争将和第一次世界大战一样，将不会有什么突破性战役，因为他没有关注在狭窄的前线实现突破的必要条件。这是一个很严重的错误。[74]

尽管李德·哈特关于力量对比的说法有缺陷，他简短地阐述了关于数量与战争关系的另一个观点，这个观点被证明对于理解战场结果非常有用。他指出，要评估一个进攻者获胜的前景，需要考虑防御者的力量与空间比例。[75]具体地说，要覆盖固定长度的前线，防御者需要最优的力量配置。只要防御者的力量配置达到这个水平，并且有充足的作战储备，进攻者要突破防御者的前沿阵地就会变得极其困难，不管相对的力量平衡如何。据我所知，李德·哈特是第一个提出这一问题的军事分析者，并尽可能细致地讨论这个问题。

　　李德·哈特关于力量与空间比例的写作是为了加强一种印象，即双方都不能在西线取得胜利，另外，法国自己就有足够的力量覆盖它与德国交战的前线，因此英国没必要派遣大规模军队到欧洲大陆。例如，在 1938 年一篇很重要的文章中，他讨论派遣英国军队帮助法国的问题，他写道：

> 如果考虑到现代防御的力量，相对于法国陆军规模的法-德前线的有限长度，以及防御工事的坚固程度，很难想象对它的任何进攻有很大机会获胜……质疑德国对法国前线发起进攻的可行性的理由至少同样适用于法国从相反的方向进攻。[76]

英国当然派遣了地面部队到欧洲大陆，但是由于德国盟军在阿登高地对面地区的防御薄弱，德军没费什么力气就取得突破。

　　他曾认为，法国的安全会受到威胁，"除非法国完全改造它的军队及其条件改造它的军队和条件"。而他对德国军队的评价很高，突出德国（战争）学说对突袭、机动性和策略的高度重视。他写道："在策略方面，德国的（战争）学说与法国形成极其鲜明的对比"。德军还认真关注如何最有效地实现突破。[77] 李德·哈特甚至还提出根本性的问题："如果法国的敌人没有僵化地应对（法国），而是用毒气封锁大面积区域，集中训练有素的力量快速突破并破坏法国复杂的战争机器，法国的高压战将如何推进？"[78] 他没有直接回答这个问题，但他的观点很明显。

　　李德·哈特在 1936 年 12 月《旁观者》杂志的两篇文章中首先提出关于这两支军队的完全不同的观点。[79] 对于当时正在希特勒统治下不断扩张的德国军队，他认为："随着规模不断扩大，德国陆军似乎已经忽略了敏锐性和突然袭击的重要性，而这是塞克特在战后一直坚持（的信条）。""有理由质疑德国陆军是否发展了装备或战术，以解决强大的现代化防御力量带来的问题。"[80] 在战争爆发前的最后几年中，他经常重复这一评判，将德国的威胁描绘得不那么可怕。[81] 他在 1939 年中期认识到"德国军事理论的亮点是闪电战",然而他并不认为这个事实很重要,相反地认为"士兵对闪电战的期待越来越难以实现。"[82]

相比他对德国军队的负面观点,李德·哈特重拾对法国军队的敬意。他在《旁观者》杂志中写道:"在过去一到两年中,(法国军队)发展迅速,变得更加灵活和机动。"法国陆军正在发展"一种新的战争形式",抛弃了 20 世纪 20 年代过时的想法。[83]他相信尽管法国军队的战斗力不是很强,但足够保卫法国抵御德国的进攻:

> 与对法国陆军的传统看法不同,在性质上,它现在是徒步而不是快速的机动部队,基础牢固但不精于表现;但它的训练全面,新近扩张的德国军队还无法比拟——它的发展是确定的。[84]

> 在能力方面,法国军队在现阶段不输给任何它可能遭遇的对手。得益于在现代战争中防御具有的内在优势,(法军)数量足够保证它可以抵抗任何敌人的进攻。[85]

李德·哈特在 20 世纪 30 年代后期坚持认为法国独自就能够抵抗德国的进攻。英国的援助"对于维护法国边界的完整不是必须的"。所以描述法国和德国军队(的特点)可以使英国不必承诺派遣地面力量帮助法国对抗德国。[86]

李德·哈特:虚假战争和法国的沦陷

1939 年 9 月 1 日,德国进攻波兰,第二次世界大战爆发。德国国防军很快打败了波兰人,到 10 月初,希特勒开始制定计划在西部发起攻势。而此时同盟国仍处于守势。它们没有意图进攻德国,却计划等待德国先发起进攻。直到 1940 年 5 月 10 日,德国才发起进攻,引发了关于"虚假战争",或者说"静止战争"的讨论。李德·哈特希望这种状态会得到解决,或者最坏情况是导致一些有限的小规模冲突,而不是一场大战。他在 9 月中旬的日记中写道："文章都在为我们的陆军寻求新的战歌（鼓吹战争）。最恰当将是苏醒——'所有人都穿戴整齐，却无处可去。'这场战争将是无聊的，而不是血腥的。"[87]正如虚假战争期间，阿尔弗雷德·瓦茨在《新共和》的一篇文章中所指出，他的文章无疑是为了阻止各方发动进攻。他评论说，任何人想理解虚假战争背后的僵局，都应该阅读《英国的国防》。[88]

李德·哈特非常自信不会发生"真正的战争"。他研究了 1939 年圣诞节之前希特勒的政策选择，得出结论说"德国人不可能在西线发起进攻，因为可能产生的损失和困难与获胜前景不成比例"。1940 年 2 月，他又在他的日记中夸口说："对平庸的人来说，最不可接受的事情是在他们未能开启的事业上有所作为，这里是指军队改革；或者说关于当前西线攻势的停滞，他们的错误判断却被证明是正确的。"[89]

在战争爆发之后，李德·哈特继续撰写报纸文章，尽管他从 1939 年 9 月开始不再为《泰晤士报》写作。他关于西线军事形势的最重要文章出现在 1940 年 2 月的《周日快报》上。[90]他的基本论点众所周知："无法想象任何一方找到可能在整场战争中获胜的办法。"他强调"得益于不断增强的现代防御力量——西部前线不会受到侵犯。"他对威廉·艾恩赛德将军（英军总参谋长）和莫里斯·甘末林将军（西线盟军指挥官）的评论值得引述，尤其是因为李德·哈特是战后众多嘲讽甘末林的人之一，原因是他的想法保守，并且没有认识到坦克对战争的影响。

> 幸运的是，有实际指挥经验的军人都会形成一个粗糙的共识，即摆脱长期存在的军事惯例的束缚。在英格兰，艾德蒙·艾恩赛德爵士长久以来都是不遵守这些惯例的榜样。在法国，甘末林将军有一个自然的思维逻辑，倾向以类似的方式行事……鲁莽行事的冲动更多来自缺乏耐心的文官或退役的将军，他们完全脱离现实。[91]

他在文章中直接讨论了德国获胜的可能："就目前来看，只有引进一些完全新型的武器,或者盟国的指挥极其差劲,德国才有真正获胜的机会。"请注意,李德·哈特在整个20世纪20年代和30年代早期如此支持闪电战,却没有提到德国使用这一战术的可能性。

李德·哈特阻止德国发动进攻并拖延虚假战争的努力当然是失败的。1940年5月10日,德国人在西线发起进攻。在德国进攻期间,他对防御优势地位的断言——认为第二次世界大战将非常类似于第一次世界大战的观点——以及他对法国和德国作战能力的预测被证明是完全错误的。

事实上,李德·哈特在德国最开始发起进攻时写了一系列文章,这些文章很清楚地表明他完全不知道德国发起攻击后会发生什么事情。[92]这些文章还表明他是如此坚持他在希特勒掌权之后发展的军事思想。第一篇文章写于1940年5月11日,即进攻开始的第二天。他对盟国的前景很乐观:"关于比利时的情况,可以说它的(英国的)防御和力量比1914年强大很多。德国陆军的强大推进力在很大程度上取决于它的机械化力量,但与波兰相比,这些力量在低地国家不适用。"[93]他在5月13日和15日又写了两篇文章。[94]然而,他最能说明问题的文章写于5月19日,此时英国政府已经警告民众注意德国越过默兹河,盟国面临着遭受决定性失败的严重危险。[95]李德·哈特对这一发展的回应值得详尽地引述:

> 但是,与潜在的可能性不同,德国人在法国取得的实际进展不是很大,因此星期五晚上关于其影响的半官方表述所用的语调和措辞并不合适。就当前的形势来说,"严重"看起来是比"重大"更加准确的措辞。
>
> 另外,即使有钢铁般的推动力,尖端在第二次推进时也会失去原有的锋利。第二次推进获得与第一次同样的成功,这与目前为止所有的经验相违背。
>
> 在两军势均力敌的现代战争中,回报不断减少的法则一直稳定地存在……

> 德国（此次）的突破……与德军 1918 年在盟国前线制造的
> 三大突破所带来的严重战略后果不能相比，更不能与 1914 年马
> 恩河战役前夕的极度不利情形相提并论。[96]

第二天，5 月 20 日，他写了一篇文章表明他最终理解了正在发生的事：

> 现在德军发起进攻的方法与 1914 年有根本的不同……德
> 军已经认识到机械力量与人力相比的决定性价值，并加以利
> 用……他们已经完全信赖高度机械化力量的穿透力。[97]

李德·哈特现在认识到德国人正在根据装甲战略的理论部署他们的力量，而他在 20 世纪 20 年代是如此热心地支持装甲战略，却在 30 年代将之抛弃。

一些人可能会说，批评李德·哈特没有理解战场上正在发生的事是不公平的，因为他对官方战场情报的变动并不知情，并且，他是被迫在决策圈外对不断变化的形势作出草率的判断。我不是试图使李德·哈特看起来很愚蠢，而是想表明，不管他想让人们相信什么，他没有预见到当德军在西线发起攻击会发生什么事。另外，如果有谁应该怀疑到正在发生什么事，并且在早期就认识到形势的严重性，这个人应该是李德·哈特。在这件事上用更高的标准要求这位自称闪电战之父的人，难道不公平么？

总而言之，李德·哈特被广为接受的说法，即他不仅预见到西线的失败，还有德军进攻的方法，都与现有的证据不符。相反，他在 20 世纪 30 年代后期和 20 世纪 40 年代早期的大量作品使他看起来像为最后的战争作准备的芸芸众生。他的名声毁于 1940 年 5 月所发生的事情。

注　释

1. 关于 20 世纪 30 年代英国的大战略，参见 Norman H.Gibbs, *Grand Strategy*, vol.1（London：Her Majesty's Stationery Office, 1976）；Michael

Howard, *The Continental Commitment: The Dilemma of British Defence Policy in the Era of the Two World Wars* (Harmondsworth: Penguin, 1974), chap.4—6; Paul M.Kennedy, *The Realities behind Diplomacy: Background Influences on British External Policy, 1865—1980* (London: Fontana, 1981), pt.3。

2. Brian Bond, *British Military Policy between the Two World Wars* (New York: Oxford University Press, 1980), 195.

3. 关于张伯伦,参见 David Dilks, *Neville Chamberlain*, vol.1: *Pioneering and Reform, 1869—1929* (London: Cambridge University Press, 1984); Keith Feiling, *The Life of Neville Chamberlain* (London: Macmillan, 1946); Larry W. Fuchser, *Neville Chamberlain and Appeasement: A Study in the Politics of History* (New York: Norton, 1982); Iain Macleod, *Neville Chamberlain* (London: Muller, 1961)。

4. "The Field Force Question," 17.关于内阁的决定,参见 Gibbs, *Grand Strategy*, 282—289, 467—472。尽管这个决定非常重要,英国从 20 世纪 30 年代早期就开始朝(这个方向)发展,很难突然改变过去的政策。

5. 大笔资金被投入空军以应对德国的威胁,但只是为了遏止德国对英国进行空袭。关于德国的空军政策,参见 Malcolm Smith, *British Air Strategy between the Wars* (Oxford: Clarendon, 1984); also Gibbs, Grand Strategy, chaps.14—15; George H.Quester, *Deterrence before Hiroshima: The Airpower Background of Modern Strategy* (New York: Wiley, 1966); H.Montgomery Hyde, *British Air Policy between the Wars 1918—1939* (London: Heinemann, 1976)。

6. Brian Bond, ed., *Chief of Staff: The Diaries of Lieutenant-General Sir Henry Pownall* (London: Cooper, 1972), 1:197.

7. *When Britain Goes to War* (London: Faber, 1935); *Europe in Arms* (London: Faber, 1937); *The Defence of Britain* (London: Faber, 1939)实际上是之前发表的文章合集。*When Britain Goes to War* 是 *The British Way in Warfare* (London: Faber, 1932)的修订和扩展版。关于 *When Britain Goes to War* 的评论,参见 9/10/18; Europe in Arms 的评论,参见 9/15/8,关于 *Defence of Britain*,参见 9/17/9。

8. Bernard Newman to LH, 19 July 1939, 9/17/9.

9. Michael Howard, "Englishmen at Arms," rev. of *Memoirs*, vol.1, Sunday Times, 30 May 1965, 24;也参见 Brian Bond, *Liddell Hart: A Study of His Military Thought* (London: Cassell, 1977), chap.4, esp.105—115。

10. 参见 Brian Bond, "Leslie Hore-Belisha at the War Office," in Ian Beckett, and John Gooch, eds., *Politicians and Defence：Studies in the Formulation of British Defence Policy, 1845—1970*（Manchester：Manchester University Press, 1981）, 110—131。

11. 引自 Jay Luvaas, *The Education of an Army：British Military Thought, 1815—1940*（Chicago：University of Chicago Press, 1964）, 408。参见 *Memoirs* 2：chaps.1—3；也参见 Defence of Britain，在这本书中，李德·哈特详细介绍了他与霍尔-贝利沙的密切关系；参见 chap.7。

12. "War and Peace," *English Review* 54（Apr. 1932）：440.也参见 LH, "Seven Years：The Regime of Field-Marshal Lord Milne," ibid. 56（Apr. 1933）：376—386；LH, "The Grave Deficiencies of the Army," ibid. 56 （Feb. 1933）：147—151。

13. "1930 Diary. Engagements and Notes," 13 Sept. entry, 11/1930/1b. 关于李德·哈特反感蒙哥马利-马西伯德的其他例子，参见"Some Odd Notes for History（1933）," memorandum for the record, 11/1933/35；"Note on the C. I. G. S., Sir A. A. Montgomery-Massingberd," 1934, 11/1934/64；"Self-Revelation, Lieut.-General-Sir A.A.Montgomery-Massingberd on the Subject of Colonel Fuller and His Writings," memorandum for the record, n.d., 11/1934/70；LH to Maurice Hankey, 2 Dec. 1932, 1/352；另参见他们的通信（1/520），以及李德·哈特在《回忆录》中对蒙哥马利-马西伯德的评论。

14. 这个插曲的描述来源于"Some Odd Notes for History（1933）" and *Memoirs* 1：172。

15. LH to Brig. Gen. J.E.Edmonds, 13 Nov. 1934, 1/259。

16. *Memoirs* 2：chap.2。

17. 例如，参见他与罗纳德·亚当（Ronald Adam, 1/4）、洛德·戈特 （Lord Gort, 1/322）以及威廉·艾恩赛德（William E.Ironside, 1/401）将军的通信。

18. 例如，参见 Maj. Gen. Sir John Kennedy, *The Business of War*（London：Hutchinson, 1957）, 14。上面这些将军在 1937 年 12 月被提升到新的职位之前，没有咨询过李德·哈特并为他们自己的目标而利用他。

19. 尽管李德·哈特欢迎军队新的领导层，但他仍有所保留；参见 LH to Edmonds, 4 Dec. 1937, 1/259；Luvaas, *Education of an Army*, 410。

20. *Memoirs*, vol.2, esp. chap.3.另见李德·哈特与杰弗里·道森关于哈特写给《泰晤士报》一篇名为"New Forms and Old Habits"文章的通信，道

森不想发表这篇文章；相关文章和通信的副本，参见 3/108。

21. 引自 B.Bond, *Liddell Hart*, 130；参见 130—131。

22. 参见 chap.2, n.64。

23. "The Defence of Britain: Arms and Policy," *Times*, 14 Mar. 1935, 16. 参 见 *Defence of Britain*, 135—146; LH, "Reflections on Naval Strategy," memorandum for the record, 1 June 1939, 11/1939/57b。事实上李德·哈特是在 *Paris or The Future of War*(New York: Dutton, 1925)中第一次提出这些观点。

24. Sailor, "Capital Ships and Defence," letter, *Times*, 19 Mar. 1935, 12.

25. "Sea-power and New Conditions," letter, Times, 20 Mar. 1935, 10; emphasis added.参见 Sailor, letter, ibid., 23 Mar. 1935, 8。

26. 例如，参见 *Defence of Britain*, 135—164; "Reflections on Naval Strategy."

27. "The Attack in Warfare: Changing Tactics," *Times*, 10 Sept. 1937, 13;也参见 Defence of Britain, 101, 374。大量的证据显示军队倾向于(采取)进攻战略。在第一次世界大战之前这当然是真的;关于这个主题的两本重要著作是 Barry R.Posen, *The Sources of Military Doctrine: France, Britain, and Germany between the World Wars*(Ithaca, N.Y.: Cornell University Press, 1984); Jack L.Snyder, *The Ideology of the Offensive: Military Decision Making and the Disasters of 1914*(Ithaca, N.Y.: Cornell University Press, 1984)。

28. 李德·哈特的担忧无疑进一步提升，因为他认为"军事思维"中充斥着"不可抑制的乐观主义"；参见"Would Another War End Civilization?" *Harpers Magazine*, February 1935, 321。

29. Memoirs 1:183.

30. Ibid., 186;也参见 n.42 below。关于李德·哈特就日内瓦会议提供咨询的冗长讨论，参见 *Memoirs* 1: chap.8。

31. 他还将重炮视为进攻性武器;参见 his "Aggression and the Problem of Weapons," *English Review* 55(July 1932):74—78。

32. 同上，李德·哈特写这篇文章回应富勒之前发表在同一期刊上的文章，"What Is an Aggressive Weapon?" 54(June 1932):601—605。

33. "Aggression and the Problem of Weapons," 73, 75, 76.

34. Ibid.关于 20 世纪 30 年代裁军回忆，参见 Marion W. Boggs, *Attempts to Define and Limit "Aggressive" Armament in Diplomacy and*

Strategy(Columbia:University of Missouri,1941)。

35. *Memoirs* 2:244.关于李德·哈特对法国军队和进攻的思考,参见 *Defence of Britain*,chap.11;也参见 *Europe in Arms*,chap.4。关于法国的 (军事)学说,参见 Posen,*Sources of Military Doctrine*,82—94,105—140。关于李德·哈特对法国将采取进攻(战略)的担忧,参见"Field Force Question,"18;"The Defence of the Empire,"*Fortnightly* 143(Jan. 1938):28—29;"Talk with Anthony Eden,"memorandum for the record,12 Sept. 1938,15/5/36,memorandum for the record,11/1936/64;LH to F. H. France,19 Nov. 1936,3/111;*Defence of Britain*,209。除强调防御优势,奉劝法国不要采取进攻性战略,李德·哈特认为在欧洲大陆没有英国的地面力量(帮助),法国几乎不可能对德国发动进攻;参见关于法国的信件。

36. "Reflection,"memorandum for the record,19 Apr. 1939,11/1939/43b;也参见 *Defence of Britain*,26。

37. 从 20 世纪 20 年代开始,他关于这两支军队的主要作品,参见 The Remaking of Modern Armies(London:Murray,1927),esp. chaps.13,15,18,这些章节最初是 1926 年为《每日电讯报》所作。

38. "Speed! —and More Speed! —in War," *New York Times Magazine*,2 Dec. 1934,3—18(rptd. in *When Britain Goes to War*,chap.3);"Would Another War End Civilization?" 312—322(written Nov. 1934—see 10/1934/138).最后几篇包含他早期关于闪电战思想但没有提到防御者能力的影响的文章有,"Mind and Machine:Part I.Tactical Training in 1932," *Army Quarterly* 25(Jan. 1933):237—250;"New Armies for Old," *Current History* 37(Mar. 1933):641—648;"Mind and Machine:Part II. Tank Brigade Training,1932," *Army Quarterly* 26(Apr. 1933):51—58。

39. "Would Another War End Civilization?" 319.

40. "Speed in War," 18.

41. "The Army To-day:Conditions of Efficiency," *Times*,25 Nov. 1935,13—14;"New Technique Needed," ibid.,26 Nov. 1935,15—16; "Getting There First," ibid.,27 Nov. 1935,15—16.

42. "New Technique Needed," 15.我同意李德·哈特论点的重点。宣称坦克是进攻性武器本质上是错误的;有技巧的防御者可以恰当地利用坦克挫败闪电战。然而,关于李德·哈特防御优势观点的发展过程,有两点是清楚的。首先,他早期关于闪电战的讨论(第二章)没有提到防御方是否能以有利于自身的方式利用坦克。他的作品暗示,以他规定的方式进行闪电战自然会取得胜利,这个关于防御的论点是他思考的一个转变。其次,在后来关于防御力量的文章中,尤其是那些写于 20 世纪 30 年代后期的文章,他没有讨论当防御方不了解如何在战场上使用坦克时,坦克所具有的巨大进攻潜力(也就是说,他没有着重说明在特定条件下,进行闪电战是可能的)。事实上,他的观点是从一个极端走向另一个极端。

43. "Army To-day," 14;也参见"Getting There First," 16。

44. "The Army under Change: A Realistic View," *Times*, 30 Oct. 1936, 17—18; "The Army under Change: 'Reckless Caution,'" ibid., 2 Nov. 1936, 15—16.

45. "Army under Change: 'Reckless Caution,'" 16.

46. 158(Dec. 1936):687—695, quotation 692.

47. Ibid., 693.

48. 参见 reviews in 9/15/8。

49. 李德·哈特告诉威尔·斯彭斯(Will Spens)(他从前在牛津大学基督圣体学院的老师),避免作出大陆承诺是 *Europe in Arms* 的"主题";参见 Spens to LH, 15 Feb. 1937, and LH to Spens, 16 Feb. 1937, both in 1/650。

50. Neville Chamberlain to LH, 8 Mar. 1937, 1/519/1.李德·哈特文件中还有一封张伯伦写给莱斯利·霍尔-贝利沙的信(29 Oct. 1937, 1/519/2),建议他(霍尔-贝利沙)阅读 *Europe in Arms* 中关于军队作用的一章。

51. "Defence or Attack? The Aim of Army Training," *Times*, 25 Oct. 1937, 15—16; "Defence or Attack? The British Role in War," ibid., 26 Oct. 1937, 15—16; "Defence or Attack? The Futility of Aggression," ibid., 27 Oct. 1937, 15—16.

52. "Defence or Attack? The Aim of Army Training," 15—16; "Defence or Attack? The Futility of Aggression," 16.

53. "Defence or Attack? The Aim of Army Training," 16.帝国总参谋长(陆军元帅德弗雷尔)和李德·哈特随后就这个问题进行了激烈的辩论,参见他们的通信,1/232。

54. 参见 LH, "Attack in Warfare: Changing Tactics," 13; LH, "Field Force Question," 17; LH, "New Military Problems: Value of Skeleton Exercise," *Times*, 24 Sept. 1937, 7。

55. "Defence or Attack? The Futility of Aggression."

56. 李德·哈特对防御优势、威慑以及大陆承诺问题思考的紧密联系体现在他这一时期的作品中,例如"The Role of the Army," letter, *Times*, 11 Nov. 1936, 17; "Can Warfare Be Limited?" ibid., 10 June 1938, 15—16; *Defence of Britain*, pt.1。

57. "Military and Strategic Advantages of Collective Security in Europe," *New Commonwealth Quarterly* 4(Sept. 1938):144, emphasis added;另见第 149 页,关于德国军事上战胜法国及其盟国的黯淡前景。

58. LH to Robert Leurquin, 17 July 1939, 1/441.

59. George Martelli, "The Stalemate," rev. of *Through the Fog of War*, by LH, *World Review*(Feb. 1939):62; LH, letter, ibid. (Mar. 1939):65.

60. Reviews in 9/16/7.第二次世界大战将与第一次世界大战几乎没有区别,这点也得到预测,*Europe in Arms*, esp. pt.4。

61. LH to Robert Barrington-Ward, 25 Feb. 1938, 3/108. See also LH to Barrington-Ward, 2 Apr. 1937, 3/107.

62. LH to Geoffrey Dawson, 9 May 1939, 3/109. See also LH to Barrington-Ward, 17 Mar. 1939, 3/109.

63. "Lessons of the Spanish War," *National Review* 109(Nov. 1937):613(also pub.as chap.24 of *Europe in Arms* and as "Military Lessons from Spain," *New Republic*, 4 Aug. 1937, 357—359.关于他对阿比西尼亚(危机)的观点,参见 *Europe in Arms*, chap.23. See also "Role of the Army," 17, on both conflicts。

64. 例如,参见 "Power of Defence," *Evening Standard*, 17 Feb. 1940, 7。

65. Britain versus Germany, rev. of *Defence of Britain*, by LH, *National Review* 113(Oct. 1939):523; "Form Threes!" rev. of *Defence of Britain*, LH, *Punch*, 16 Aug. 1939, 194.

66. John Buchan to LH, 1 Aug. 1939, 9/179.

67. 例如,参见 *Defence of Britain*, 25, 53, 104, 117, 122。

68. 参见 John J.Mearsheimer, *Conventional Deterrence*(Ithaca, N.Y.: Cornell University Press, 1983), 58—60。

69. Posen, *Sources of Military Doctrine*, 82—86; R.H.S.Stolfi, "Equipment for Victory in France in 1940," *History* 52(Feb. 1970):1—20.

70. 然而,这个经验法则必须谨慎地应用,参见 chap.3, n.39。

71. 参见 Brig. Gen. J.E.Edmonds, letter, *Spectator*, 1 Mar. 1940, 287; LH, letter, ibid., 8 Mar. 1940, 330—331; Edmonds, letter, ibid., 15 Mar. 1940, 364; LH, letter, ibid., 22 Mar. 1940, 415; R. Pope-Hennessy, letter, ibid., 29 Mar. 1940, 449。关于另一个争论,参见 LH, "The Way to Win the War," *Evening Standard*, 3 Feb. 1940, 8; Maj. J.R.Kennedy, let-

ter, ibid., 17 Feb. 1940, 7; LH, "Power of Defence。"

72. Edmonds, letter, *Spectator*, 15 Mar. 1940, 364.

73. 例如李德·哈特在1938年9月写道,"即使大部分德国军队可以在西线集结,还远远不够3∶1的优势,除非大部分法国力量可以被引开"("Military and Strategic Advantages," 149)。

74. 毫不奇怪,在法国刚刚沦陷之后,李德·哈特将盟军的失败部分归因于德军"巨大的力量优势"(letter, New York Times, 1 Dec. 1940, sec.4, 63)。另参见LH, letter, New Statesman and Nation, 5 Oct. 1940, 332,在这封信中他对德军在数量上的优势作了同样的论证,"我在战争前强调德国可能动员数量是法国两倍的军队,再加上意大利军队,可使敌军比例超过3∶1"。将这一说法与之前笔记中的引用相比较,1940年春天,很明显盟军和德军在西线的力量大致平衡,他最终放弃了关于德军在数量上占优的观点。

75. 例如,参见,"Field Force Questions," 17—18; LH, "An Army across Channel?" *Times*, 8 Feb. 1939, 15. 事实上,第二次世界大战结束之后,李德·哈特才就力量-空间比例问题进行全面的分析;参见"The Ratio of Troops to Space," *Armor* 69(May-June 1960): 24—30(copy in LH, *Deterrent or Defence*[London: Stevens & Sons, 1960], chap.10)。也参见Mearsheimer, *Conventional Deterrence*, 44—48, 181—183。

76. "Field Force Question," 17—18;也参见"Army across Channel?" 15。

77. Remaking Modern Armies, 274, 217(也参见250), 220, 230—231。

78. Ibid., 250;也参见248—249。

79. "The Armies of Europe: II. Germany," *Spectator*, 11 Dec. 1936, 1330—1331; "The Armies of Europe: III. France," ibid., 18 Dec. 1936, 1074—1075.从 *Remaking of Modern Armies* 到以上这些作品之间,他很少撰写有关欧洲大陆国家陆军能力的文章。两个例外是"Are the Generals Ready? The True State of the Armed Forces of Europe," *Scribner's Magazine*, September 1934, 129—137;以及"The New German Army," Times, 18 Mar. 1935, 14,在这篇文章中可以明显看到他在 *Spectator* 文章中提出的观点的源头。

80. "Armies of Europe: Germany," 1031.

81. 例如,参见,"The Armies of Europe," *Foreign Affairs* 15(Jan. 1937): 235—253; *Europe in Arms*, pt.1; *Defence of Britain*, chaps.3—5, 11.

82. *Defence of Britain*, 101, 42.这可能是闪电战这个词首先被使用的场合之一(这一章写于1939年7月12日,参见10/1939/68),并且很明显这是李德·哈特在两场战争之间唯一一次使用这个词。参见 chap.2，n.56。

83. "Armies of Europe：France，" 1074.

84. *Defence of Britain*，198.

85. "The French Army：Old Traditions and New Formations，" *Times*，spec. suppl. On "French Number，" 19 July 1938，x.

86. *Defence of Britain*，59，also 209—211.法国迅速地采纳了这个观点，例如，参见，"A French View of the *Times* Articles：Defence or Attack？" Army Quarterly 36（Apr. 1938）：123—126。另外，李德·哈特认为法国如果被迫独自应战，除维持防御外，别无他法；他担心如果英国派遣地面力量（帮助法国），他们就会采取进攻战略（n.35 above）。

87. "Diary Notes，" 19 Sept. 1939 entry，11/1939/110b.关于同盟国和德国在这个时期的决策，参见 Mearsheimer，*Conventional Deterrence*，chaps.3—4。

88. "Liberalism Goes to War，" *New Republic*，25 Oct. 1939，347—348.

89. "Talk Notes，" 6 Mar. 1940 entry，11/1940/14；"Diary Notes，" 5 Feb. 1940 entry，11/1940/6.

90. 这篇文章以及其他李德·哈特在虚假战争期间撰写的重要文章都再版于 The Current of War（London：Hutchinson，1941），pts.3—5。这一段中接下来的引文都出自这篇文章（202—208）。

91. 在西线攻击之前的几个月，李德·哈特也写过赞美甘末林的文章；例如，参见"Gamelin，" *Life*，20 Feb. 1939，56—63；"'Good Luck Gamelin，'" *Sunday Express*，29 Oct. 1939，7。

92. 我在第七章中进一步讨论李德·哈特是否预见到法国的沦陷。（李德·哈特的）这些文章再版于 Current of War pt.6；原文副本，见 10/1940。

93. *Current of War*，299—301.

94. Ibid.，302—311.

95. 参见在这段关键时期，李德·哈特如何对公众描述这个场景，ibid.，312—314；另参见这一时期的《泰晤士报》。

96. Ibid.，314—319.

97. Ibid.，320—322.

第六章
李德·哈特与纳粹德国：
外交政策，1933—1940 年

英国的决策者不只关心如何使用他们的军事力量对付希特勒，还关心如何使用他们所掌握的政治和经济手段。他们的目标是决定如何将三种手段最有效地结合起来——外交、经济和军事——最大限度地维护欧洲的和平。尽管李德·哈特对军事问题有强烈的兴趣，他对英国的外交政策也有明确的观点。事实上，他的军事观点是更宽泛的外交视角的核心。他努力让欧洲人相信他们处于一个防御主导的世界，这是他给出的对付第三帝国方法的核心要素。这一章将考察他的外交政策建议，特别关注他的观点与张伯伦政府的区别。

分析李德·哈特和张伯伦政府关于对付希特勒的想法，最好从四个宽泛的政策选择角度进行思考。第一个是绥靖政策，它强调通过外交手段解决任何可能出现的问题。基本假定是希特勒在中欧有合理并有限的领土和经济目标，可以通过政治妥协调和他的目标，使得他没有理由威胁发动战争。绥靖政策很少强调使用军事力量威慑希特勒，或者为此，使用外交或经济制裁手段。这个政策当然适合于英国，只要它的大战略是避免作出大陆承诺。

其他三个选择否定了希特勒可以被安抚的假定，而是关注用直接的威胁震慑他。直接军事力量的假定是，如果希特勒采取进攻政策，就有必要用军事行动威胁他。具体地说，通过强大的地面力量施加巨大的军事压力对约束第三帝国是必须的。这个政策意味着英国首先要接受大陆承诺并建立大规模的军队，与法国的地面力量相协调，然后在东欧寻找盟国，以两线战争威胁德国。事实上，可以用另一场世界大战威慑希特勒。这个选择不考虑经济和外交制裁。

集体安全的前提也是英国与她的盟国紧密协作，向德国和任何试图改变现状的国家施压，向德国或任何试图改变现状的国家施压。然而，集体安全并不强调军事力量威胁，相反强调经济和政治制裁。对于使用军事力量的可能，英国构想了与支持前一种政策所不同的军事分工。英国将专注于建设强大的海军和空中力量，而是建设将在欧洲大陆战斗的强大陆军。相反，英国需要依赖法国陆军对希特勒施加直接的压力。如果另一场世界大战爆发，英国将避免卷入接下来在西线的陆地战斗。然而，外界普遍认为，只要英国拒绝为欧洲大陆建设一支陆军，并继续实施被称为"有限责任"的政策，就无望形成有效的军事手段对抗第三帝国。因此，集体安全主要是建立在经济和外交制裁的基础上。

剩下的一个选择，即防御到底（在第五章中讨论过），这不过是一个修辞。与选择直接使用军事力量类似，它最终的成功取决于让德国相信军事侵略没有回报，并且事实上会引发像第一次世界大战一样可怕的冲突。然而，这两个选择有一个关键的区别：选择直接使用军事力量需要承诺一旦发生战争，将英国地面力量派往欧洲大陆，制造防御优势，而这个选择只是使对手相信防御优势已经存在。因此没必要承诺英国军队将卷入欧洲大陆的战争。

1937 年春上台执政的张伯伦政府选择绥靖政策。[1]张伯伦和他的亲密顾问十分清楚第三帝国是对现状的威胁，他们需要直接应对这个威胁，因为欧洲大陆的事态发展明显关系到英国的安全。但是他们不认为希特勒是如此倾向于进攻，以至于要调整英国的防御政策，对德国施加巨大的军事压力；他们相信希特勒可以被安抚。张伯伦和他的幕僚还认为英国的经济太虚弱,无法使用军事手段同时在太平洋地区,地中海地区和欧洲的中心应对日本、意大利和德国的威胁。[2]他们认为,防务开支的任何显著增长都会严重地损害英国的经济。绥靖主义的政策强调外交让步,并且避免大陆承诺,使他们的大战略和外交政策相契合。

英国的绥靖政策体现在 1938 年 9 月的《慕尼黑协议》中。[3]张伯伦将捷克斯洛伐克的很大一部分让给德国,作为第三帝国接受新现状的回报。然而,希特勒并不满足,绥靖政策在慕尼黑危机的几个月中开始动摇。英国快速转向使用军事力量威胁(德国)。德国在 1939 年 3 月中旬占领捷克斯洛伐克的其他领土后,英国快速地抛弃了绥靖政策,作出直接使用军事力量的选择。但是英国的决策者还没有完全放弃与德国达成和解的希望,[4]相反他们只是接受了普遍的观念,只有用军事力量威胁希特勒,他才会考虑英国的利益。

这个外交政策的转向需要英国放弃它在 1937 年 12 月采取的大战略,并接受大陆承诺。它在 1939 年的前几个月快速地向大陆承诺靠近,最终在 1939 年 3 月 31 日接受了大陆承诺,在德国接管了捷克斯洛伐克之后,它向波兰提供防御保障。一周后,英国又向罗马尼亚和希腊提供类似的保障。征兵在 4 月底开始,张伯伦政府执政前两年中严格控制的防务开支开始快速增长。简而言之,张伯伦政府的外交政策就是从第一种选择向第二种选择转变,伴随的是大战略的转变,却很少关注其他的选择(集体安全和主张防御优势)。

李德·哈特的外交政策建议强调其他的政策选择,在概括他的观点之前,有必要讨论对他 20 世纪 30 年代想法的一个可能误解。他不是一个孤立主义者,这点他在 1938 年 3 月给《泰晤士报》编辑的备忘录中清楚地说明这一点:"在接受《泰晤士报》的职位之前,我已经对与英国国防有关的世界形势进行长时间的研究。尽管我对历史的研究使我在战略上倾向于孤立,但在现代技术条件下对当前问题的考察使我认识到集体安全的必要性。"[5]他还特别认识到休戚相关。[6]尽管李德·哈特有很强的动机伪称英国可以忽略纳粹德国对法国的威胁，但他没有这么做。

1933 年后，李德·哈特很清楚有发生另一场世界战争的危险。然而，假设这种关切意味着他完全理解第三帝国带来的危险是错误的，他没有（认识到）。从 20 世纪 30 年代中期到战争爆发，他只是怀疑德国的意图，没有证据表明他在某一时点完全理解希特勒外交政策的邪恶本质。在 1938 年之前，哈特不是十分担心德国的威胁，令人惊讶的是，在战争前的几个月，他认为希特勒基本上是一个理性的政治家，是盟国导致他进行侵略，泰勒在很多年后将这个观点闻名于世。只是在 1938 年第一次捷克斯洛伐克危机期间，他在写作中表现出对德国意图的严重关切，即使在那时，他对德国威胁的评估也是模棱两可的。

为了应对德国的威胁，李德·哈特支持采取双管齐下的外交政策，侧重于前面提到的第三个和第四个选择：集体安全和支持防御到底。那些年中，在大战略层面，他始终反对大陆承诺。事实上，李德·哈特在张伯伦成为首相之前就支持采取这个双管齐下的政策，尽管在 1938 年之前，他对集体安全的支持并不明显。在整个虚假战争期间，他都坚持这一双轨方法。因此，与在战争前最后一年转变外交政策和大战略的张伯伦政府不同，李德·哈特一直支持他早期提出的政策建议。然而，在这一点上有一个重要的前提条件，即绥靖政策。

李德·哈特不接受绥靖政策，尽管他几乎算不上这个有争议政策的主要反对者。他怀疑对付像希特勒这样的对手，绥靖政策是否管用。因此，尽管他完全接受了张伯伦政府初期的大战略，当然这是他帮助塑造的，但却对其外交政策不满。然而，当政府决定直接用军事力量威胁希特勒，并且接受大陆承诺的时候，他极其沮丧。尽管 20 世纪 30 年代后期有迹象表明，他可能会接受一个有限的大陆承诺，但事实并非如此。李德·哈特根本不会支持一项依靠军事力量威胁第三帝国的政策。在战争爆发前的最后几个月里,张伯伦政府变得越来越依靠军事力量,并且很明显,李德·哈特双管齐下的外交政策不能有效地威慑希特勒,他开始向绥靖政策靠近。然而,他继续支持防御的优势地位和集体安全。简而言之,从 1939 年 4 月初到 5 个月后战争爆发,他坚决反对政府的大战略以及它的外交政策。

李德·哈特和 20 世纪 30 年代的重大危机

对英国决策者来说,20 世纪 30 年代是混乱不堪的时期。日本人、意大利人和德国人不断谋求改变现状。英国在那些年中面对十大外部政策危机,李德·哈特对这些危机的思考为探究他的外交政策观点提供了很好的渠道。

1. 第一次远东危机(1931 年)。日本入侵中国东北,并建立了傀儡政权。中国没能获得国际联盟的帮助。

2. 第一次奥地利危机(1934 年)。在奥地利纳粹党人发动暴乱后,希特勒威胁干涉奥地利。意大利威胁介入阻止了他。

3. 阿比西尼亚危机(1935—1936 年)。意大利入侵阿比西尼亚(埃塞俄比亚),尽管海尔·塞拉西皇帝向国际联盟寻求保护。

4. 莱茵兰危机(1936 年)。希特勒违背《凡尔赛条约》和《洛加诺公约》,派遣德国军队进入莱茵兰非军事区。

5. 西班牙内战(1936—1939 年)。弗朗西斯科·弗朗哥将军的法西斯力量在与共和政府的长期内战中获胜。法西斯主义者得到意大利和德国的支持。

6. 第二次远东危机(1937 年)。日本发动全面侵华战争。

7. 第二次奥地利危机(1938 年)。从 1934 年开始就对控制奥地利表现出强烈兴趣的第三帝国，最终占领了这个国家。

8. 第一次捷克斯洛伐克危机（1938 年）。希特勒威胁如果不将苏台德地区割给德国，就发动全面战争，苏台德地区是捷克斯洛伐克的一部分，有大量的德国人。1938 年 9 月后期，这一危机在慕尼黑得到解决，德国的要求被满足，作为交换，德国承诺不威胁捷克斯洛伐克的其他领土。

9. 第二次捷克斯洛伐克危机（1939 年）。德国国防军在1939 年 3 月 15 日占领捷克斯洛伐克剩余地区。

10. 波兰危机（1939 年）。希特勒对波兰提出领土要求，但在危机解决之间，德国进攻波兰，第二次世界大战爆发。

以上危机中有 6 个直接源自德国；两次远东危机、西班牙内战、阿比西尼亚战争与德国不直接相关。

关于李德·哈特对这些危机的反应，有两组问题：首先，他是否认为危机严重影响了英国的国际地位？他是否认为危机会产生重要的战略影响？其次，他建议采取什么行动？他是否总是强有力地支持集体安全？他是否在某一时间点建议采取军事行动？他是否愿意实施会带来战争风险的政策？

李德·哈特对两次远东危机没什么兴趣。这一时期他的个人文件中少有证据表明他（对这些问题）的关切，他在回忆录中也没有提到被这些遥远的危机所警醒。他对阿比西尼亚危机很感兴趣，尽管他看起来并没有过度地表示关切。他担心意大利控制这个非洲国家，因为他认为一个围绕地中海的意大利帝国会威胁英国在中东的地位。[7]然而，李德·哈特很少在私下里并且极少公开地谈及英国应该如何应对意大利的侵略。毫无疑问，他支持《泰晤士报》对意大利侵略的指责以及对《霍尔-赖伐尔协定》的严厉谴责，法国和英国愚蠢地允许墨索里尼控制阿比西尼亚的大部分，希望他能与他们一起对抗希特勒。[8]然而，他从没有在他的写作中明确地谴责意大利。

他在《回忆录》中宣称，他当时呼吁"全面的经济制裁"以及"切断对意大利的石油供应",他还坚持说,他与《泰晤士报》的编辑罗伯特·巴林顿-沃德和杰弗里·道森存有分歧,因为他们拒绝支持这些举措。[9]人们相信集体安全的支持者肯定会呼吁采取制裁,李德·哈特从不羞于表达他对这些政策问题的观点。然而,在他的私人文件中,包括他与编辑的通信,或者任何他在那一时期发表的作品中,都没有证据表明他支持对意大利的制裁。他在《回忆录》中也没有为他的说法提供证据。另外,也没有迹象显示他与他的编辑在阿比西尼亚危机上存在分歧;他们的关系在1935年和1936年看起来非常融洽。[10]例如,看一下杰弗里·道森对李德·哈特发来的信件的回应,哈特就"《泰晤士报》指责意大利侵略阿比西尼亚并谴责《霍尔-赖伐尔协定》所用的措辞"祝贺道森。道森写道:"非常感谢您的祝贺,我很看重——您为领导人系列(丛书)作出了重要的贡献,我很高兴地说,这是几个人一起完成的,它们实际上是团队合作的示范。"[11]

1938年,在慕尼黑危机最严重的时候,李德·哈特写了一篇冗长的备忘录,回顾到当时为止,他对英国外交政策的观点的变化。这是他在20世纪30年代,为数不多的关于英国在远东和阿比西尼亚危机中应该采取何种措施的讨论:

> 在中国东北问题上,军事行动是困难的,但施加经济和道德压力是可行的,我们却犹豫是否使用这些措施。有人认为……没有英国的利益直接牵涉其中。
>
> 在阿比西尼亚问题上,战略筹码在我们手中。通过石油制裁,再加上军火支援阿比西尼亚,我们可以严重削弱意大利的进攻。作为报复,意大利对我们发动战争的风险不是很大。尽管它可以对我们造成相当程度的破坏……我们可以压制住它。而事实上,我们三心二意的态度导致集体安全体系的瓦解,而集体安全是我们自身安全最好的保障。[12]

这里有几点很清楚。李德·哈特在这里(或者20世纪30年代在任何其他地方)没有宣称他支持在每次危机中都采取这些措施。

在任何一个案例中，他的回顾性建议都没有呼吁英国采取直接的军事行动。在阿比西尼亚危机中，英国有卷入战争的风险，但他坦承风险很小（越来越明显，李德·哈特不支持威胁使用军事力量阻止侵略，也不支持包含严重战争风险的政策）。至少在 1938 年，他相信阿比西尼亚危机对集体安全构成致命打击，然而他在 1938 年和 1939 年继续支持集体安全。

西班牙内战与阿比西尼亚危机不同，它令李德·哈特深为担忧，原因是法西斯有可能取得胜利。他在 1938 年 2 月的一段评论体现了他的担忧："这个国家中希望弗朗哥获胜的人都是英格兰和所有英格兰人的叛徒。"在私下和公共场合，他竭尽全力宣传他对战争的观点。[13] 除了 1938 年的捷克斯洛伐克危机，没有其他危机看起来让他如此关切。他相信法西斯战胜共和力量几乎一定会导致德国和西班牙的紧密合作。它们之间不仅意识形态天然地相近，而且德国和意大利还为弗朗哥的反叛力量提供大量支援。他认为："很难相信西班牙的法西斯主义者会忘恩负义地转变他们的态度。"[14] 另外，西班牙"国内也充满了恢复帝国地位的渴望"，通过与其他法西斯国家合作，可以更好地实现它的目标。因此，他预料到弗朗哥的西班牙会成为英国的敌人和纳粹德国的盟国。[15]

李德·哈特认为这个前景非常令人不安，不是因为他对中欧形势本身可能造成的影响，而是因为西班牙的地理位置恰好可以阻断英国的海上交通线。他认为，西班牙有能力控制通往西地中海的通道，并且让英国使用好望角附近的贸易航道变得极端困难。他尤其认识到，空中力量增强了西班牙将力量投送到英国周边海域的能力。[16] 因此，西班牙地理位置极佳，可以封锁或严重阻碍英国通往中东和远东的通道。因此，李德·哈特在整个 1937 年有力地证明英国应该集中精力保护它的海上交通线，并维护英帝国的安全，张伯伦政府最终采纳这一立场。西班牙内战是对这个政策的威胁。

尽管没有直接的证据，李德·哈特担忧法西斯在西班牙取得胜利的另一个原因是,当时的军事专家想透过西班牙的战场,判断未来战争的形态,西班牙可以作为一个重要的试验场,检验李德·哈特关于防御优势地位和进攻无用的观点。这可以解释为什么《泰晤士报》对战争关键战役的描述让他如此不安,他认为这些描述会给人错误的印象,以为进攻会有回报。这场冲突中主要的进攻者——弗朗哥军队的胜利——再加上意大利在阿比西尼亚的胜利,必定看起来会与李德·哈特关于防御几乎不可战胜的说法相矛盾。

尽管表示担忧,李德·哈特仍然不愿意英国采取具体的措施应对这些危机。1937年4月底,西班牙内战爆发一年以后,他已经认识到意大利和德国正在提供支援,他仍然认为,对英国来说,"不干涉西班牙内战是最明智的政策"。[17]1938年3月,弗朗哥的军队在特鲁埃尔战役中获得巨大胜利之后,他改变了对干涉的想法。这次成功的进攻第一次有力地证明法西斯有可能获胜。[18]李德·哈特的回应是在一份备忘录中争辩说英国应该允许西班牙政府"在名义上获得足够的物质资源,以恢复平衡",他继续说:

> 如果德国和意大利大幅增加它们已经提供的物质援助,法国和英国在这个竞争中就处于更有利的战略地位……如果它们胆敢将它们的抗议推向战争,我们将利用所有的防御优势作战,只要西班牙被征服,我们的战略地理条件就比我们所期待的更加有利。由于这些原因,其风险比任何可以预见的意外带来的风险都小。[19]

(这里)有两点引人注目:李德·哈特试图避免有风险的政策(他不支持有严重战争风险的战略),他建议适度的干涉(他的目标不是政府获胜,而是双方达到力量平衡)。他的最终目标,正如他在1938年9月所说的,是制造"有利于调停的胶着状态"。[20]

尽管有这份备忘录,仍然不清楚李德·哈特是否严肃地主张支援与弗朗哥军队作战的力量。霍尔-贝利沙在读了上面的备忘录之后,请他"写一份关于西地中海战略问题的备忘录,重点考虑西班牙的政治形势"。他想用这份备忘录"指导他要给内阁撰写的一份文件。"[21]李德·哈特不主张英国对西班牙进行任何形式的干预。备忘录的大部分概述了西班牙的战略重要性。他的结论是"（阻止）西班牙成为他的援助者的战略杠杆，这个希望很渺茫，但他成为杠杆所带来的严重危险是一定的，但他成为杠杆带来的危险的严重性是一定的。"[22]李德·哈特当然担心法西斯在西班牙的胜利，但是他看起来不愿意支持采取实质性措施，以防止这一情况发生。

李德·哈特不是非常担心德国再次占领莱茵兰（1936 年），或者德国兼并奥地利（1938 年）。他在回忆录中（2：216）给人的印象是他将德国接管莱茵兰地区视为一个有不祥战略涵义的事态发展，但是当时的证据不支持他的这一说法。他不喜欢德国人暗度陈仓，但没有证据显示他当时担心其战略后果。[23]他没怎么关注两次奥地利危机，尽管在德国占领奥地利的第二天，他就为霍尔-贝利沙写了一个简短的报告，他认为："维护奥地利的完整当然是法国、英国和捷克斯洛伐克的利益。"但结论是"没有意大利的合作，它们中任何一方都不可能在军事上帮助奥地利"。[24]李德·哈特无疑认为英国和她的盟国不应该因为这些最初的危机与德国对抗。

是与德国的第一次对抗，李德·哈特认为它对英国有重要的战略影响。[25]他认为德国对捷克斯洛伐克的控制将是灾难性的。它将大大降低用两线战争威胁德国的可能性，两线战争（而不是单线战争）可以大大降低德国获胜的可能性，增加威慑的有效性。[26]另外，有盟国在东线牵绊德国的军队，法国就不大需要英国的地面力量帮助防御西线，这点当然引起了李德·哈特的注意，他在 1939 年初写道："依我看来，地面力量的加强不是必需的，只要法国能够指望德国的力量在东线被分散，而不能集中于西线，但考虑到已经改变的力量平衡，加强地面力量现在可能是必需的。"李德·哈特希望捷克斯洛伐克成为法国在德国东翼作战的主要伙伴。这个同盟极其重要，因为法国和苏联没能达成协议，即在德国进攻它们中的任何一个时支援对方，"即使法国和苏联仍然考虑在其中一方受到威胁时相互支援……捷克斯洛伐克力量的消失也会在很大程度上减少它们这方的力量"。[27]

德国成为捷克斯洛伐克的宗主国还会使英国对德国施加有效的经济压力变得极为困难，德国可以控制捷克斯洛伐克的经济，并且处于有利的地理位置以征服其他东欧国家。这种可能性会对集体安全造成致命打击，而集体安全严重地依赖威胁施加经济压力以维持现状。李德·哈特对失去经济影响力的担忧还有另外一个方面。他在危机期间和危机之后几次提到德国控制捷克斯洛伐克意味着在战争中，英国的"王牌武器——封锁，会失去大部分力量"。[28]这是一个令人困惑的说法，因为他曾在1935年早期对封锁的效用表示严重怀疑，并且在整个20世纪30年代后期不断地重申这一观点。李德·哈特20世纪30年代后期的作品中也没有表明，他严肃地认为可以用海上力量打击德国。那么在1938年，他是否担心德国控制捷克斯洛伐克会损害使用海上力量惩罚德国的希望，从而破坏他理想的力量分工，即法国负责陆地战争，英国负责海上？简单地说，李德·哈特相信，丧失捷克斯洛伐克将会产生一些严重的战略后果。[29]

李德·哈特在他的《回忆录》中将他自己描绘为绥靖政策的主要反对者，主张在捷克斯洛伐克问题上对抗德国，这个立场与他对战略形势的评估相一致。他在《回忆录》中宣称，他在1938年9月后期认为，"尽管决策的战略形势远不如1935年的阿比西尼亚危机、1936年的莱茵兰危机和过去两年的西班牙内战有利，但现在表明态度总比继续拖延要好"(2:170)。没有证据能证实他的说法。仔细阅读他的《回忆录》，他没有在任何信件、备忘录或文章中建议对捷克斯洛伐克采取行动。在他的私人文件中也没有这方面的证据。事实上，历史记录清楚地表明，他对捷克斯洛伐克问题没有解决办法，就像对西班牙问题无能为力一样。他没有在1938年的任何时间点建议英国采取具体的措施应对危机。[30]

他确实不曾主张如果德国国防军进犯捷克斯洛伐克，民主国家就威胁对德国采取军事行动。事实上他担心盟国采取这种做法。具体地说，他担心法国对德国发动攻击，并将英国拖入战争。在危机中他确实曾谈论到，如果德国进犯捷克斯洛伐克，那么就进攻齐格菲防线。安东尼·艾登告诉他，甘末林认为这些防御工事"很容易被突破"。李德·哈特——用他自己的话说——"听到这些对进攻过于自信的说法有些惊恐"。[31] 当然，李德·哈特对防御优势的观点很自然地使他断定，法国对德国发起进攻几乎一定会失败，并且反对向捷克斯洛伐克保证在它遭到德国进攻时保卫它，就像 1939 年春季他反对给予波兰保障一样。[32]

李德·哈特是否在德国进攻捷克斯洛伐克的背景下考虑过他关于防御优势地位的观点？事实上，他对捷克斯洛伐克防御的印象深刻，并得出结论："德国能否征服整个捷克斯洛伐克令人怀疑，除非他们能够集中大部分力量对付捷克，除非法国保持'中立'，这几乎是不可行的。"然后他争辩说："法国陆军可以帮助捷克在西线拖住大量的德国军队——通过宣示进攻的有限行动，发出进攻威胁。"[33] 李德·哈特明确地认为，表现出进攻性姿态的法国，可以用两线战争严肃地威胁德国，这是最理想的情况。因此他即使不主张，但也应该鼓励法国的进攻性选择。

（事实上）他没有这么做，他争辩说："德国不大可能被驱逐出他们在捷克前沿地带占领的地盘。"采取守势将有利于德国，并且考虑到防御的明显优势，"战争将持续很多年，得不偿失"。[34] 李德·哈特观点的逻辑是令人困惑的。毕竟，给德国制造两线战争的根本目标是降低德军快速获胜的可能性，并且使它意识到自己陷入一场获胜可能性不大的持久战中。按照李德·哈特的说法，法国有这个能力，但是他不支持（法国）选择进攻，而进攻对于将法国的能力转变为有意义的威胁是必需的。如果能快速地打败德国，对法国一定是十分有利的，但如果做不到，能够阻碍德国国防军对捷克的进攻，并使德

155

国陷入漫长的消耗战也有重大的威慑价值。李德·哈特的观点更加令人困惑的是，他认为"德国缺乏进行持久战的资源，因此最终的前景不利于它"。[35]

李德·哈特关于两线战争问题思考的另一个令人费解的方面是法国有必要让捷克以及其他在德国东翼的盟国相信，如果德国先攻击它们，法国会援助它们。否则，如果德国首先在西线发起进攻，法国如何期待捷克斯洛伐克帮助他们？法国因此需要一个可信的进攻性选择。李德·哈特很明显没有考虑这个重要的问题，这进一步说明他对两线战争问题的思考是混乱的。

为了应对捷克斯洛伐克危机，李德·哈特倾向政策选择是强调集体安全，它的关键要素是经济和道义压力。这实际上是他第一次严肃地主张用集体安全应对危机。例如，他在1938年9月9日的一份备忘录中声称，如果希特勒进犯捷克斯洛伐克，"迫使德国放弃她的地盘的最大希望是施加全面的经济压力，道义孤立可以加强这种压力"。[36]鉴于他认为德国控制捷克斯洛伐克使得对德国施加有效的经济压力变得不可能，这几乎不是一项现实可行的政策（事实上，像之前提到的，早在1935—1936年的阿比西尼亚危机时，他看起来已经认为，集体安全不再是一项可行的政策选择）。有足够的证据显示，他在1938年不将施加经济压力视为严肃的政策选择，这点体现在他关于危机的最后备忘录之一中，在其中他简短地为英国提供行动步骤："我们必须认识到除了施加经济压力，我们无法赢得对德国的战争——而这个武器是否足够有效地帮助我们获胜也变得令人怀疑。我们拯救自己最好的办法是使我们自己成为难啃的硬骨头。"[37]这些几乎不是一个支持与纳粹德国对抗的人所说的话。

李德·哈特与绥靖主义（的关系）怎么样？他在多年后将自己描绘成这项政策的主要反对者。例如，他在《回忆录》中写道，在慕尼黑危机期间，他"很厌恶《泰晤士报》领导人的腔调，对他们展现的幻觉很震惊"[38]。这肯定是言过其实的，因为他没有提供任何两场战争之

间的证据，证明他是绥靖政策的主要反对者。如果这样的证据存在，
他会不在《回忆录》中引用么？[39]事实上，他对绥靖政策的感觉含糊不
清。他在这时不支持绥靖政策，主要是因为他不认为绥靖政策会有
作用。他感觉到——正如事实证明——希特勒决定彻底地改变欧洲
版图。他的问题是不能提供有效的政策以阻止希特勒。尽管在口头
上支持集体安全，但是到 1938 年他肯定认识到这项无力的政策不是
一个严肃的选择。他拒绝支持使用军事力量对抗第三帝国或者任何
其他敌人，这使得威慑敌人或达到有利的结果变得极端困难，即使不
是不可能。无法提供有价值的政策建议以对付希特勒，李德·哈特
只能容忍绥靖政策，尽管他在 1938 年的担心理由充足。伴随每一次
新的危机，英国的战略地位当然变得愈加不确定。他在 1938 年 3 月
底写给他在《泰晤士报》的编辑的一封信展现了他的思考：

> 从那时（从他 1935 年 3 月到《泰晤士报》）至今的这些年中，
> 每一次任何地方发生危机，《泰晤士报》和政府都找到理由避免
> 谈论这些问题，并克制住不采取维持集体安全所必需的行动。
> 在每个场合我和你都讨论过这些理由，我承认它们的有效性。
> 但是我们之间的区别是，你看起来是自信地接受这些理由，我却
> 对它们表示怀疑——我承认采取行动的风险，但是担心不采取
> 行动的风险更大。结果是作出最终表态时的形势在我看起来更
> 加糟糕。因此，在下一个问题出现之前，我的疑虑会变得更加
> 强烈。[40]

1938 年的捷克斯洛伐克危机以达成《慕尼黑协议》告终，它曾经
并且现在仍然是绥靖政策最有争议的案例。李德·哈特当时的思考
记录在他在危机解决不久后给巴林顿-沃德的一封信中。他们当时
在争论李德·哈特给报纸写的一篇文章的措辞。

> 我没有说外交政策应该"更强硬"（在态度上），但是对军事
> 条件的更真实认知应该为外交政策提供"更坚实的基础"（知识
> 方面的）。如果你同意，你应该将这个表述改为"一个更明确的

外交政策基础"。

　　作为一个从历史角度看问题的旁观者，我不打算对我们当前的政策作出一个判断（历史的，与道德不同）。任何像我一样定期地保存并回顾内阁部长以及《泰晤士报》领导者演讲的人，都清楚已经有一系列的军事撤退。但是最终会表现为战略撤退——以退为进——获得对我们有利的结局，即使对那些不幸充当减震器的前哨国家是不利的。另外，它可能表现为大英帝国连续的"衰退和崩溃"。这个判断要留给未来的历史学家。[41]

这些几乎不是一个绥靖政策主要反对者应有的言辞。更确切地说，他描绘了一个陷入两难困境的想法。

　　下一场危机发生在 1939 年 3 月 15 日，德国占领了捷克斯洛伐克的其余部分。这一举动震惊了英国的决策者，他们在慕尼黑危机之后一直倾向于作出"大陆承诺"以及直接使用军事力量威胁第三帝国。他们现在采纳了这些政策。英国最终决定表明立场。与广为接受的观点相反，李德·哈特不支持新的政策，却坚定地反对它。

　　在整个 1938 年以及 1939 年前几个月中，有迹象表明李德·哈特可能支持派遣一支小规模装甲力量支援法国，一旦德国进攻法国。他不愿支持一个全面的"大陆承诺"，但提到可能建立两或三支装甲部队，作为战略后备的一部分。他强烈建议建立一支小规模的机械化力量，因为他认为它的特点可以防止英国重复它在第一次世界大战中的经历。他认为一支机械化力量，与传统的步兵不同，不能被用来占领前线某个区域，只能作为战略储备的一部分，因此不适于在前线进行血腥的激战。另外，机械化力量的装备成本很高，与步兵主导的力量相比，"不能被很快地被更新和扩展"，因此会阻碍建设另一支庞大军队的倾向。最后，李德·哈特将这种象征性力量视为一种手段，抑制法国采取"毫无益处的进攻行为"。毫不奇怪，他坚持英国与法国"就一个条件达成（共识）"[42]，即英国的装甲部队"不会在进攻性战役使用"[43]。

　　在 1938 年 1 月发表的一篇文章中,李德·哈特首先提出派遣一支小型机械化部队到欧洲大陆的问题,而张伯伦政府刚刚正式地抛弃"大陆承诺"不久。[44]在接下来的一年,他在一些场合重复了这个观点。[45]然而,他同时又在其他地方反对任何形式的"大陆承诺"。例如,在 1938 年 4 月关于陆军作用的一篇文章中,他争论道:"尽管为国内和帝国防御维持足够的地面力量是必需的,但维持任何超越这个目标的力量,具体地说就是在欧洲大陆使用的力量,不是可取的政策选择,甚至是一个潜在的危险需求。"他在文章的最后一句提道:"陆军的规模不应超过帝国防御所必需。"[46]六个月后,在慕尼黑危机解决后不久,他再次反对向欧洲大陆派遣任何力量"以减轻法国防御他们边境的压力"[47]。

　　我们如何理解这些相互矛盾的观点？看起来在 1938 年 1 月和 1939 年 2 月之间,李德·哈特曾严肃地考虑有限的"大陆承诺",但却无法下定决心,因为他强烈地担忧一个小的承诺会发展为大的承诺,英国会以它的小规模机械化力量为基础建设一支庞大军队。很难不同意布赖恩·邦德的结论:"尽管建设一支小型的、高质量的机械化部队——英国在 1939 年之前并不拥有——的观点听起来是合理的,但仍可以强烈地感觉到,李德·哈特从根本上反对派遣甚至是一个士兵到欧洲大陆,以防 1914—1918 年的可怕经历被重演。"[48]

　　1939 年春(英)对波兰的保障消除了李德·哈特想法中的自相矛盾。他认为这个决定意味着英国"现在被拖进建设庞大的地面力量中",因此排除了建设一支小规模机械化力量的选择。[49]因此他坚决地批评给予波兰安全保障,在战争爆发前的最后几个月,他强烈地反对"大陆承诺"。[50]李德·哈特不仅是反对这个决定,还因此陷入恐慌。[51]他认为"一种疯狂的情绪"正在英国"蔓延"。他认为"德国入侵捷克斯洛伐克最不利的一面",就是"它在这里制造的歇斯底里情绪"。[52]最后,李德·哈特完全反对用军事力量对付希特勒,而这当然是"大陆承诺"的全部要义。[53]

对波兰的安全承诺使李德·哈特对纳粹威胁的评估出现重要的变化。他不单认为张伯伦的新政策不会起作用,而是认为它实际上会激怒希特勒:"与之前宣称我们决心按照国联盟约履行我们的义务相比,这个承诺更具挑衅性,认识到这一点是明智的……我们政策的突然逆转使得希特勒更难保全颜面。"[54]这里我们看到的是潜在的争议,而不是严肃的观点,即实际上是盟国将希特勒引入战争,[55]A.J.P.泰勒多年后使(这个观点)闻名于世。这个观点实际上是说,希特勒在寻找一个办法来避免未来的冲突,但是英国使得他不可能这么做。基本的假定是希特勒并不倾向于侵略,这无疑是支撑绥靖政策的假定。李德·哈特不久就采取了一个等同于绥靖主义的立场,在整个战争期间,他都坚持这个立场。

捷克斯洛伐克被并入第三帝国之后,李德·哈特支持什么样的政策建议?他重复了他在布拉格沦陷之前同样的观点。他继续强调集体安全的效用,尽管他之前承认过,慕尼黑危机,而不是阿比西尼亚危机,已经破坏了这一政策。他继续贬低军事选择,正如战争爆发前一周他在备忘录中写道:"除了使用一些新的激进手段,只有缓慢的经济封锁和道德孤立才能对德国施加真正的压力。从长远来看,这会被证明比任何军事手段更加有效——如果法国和英国能够克制不采取进攻行为,防止激发德国人的战斗精神,那么道德压力会更快产生效果。"[56]他在慕尼黑危机的时候认为,失去捷克斯洛伐克使得英国几乎不可能对德国施加有效的经济压力,在这之后,他不再可能相信经济杠杆的作用。然而,他又老调重弹。

当然,李德·哈特对付希特勒的办法还有第二个方面:基于防御在现代战场上的优势,使德国人相信侵略将没有回报。在战争爆发前一年,他努力想要实现这个目标。但终究,战争的迹象已十分强烈,很明显,李德·哈特严重怀疑集体安全的效用。但没有证据表明他在20世纪30年代试图使其观点在德国得到广泛关注。他在这一时期的写作经常给人的印象是,他更加关切法国和英国采取攻势,而不是威慑第三帝国。[57]很难理解他为什么没有努力使德国的领导人相信进攻没有回报。

最后的危机出现于 1939 年 8 月，希特勒开始对波兰提出要求。李德·哈特的反应与他对第二次捷克斯洛伐克危机的反应如出一辙。战争爆发的当天，他在日记中评论说："难以否认希特勒建议的解决波兰问题条款的相对合理性。"这无疑在暗示英国应该寻求达成交易，像在慕尼黑危机时一样。[58]抛开希特勒要求的性质，他认识到波兰没有能力独立地对抗第三帝国，英国和法国在短期内提供不了什么帮助。他总结道：

> 清醒地面对这些战略现实，需要权衡的问题是，波兰政府是否可以要求它的国民牺牲他们自己以换取他们无论如何都会失去的东西，英国和法国是否有理由鼓励波兰为他们不可能重新获得的东西而战斗。任何的牺牲可能都好过投降，但如果投降在战争开始之前就看起来是不可避免，为实现战争目标而牺牲是否还有价值？[59]

难怪，工党中对绥靖政策的坚定反对者之一，休·道尔顿在战争前夕给他写信："很讽刺的是，在我看来，基本上反映政府外交政策的《泰晤士报》正在向好的方向发展时，你变成了一个绥靖者！"[60]

然而，李德·哈特很清楚，现在要避免战争已经太迟。"如果太迟了，"他争论说：

> 最好的办法是将我们的行动建立在将逐渐生效的经济封锁和道德抵制基础上，放弃在陆上和空中发起进攻，这会加强德国人的战斗精神，同时徒劳地耗尽我们自己的资源。在这样一场战争中思考并谈论"胜利"将是最危险的幻觉。在实际情况中，我们表现出越多的抵触，显得越不好斗，效果就会更好，可能会越有效，为我们的文明在危机中幸存提供最好的机会。[61]

战争一爆发，他继续重复这些同样的观点，以及他对防御压倒性优势的断言。[62]在战争开始的前几周中，他关于防御的观点是针对英国和法国,因为他担心在德国国防军占领波兰的时候,英法可能进攻德国。他想要确保盟国不发动任何攻势。因此,他在 9 月 9 日写道:

> 宣告我们放弃将军事进攻作为打击侵略的手段将是一个有远见的举动,强化了我们的道义立场,同时可以防止国外不断出现的嘲弄和这里的希望幻灭感……它可以使我们不受干扰,尽全力地施加经济和道德压力,最好地部署我们的军事力量以应对德国打破我们"防疫线"的任何企图。这样可以将发动进攻的责任,以及(进攻)的所有劣势,扔给德国。[63]

从波兰沦陷到德国在西线发动进攻的虚假战争期间,李德·哈特实际上非常有兴趣与希特勒进行协商。实际上他在 1940 年 3 月写了一篇文章,在其中他希望希特勒认识到"已被证明的现代防御的力量",并同意签署一项裁军协议,废除进攻性武器,[64]他坚持说:

> 可能有人认为,希特勒在 1935 年缺少这些武器(坦克和重型火炮)是导致他提议废除(进攻性武器)的原因。但值得特别注意的是,打败波兰后,他在 1939 年 10 月 6 日的讲话最后,很明显以同样的言辞重申达成一个全面裁军协议的提议。这看起来是到目前为止他的和平倡议最有希望达成的时刻,但几乎没有被盟国所注意。[65]

李德·哈特一定是不顾一切地想要避免卷入在欧洲的地面战争。所有的希望在 1940 年 5 月 10 日破灭。

从这些讨论中可以得到什么样的结论?李德·哈特不怎么关注日本在远东的威胁,更少关注意大利在地中海的威胁。他有些担心阿比西尼亚危机,但是没有涉及德国的西班牙内战是这些危机中真正让他担心的。这是两场战争之间唯一一次危机(捷克斯洛伐克被卷入其中),他表现出采取具体措施保护英国利益的意愿,他的担心被证明是没有根据的,因为弗朗哥在掌权之后仍然保持中立。李德·哈特对德国威胁的看法——至少像他作品中体现的那样——在这些危机期间发生了明显的变化。可以辨别出他思考的三个阶段。他看起来在 1938 年之前没有对德国的威胁感到恐慌——对莱茵兰危机没有，对奥地利问题没有，对德国重整军备也没有。为了防止英国作出大陆承诺，他甚至开始在 20 世纪 30 年代中期证明希特勒扩展德国军队的决定实际上是在削弱它的力量，使它成为一支不那么可怕的战斗力量（第五章）。这个说法经常被阐述，在那些年中肯定使他听起来不像一个危言耸听的人。

第二个阶段覆盖了 1938 年，这一年第一次捷克斯洛伐克危机发生。他非常担心德国控制捷克斯洛伐克，他认为这个可能性将显著地改变战略平衡。尽管他不是坚定地相信希特勒如此具有侵略性，会占领整个捷克斯洛伐克，但他也没有忽略这一可能性。他的矛盾心态很自然地体现在他对绥靖的复杂看法中。

1939 年春，在张伯伦政府准备作出大陆承诺之后，他对德国威胁的评估看起来发生了根本性的变化。在这个第三阶段，他认为希特勒的要求是合理的，而英国对希特勒的压力正将欧洲推向战争边缘。自相矛盾的是，就在张伯伦政府和很多其他英国人得出结论认为，德国的威胁比他们之前认为的更加有害的时候，李德·哈特开始转向相反的方向。这种转变，我后来认为，主要是出于权宜之计，而不是任何对第三帝国意图的重新评估的结果。然而，他的作品给人的印象是只有在 1938 年和 1939 年早期，他才严肃地看待德国的威胁，即使在那时，他也不确定希特勒倾向于侵略。

至于说李德·哈特的政策建议，他不愿意威胁使用武力解决任何一次危机，或者威慑法西斯国家未来的冒险行为。他从没建议过可能导致军事冲突的政策。西班牙内战是唯一一次他呼吁英国采取具体的措施，在冲突刚刚开始后，他就支持派遣有限数量的军队支援西班牙政府。与他《回忆录》中的说法不同，他（当时）却不愿意表态反对希特勒。他在 1939 年底离开《泰晤士报》时的情况说明了这一点。认为他离开《《泰晤士报》》的原因是他与编辑就报纸支持绥靖政策的方针有分歧,这种说法是不大正确的。在 1938 年,他确实与他们就绥靖政策有些分歧,但主要是在西班牙问题上的争论使他们在那一年关系恶化。[66]不管怎样,在《泰晤士报》坚定地支持绥靖政策的时候,他继续为其撰写文章,并且在这一时期,他还与支持绥靖政策的张伯伦政府保持密切的关系。而 1939 年后期,就在《泰晤士报》以及与之联系紧密的政府都开始抛弃绥靖政策,转而支持用直接的军事力量威胁希特勒之后,他离开了《泰晤士报》。李德·哈特与《泰晤士报》决裂在很大程度上是因为他不能支持它新的评论方针,其基础就是大陆承诺。[67]简言之,李德·哈特不能支持一项外交政策建立在威胁使用军事力量对付希特勒的基础上。

李德·哈特首选的外交政策是对集体安全的口头支持,以及劝说潜在的侵略者相信防御在现代战场上的优势地位。在 1938 年之前,他没有竭力支持集体安全,当时确实有一次机会集体安全可以发挥作用,例如在阿比西尼亚危机期间。但他在 1938 年的捷克斯洛伐克危机期间才开始强调它的优点,[68]当时他想必认识到这不是一个严肃的选择。可能李德·哈特还认识到他阻止第三帝国的最大希望是让他的领导人相信第二次世界大战将与第一次世界大战非常相似,因为防御的优势地位,这或许可以解释为什么他如此关切在西班牙的事件,以及《泰晤士报》对这场冲突中战场进展的描述。西班牙被很多人视为下一场战争的实验室,法西斯在那里获胜,可以有力地证明进攻是有利的。

李德·哈特通过突出现代防御力量威慑第三帝国的努力几乎没有成功。到 1939 年很明显另一场战争正在接近欧洲,英国将深度卷入其中。而李德·哈特继续强调集体安全的智慧和防御相比进攻的优势,奇怪的是他从没作出特别的努力让德国了解这个信息。然而同时,他增加了一个新的问题:他开始定义德国的威胁。他开始论证到希特勒要求的合理性,同时认为英国决定抵抗希特勒可能会激怒他，而不是威慑他。实际上，李德·哈特在战争开始前几个月就开始接受绥靖政策。

这乍一看，显得难以置信的天真。事情肯定不是这样。毕竟，李德·哈特在 1939 年之前很清楚第三帝国造成的潜在危险，就在 1939 年 3 月 16 日，他发表评论说："在我看来，德国入侵捷克斯洛伐克最不利的方面不是证明了它的侵略企图，在这之前任何人都清楚这一点。"[69]他在英国给予波兰安全保障之后改变对德国威胁的描述，肯定不是基于任何对希特勒意图的再评估，而是出于权宜的原因：极力地希望英国避免卷入另一场欧洲战争。李德·哈特面对的问题本质是，承认第三帝国带来的真正危险会很自然地导致建立在军事威胁基础上的外交政策。这个结论反过来意味着英国将要建设军事力量，包括一支庞大的陆军，用来对抗德国。在 1939 年初，大部分的英国精英最终认识到即将到来的危险，并且政府开始了一个应急计划以扩张军备，尤其是陆军。出于绝望，李德·哈特开始重新定义（德国的）威胁，试图削弱为欧洲大陆进行军事建设的需求。在最后的分析中，驱动李德·哈特外交政策思考的是他根深蒂固的承诺，即永远不再让英国重复它第一次世界大战中在西线的经历。

第二次世界大战中的李德·哈特

第二次世界大战的开始标志着李德·哈特生命中一个漫长并黑暗时期的开端。布赖恩·邦德很了解李德·哈特，他在后来记录道："李德·哈特很少主动地谈及战争岁月。"他的《回忆录》止于法国沦陷。战争爆发时，李德·哈特年仅 43 岁，他对军事问题无疑非常了解。他本应该在那场冲突期间一直靠近决策核心，就像他在 20 世纪 30 年代那样，但事实并非如此。从那时起，有很多迹象表明他的地位急剧下降。他在战争期间的日记显示他与在伦敦指挥战争的将军和政客们没什么联系。事实上,在战争开始后不久,他就搬往郊外。他的孤立也体现在他的信件中。他主要与同为局外人的朋友通信。即使这样,关系也不总是平稳的;他的好朋友有时发现他的观点没有说服力。例如,李德·哈特在1942年10月给他在战争岁月中一位忠实的通信者埃思米·温菲尔德-斯特拉特福德写信,他写道:"我很难过您之前对我的判断的信任……已经大大减弱。"[70]

战争期间唯一与他保持定期联系的重要内部人士可能是他长期的朋友弗雷德里克"蒂姆"·派尔,他在1939—1945年是防空司令部的司令。即使在这件事上,也有证据表明李德·哈特在英国的地位大幅下跌;派尔在法国沦陷后不久告诉他,他将接受陆军部的严厉批评。[71]李德·哈特回信说:"我已经看到有关风向的各种迹象……即使也有不同,但看起来与上一次战争中霍尔丹被对待的方式有很多相似之处。"他后来提出"以顾问或督查的身份"为派尔工作。[72]派尔是一个忠实的朋友,但即使是他也不能在此时雇用李德·哈特。

李德·哈特声誉严重受损的另一个明显标志可以在战争期间对他著作的评论中找到。虽然他在第二次世界大战前后的著作得到广泛的好评,但战争期间的那些书没有得到很多评论,并且经常遭受批评。[73]例如,看一下1941年4月对《战争的趋势》的评论:

> 这不是一本书,仅仅是报纸文章,意见不同的杂文和机密的备忘录的集合,来源于过于20年尘封的文件。它们中大多数是陈旧过时的;它的主要预言都被最近的事件证明是错误的:它的主要理论受到彻底的质疑。李德·哈特上尉努力维护他在预见力和深刻见解方面的声誉,删除很多经过选择的文章,并增加介绍和脚注,目的是证明,尽管看起来他说的是错的,但他实际上是对的。结果是混乱和迷惑,李德·哈特上尉不再能预见未来。[74]

很难想象一个评论者会在20世纪30年代如此对待他。他不仅在书评中受到批评，并且在报纸文章、著作和演讲中被攻击。[75] 他的地位下跌是突然的。1939 年 7 月末，当《英国的国防》得到大加赞扬的时候，他达到事业的巅峰。随后战争爆发，他继续试图与希特勒达成和解的想法在很大程度上被忽视。他在 1939 年 9 月 8 日的日记中评论说："不到两个月之前，《英国的国防》出版，它的告诫作为明显的共识在所有地方受到欢迎。而现在一个又一个观点完全忽视了这些告诫，并且敦促以过去同样的方式向战场进军——'他们的头脑已经充血'。"[76]

战争开始本身并没有严重地损害李德·哈特的名声，尽管他的观点开始受到相当多的质疑。是法国的沦陷对他造成了第一次严重的打击。德国的胜利表明李德·哈特关于防御压倒性优势和进攻无效的说法是完全错误的。休·道尔顿回忆录中的一段评论突出了这一点：

> 我们中一些对防御特别感兴趣的人此时很好地了解了李德·哈特……我们重视他的知识、他的判断、他敏锐的悟性和他的人际关系……我在 1940 年法国沦陷的时候对他失去了信心，这也许对他不公平。因为无论在演讲和写作中，他一直坚定地认为，在现代战争条件下，防御较之进攻在地面上有很大优势，进攻只有在拥有极大的力量优势时才能成功。[77]

那时的批评者也很快地指出了错误。[78] 盟国令人震惊的失败最终表明，张伯伦政府和那些与之关系密切的人，例如李德·哈特，不仅没能威慑希特勒，而且没能在威慑失败的情况下找到一种方式挫败他的军队。现在英国不仅卷入了另一场世界战争，而且还遭遇了灾难性的失败，被置于极其不利的战略境地。毫不奇怪，所有与这些失败政策有关的人的声誉都严重受损。李德·哈特在《英国的国防》一书中将他自己与霍尔-贝利沙在陆军部的政策联系在一起，他（当然）也不例外。

然而，还有另一个原因导致李德·哈特在战争期间处于政治决策之外：他对德国威胁的看法和他对付第三帝国的政策建议与大多数英国人的想法背道而驰。他是盟国无条件投降政策的主要批评者，但却倾向于与希特勒协商。[79] 在战争的早期阶段，当英国单独对抗德国的时候，这当然不是一个完全没有道理的想法；但是在苏联和美国站到英国一边参战后，并且很明显德国一定会被打败，他仍然继续支持与希特勒达成和解。

他提供了两个论点支持他的观点。第一个也是最没有争议的是德国完全被打败会导致苏联主导欧洲大陆，这当然不符合英国的利益。[80] 第二个更有争议的论点是，希特勒基本上是一个理性的政治家，是盟国将他引入歧途。这个论点在 1939 年 3 月（英国）给予波兰安全保障之后第一次出现，在战争期间及之后成为他的主要观点。看一下他写于 1942 年 10 月的一封信的节选："深刻的心理事实是'窃贼不会谋杀'，除非他们被剥夺任何的出路……很明显希特勒不愿意开战，考虑到他的军事能力，并且从第一个下午开始，他就不断试图从战争中脱身……这与《我的奋斗》一书中揭示的潜在怀疑是一致的。"[81] 如果他想让别人相信协商解决是可行的，这个论点是必要的，为了推销这个论点，他为被控诉为野蛮政权的第三帝国辩护。例如，下面这段节选，来自他 1944 年 8 月写给他的好朋友约翰·布罗菲的一封信，当时有大量证据证明第三帝国正在有组织地谋杀犹太人：

> 简言之，19 世纪的证据看起来表明，总体上德国人最危险的品质不是想象中的特别的侵略性，而是他们的温顺和易驯服性。这是心理问题，我们需要明智地对待。
>
> 你可以更加确定地谈及战争之前的纳粹集中营。这当然为提起控告提供了大量的证据（虽然如此，让我很震惊的是，很多我的难民朋友在 1940 年被释放之后告诉我，总的来说，他们发现纳粹的集中营比我们自己的还好一些！）。我们目前掌握的最可靠的证据是来自欧洲地区，我们的力量已经将其从德国的占

领下解放出来。在这里,以及海峡群岛的案例中,可以发现,德国人的行为比我们想象的更加"正确"并且克制。[82]

他将德国和英国集中营相对比的评论说明,除了在战争中为第三帝国辩论,他还批评英国的后方制度和政策。他经常谈到英国的极权主义,暗示英国的环境至少是和纳粹德国一样差。例如,他认为在英国白厅有等于盖世太保的存在。[83]布罗菲告诉他,"你在用双重标准对待英国和德国的行为",这无疑是正确的。[84]

这个令人悲伤的故事可能暗示李德·哈特有反民主的观点,至少是同情法西斯主义,他甚至是一个反犹分子。毕竟,他的朋友富勒是一个狂热的反犹分子和法西斯主义者。[85]没有证据证明这一点。相反地,李德·哈特是一个坚定的民主守卫者和一个少有偏见的人。[86]另外,他还是一个犹太人的同情者。在他的大量文件中,我没有发现他出于宗教、种族或民族背景的原因,对任何人表示轻蔑。在这方面,他是一个宽容和正派的人。

在第三帝国的野蛮为世人所知后,他怎么能为其辩护? 他怎么能继续认为希特勒是一个理性的、负责任的政治家? 鉴于在1938年他看起来已经了解第三帝国构成的潜在危险,这是一个尤其有意思的问题。毕竟,他对绥靖主义的怀疑,源于他相信希特勒可能不会被外交让步所安抚。我认为,答案是简单的,并且现在是众所周知的:他对另一场世界大战的反对是如此根深蒂固,是如此不顾一切,这迫使他改变对纳粹性质的观点,采取了一个即使从最宽容的角度也要被描述为可耻的态度。甚至在战争肆虐时,他的一个最重要的目标是通过协商缩短战争。

注 释

1. 关于张伯伦政府的外交政策,参见 Paul M.Kennedy, The Realities behind Diplomacy: Background Influences on British External Policy, 1865—1980(London: Fontana, 1981), pt.3; Keith Middlemas, The Strategy of Appeasement: The British Government and Germany, 1937—1939(Chi-

cago: Quadrangle, 1972); Wolfgang Mommsen and Lothar Kettenacker, eds., The Fascist Challenge and the Policy of Appeasement(Boston: Allen & Unwin, 1983); Gustav Schmidt, The Politics and Economics of Appeasement: British Foreign Policy in the 1930s, trans. Jackie Bennett-Ruete(New York: St.Martin's, 1986)。

2. 最近关于 20 世纪 30 年代英国外交政策的研究显示,经济状况与对德国威胁性质的判断至少对其施加了同样的影响。绥靖政策在很大程度上是源于公众普遍认为英国无法以可接受的代价对抗德国。

3. Roy Douglas, In the Year of Munich(London: Macmillan, 1977); Keith Robbins, Munich 1938(London: Cassell, 1968); Telford Taylor, Munich: The Price of Peace(New York: Doubleday, 1979).

4. 例如,参见 Peter W.Ludlow, "The Unwinding of Appeasement," in Lothar Kettenacker, ed., The "Other Germany" in the Second World War (Stuttgart: Klett, 1977), 9—48。

5. LH to Robert Barrington-Ward, 29 Mar. 1938, 3/108;也参见 LH, "Collective Security or Increasing Isolation," memorandum for the record, 31 Jan. 1938, 11/1938/17; LH, "The Defence of Britain: Arms and Policy," Times, 14 Mar. 1935, 15—16,这是他加入《泰晤士报》之后写的第一篇文章。

6. 这是 20 世纪 30 年代后期李德·哈特写作中的共同主题;例如,参见 "The Neutrality Issue in 1914," memorandum for the record, 21 Mar. 1938, 11/1938/36b; LH to Barrington-Ward, 29 Mar. 1938, 3/108; "The Field Force Questions," Times, 17 June 1938, 17—18; "Military and Strategic Advantages of Collective Security in Europe," New Commonwealth Quarterly, 4(Sept. 1938):147; "Strategy and Commiments," Fortnightly 143(June 1938):68。

7. 关于(李德·哈特)有些担心 1931 年危机的证据,参见 LH, "Notes on the Chino-Japanese Affair," Mar. 1932, 11/1932/12b; LH, "Notes on the Chino-Japanese Affair," Mar. 1932, 11/1932/13b。《回忆录》中相关内容的页码是 1:285, 291—292, 337—338, 363,以及 2:132, 137, 142, 248。从 20 世纪 30 年代开始,他关于阿比西尼亚的主要作品包括很多短篇文章,发表在《泰晤士报》(副本收于他私人文件的第 10 部分,关键内容收录于 European Arms[London: Faber, 1937], chap.23),以及一篇期刊文章,"The Strategic Future of the Mediterranean," Yale Review 26(Dec. 1936):232—245(also pub. in Fortnightly 141[Jan. 1937]:14—24, and in Europe in

Arms, chap.9）。在《回忆录》中，他讨论了这一危机，参见 1：275—277，286—291，327—331 and 2：125—126；有很充分的理由怀疑这一描述。关于对意大利控制（阿比西尼亚）的恐惧，参见"The Strategic Future of the Mediterranean," 232—245。

8. 参见（李德·哈特）与他的编辑在 1935 年和 1936 年的通信，3/105 and 3/106。

9. 1：287；也参见 2：126。

10. 我仔细检查了他 1935 年和 1936 年的备忘录（他个人文件的第 11 部分），他与一些人的通信（第 1 部分），以及他与其编辑的私人通信（3/105，3/106）。

11. 李德·哈特写给道森的原件不在他的个人文件中，尽管李德·哈特在道森回复信件的上面打印出（他给道森信件）的概要；参见 Dawson to LH, 23 Dec. 1935，3/105。

12. "Britain's Foreign Policy：A Reflection," memorandum for the record, 20 Sept. 1938, 11/1938/98b.这份备忘录的一部分再版于 The Defence of Britain（London：Faber, 1939), 21—22。

13. "Reflections—7.2.38," memorandum for the record, 11/1938/22b. 他发表的关于西班牙内战的著作，参见 Defence of Britain, 66—73；"Strategic Future of the Mediterranean," 239—245；"Britain's Military Situation," Yale Review 28（Dec. 1938）：240—241；"Strategy and Commitments," 641—645；"Military and Strategic Advantages," 147—149。也参见 Memoirs 2：chap.4, esp.127—130, 135—144。相关的私人文件：他与编辑的通信 Times 1936—38（3/106, 3/107, 3/108）；memoranda 1936—38（sec.11 of his papers）。

14. "Strategy and Commitments," 644；参见 643—645。

15. "Strategic Future of the Mediterranean," 240.当然，李德·哈特的担心被证明是没有事实依据的。这个问题使李德·哈特和他在《泰晤士报》的编辑出现严重的摩擦，这些编辑不相信弗朗哥统治下的西班牙会对英国采取敌视政策；参见 LH to Barrington-Ward, 29 Mar. 1938, and Barrington-Ward to LH, 30 Mar. and 1. Apr. 1938, all in 3/108。

16. "Strategic Future of the Mediterranean," 239—243；Memoirs 1：chap.14.

17. Memoirs, 2：132.另参见他 1937 年 4 月 30 日写给 Barrington-Ward 的信，在这封信中，他表示"在西班牙内战中，不干涉是最明智的政策"，然后他呼吁《泰晤士报》"采取坚定的态度，坚持真正的不干涉政策"（3/107）。他也没有在"Strategic Future of the Mediterranean"推荐任何措施。

18. 关于西班牙内战，参见 Anthony Beevor，*The Spanish Civil War*（New York：Bedrick，1983）；Pierre Broue and Emile Temime，*The Revolution and the Civil War in Spain*（Cambridge，Mass.：MIT Press，1972）；George Hills，*The Battle for Madrid*（London：Vantage，1976）；Hugh Thomas，*The Spanish Civil War*，rev. ed.（New York：Harper & Row，1977）。

19. *Memoirs* 2：142；original memorandum in 11/1938/30b.也参见 11/1938/30c。

20. "Military and Strategic Advantages," 148.

21. *Memoirs* 2：143.

22. Memorandum rptd. in *Defence of Britain*，66—70；quotation on 70.

23. 参见 LH，"Note on the Reoccupation of the Rhineland Demilitarized Zone，and Hitler's Accompanying Offer—7/3/36," 11/1936/45；Brian Bond，*Liddell Hart：A Study of His Military Thought*（London：Cassell，1977），101。

24. Memorandum rptd. in *Defence of Britain*，66—70；quotation on 70.

25. 李德·哈特就第一次捷克斯洛伐克危机发表的作品，参见 *Defence of Britain*，pt. 1；"Strategy and Commitments," 645—649；"Britain's Military Situation," 230—245；"Military and Strategic Adavantages," 150—155；以及 *Memoirs* 2：chap.4.李德·哈特个人文件中关于这次危机的重要备忘录几乎以各种形式全部被纳入引用的出版物中。另参见他在 1938 年与《泰晤士报》编辑的通信（3/108）。

26. 参见这本书"Britain's Military Situation," 239，chap.7。

27. LH to Barrington-Ward，21 Feb. 1939，3/109；"Strategy and Commitments," 648—649.

28. *Defence of Britain*，24；也参见 his "Britain's Foreign Policy：Reflection," memorandum for the record，20 Sept. 1938，11/1938/98b；以及"The Strategic Problems of Europe," speech to Liberal Party，14 Feb. 1939，12/1939/3。

29. 参见 *Defence of Britain*，Chap.4。

30. 参见李德·哈特给《泰晤士报》杰弗里·道森的信，概述了他与这些编辑不断扩大的分歧，9/May 1939，3/109。他对捷克斯洛伐克危机的评论表明他在危机中不建议采取行动，并且他与《泰晤士报》的分歧主要是，他认为编辑们不会允许他警告大众德国控制捷克斯洛伐克的战略影响。另见 LH

to Barrington-Ward，20 Sept. 1938，以及 LH to Dawson，5 Oct. 1938，both in 3/108，这两封信表明李德·哈特认为英国无法拯救捷克斯洛伐克。在 20 世纪 30 年代，担忧希特勒的欧洲国家试图将应对他的负担转移到其他国家，关于这种推卸责任的做法，参见 Barry R.Posen，*The Sources of Military Doctrine：France，Britain，and Germany between the World Wars*（Ithaca，N.Y.：Cornell University Press，1984）。李德·哈特在这些年中的政策建议与这种行为模式完全一致。

31. "Talk with Anthony Eden," memorandum for the record，12 Sept. 1938，11/1938/95. LH, "Talk with Brigadier G.Le Q.Martel," memorandum for the record，28 Nov. 1938，11/1938/122 and chap.5，n.35.

32. 1938 年 3 月 24 日，张伯伦在英国议会下院做了一个重要演讲，在演讲中他说英国不会承诺保卫捷克斯洛伐克；参见"British Attitude in Europe：Mr.Chamberlain's Statement," *Times*，25 Mar. 1938，14。李德·哈特在（张伯伦）演讲第二天写道："我认为首相的演讲很契合法国-德国的总体形势，但对它处理西班牙-意大利形势的肤浅方式感到沮丧。"（LH to Barrington-Ward，25 Mar. 1938，3/108.）

33. "Britain's Military Situation," 231；relevant portions rptd. in *Defence of Britain*，74—77.也参见 LH, "Appreciation of the War Which Now Threatens," memorandum for the record，28 Sept. 1938，11/1938/103。

34. "Britain's Military Situation," 232.

35. *Defence of Britain*，22.也参见"Military and Strategic Advantages,"152，他在这篇文章中写道，"尽管捷克斯洛伐克的处境更加危险是显而易见的……我们不应该忽略当前德国资源的匮乏——以及那些反对德国的国家在持久的斗争中所具有的自然优势"。

36. "Note on the Military Aspect of the Situation," 9 Sept. 1938，11/1938/92b.也参见 *Memoirs* 2：162；Defence of Britain，76。

37. "Reflections on the Situation，Its Future and Our Policy," memorandum for the record，12 Oct. 1938，11/1938/114. 也参见"Britain's Military Situation," 243—244；"Strategy and Commitments," 649。

38. *Memoirs*，2：172.也参见 LH, The German Generals Talk（New York：Morrow，1948），x. 读者还应该注意到李德·哈特在 *Memoirs*，2：170—171 中将他自己与温斯顿·丘吉尔联系在一起，而丘吉尔最后被视为反绥靖运动的标志。在 20 世纪 30 年代后期，李德·哈特既不是绥靖政策的主要反对者，也不是丘吉尔的盟友或知己。另外，他在第二次世界大战期间严厉地批评丘吉尔，主要是因为丘吉尔主张德国无条件投降。而李德·哈特倾向与第三帝国进行协商。关于李德·哈特如何看待丘吉尔的更准确描述，参见 LH, "Churchill in War," *Encounter* 26(Apr. 1966):14—22。

39. 参见 *Memoirs* 2:chap.4。我在他的个人文件中找不到他可能引用过以支持他的立场的证据。

40. LH to Barrington-Ward，29 Mar. 1938，3/108.也参见 ibid.，8 Nov. 1939。

41. Ibid.，23 Oct. 1937，3/107.也参见"Strategy and Commitments,"649。

42. 这个讨论是基于"Field Force Question,"17—18。

43. "The Defence of the Empire," *Fortnightly* 143(Jan. 1938):29.

44. Ibid.，20—30.

45. 例如，参见"Diary Notes,"30 Jan. 1939 entry，11/1939/6；letter，*World Review* 6(Mar. 1939):65—66；"Field Force Question"；"An Army across Channel?" *Times*，Feb. 7—8，1939，15—16 for both pieces。

46. "Does the Organization of the Army Fit Its Functions?" *Fighting Forces*(Apr. 1938):32, 33；rptd. in *Defence of Britain*，chap.15.

47. "Reflections on the Situations, Its Future and Our Policy," memorandum for the record，12 Oct. 1938，11/1938/114. See also LH to Barrington-Ward，21 Feb. 1939，3/109.

48. B.Bond，Liddell Hart，104—105.

49. *Defence of Britain*，45—46.

50. 在李德·哈特 1939 年 3 月至 9 月的备忘录和日记中，有大量的证据表明李德·哈特坚决反对"波兰保证"与"大陆承诺"(参见他个人文件的第 11 部分)；另见 *Defence of Britain*，pts.1。他一生都认为"波兰保证"是一个严重的错误；参见 LH, *History of the Second World War*(London: Cassell，1970)，chap.1。

51. 参见他与埃德蒙兹的通信，这使得埃德蒙兹最后说，"我认为我们现在最好不要见面"(Edmonds to LH，24 May 1939)；也参见 LH to Edmonds，23 May and 2 June 1939，all in 1/259。

52. "Diary Notes,"16, 19 Mar. 1939 entries，11/1939/24b.

53. 李德·哈特坚决反对英国 1939 年 4 月的征兵。征兵当然是建立大规模陆军以及"大陆承诺"的必要条件。参见"Free v. Compulsory Service," text prepared for 24 Apr. 1939 debate at Cambridge Union，12/1939/39—43；"Free v. Compulsory Service," text prepared for 27 Apr. 1939 debate at Oxford Union，12/1939/44—54.关于这个时期的征兵，包括李德·哈特的观点，参见 Peter Dennis, *Decision by Default: Peacetime Conscription and*

British Defence，*1919—39*（Durham，N.C.：Duke University Press，1972）。

54. "A Reflection，" memorandum for the record，2 Apr. 1939，11/1939/35b。

55. 参见 A.J.P.Taylor，*The Origins of the Second World War*，2d ed. (Greenwich，Conn.：Fawcett，1961)。也参见 William Roger Louis，ed.，*The Origins of the Second World War：A.J.P.Taylor and His Critics*（New York：Wiley，1972）；Gordon Martel，ed.，*The Origins of the Second World War Reconsidered：The A.J.P.Taylor Debate after Twenty-five Years*（Winchester：Allen & Unwin，1986）。在李德·哈特作品中泰勒的其他观点，参见"Diary Notes，" 20 Mar. 1939 entry，11/1939/24b；"Reflections-from Diary Notes and Memoranda，" 19 Apr. 1939 entry，11/1939/25；"Reflection，" memorandum for the record，1939，11/1939/114b；LH to Esme Wingfield-Stratford，5 Oct. 1942 and 6 Sept. 1949，1/757；LH to John Brophy，7 Sept. 1941，1/112；*Defence of Britain*，24，46；*History of the Second World War*，chap.1；*Memoirs* 2:214. See also Taylor to LH，1 Oct. 1959，and LH to Taylor，5 Oct. 1959，both in 1/676。

56. 副本收于 *The Current of War*（London：Hutchinson，1941），142—147，quotation on 144。也参见 LH，"Strategic Problems of Europe"；LH to Edmonds，23 May 1939，1/259。

57. 布赖恩·邦德在 Liddell Hart，98，114 中持同样的观点。

58. "Diary Notes，" 1 Sept. 1939 entry，11/1939/75b。

59. *Current of War*，145.

60. Dalton to LH，31 Aug. 1939，11/1939/85.

61. *Current of War*，147.

62. 例如，也参见本书中的三个内容 Ibid.，151—168。

63. Ibid.，156—157.

64. Ibid.，164—188.也参见 LH，"The Best Guarantee against Aggression，"memorandum for the record，27 Feb. 1940，11/1940/10。

65. *Current of War*，168.

66. 参见他们的通信(3/108)，这表明整个 1937 年，李德·哈特与他的编辑们没有什么分歧(参见3/105-3/107)。关于李德·哈特对 1938 年他和《泰晤士报》关系的描述，参见 *Memoirs* 2：chap.4。

67. 参见 1939 年他与《泰晤士报》编辑们的通信(3/109)。也参见"Diary Notes，" 27 Aug. 1939 entry，11/1939/75b；*Memoirs*，2：236—237，258—259；Iverach McDonald，*The History of the Times：Struggles in War and*

Peace, *1939—1966*（London：Times Books，1984），5：43—45；Donald McLachlan，In the Chair：Barrington-Ward of the Times，*1927—1948* (London：Weidenfeld & Nicolson，1971)，154—167。

68. 关于第一次捷克斯洛伐克危机期间以及之后他写作中对集体安全问题的突出，以及 1938 年前他对这个政策选择缺乏兴趣，可以将 *Europe in Arms*（1937）和 *Defence of Britain*（1939）进行对比。前者几乎没有提到集体安全，而后者着重强调集体安全。

69. "Diary Notes," 16 Mar. 1939 entry，11/1939/24b.

70. B. Bond，*Liddell Hart*，121；LH to Wingfield-Stratford，5 Oct. 1942，1/757.

71. Pile to LH，16 June 1940，1/575.所有这些回应都在 1/575。

72. LH to Pile，22 June 1940.也参见 Pile to LH，26 June 1940。

73. 战争期间李德·哈特出版的著作以及包含这些评论的文件，参见 *Dynamic Defense*（London：Faber，1940），9/18/4；*Current of War*，9/19/8；*This Expanding War*（London：Faber，1942），9/20/7；*Thoughts on War* (London：Faber，1944），9/22/7. *Why Don't We Learn from History?* (London：Allen & Unwin，1944），9/21/4。

74. "A Depressing Prophet," rev. of *The Current of War*，by LH，*National Review*，116（Apr. 1941）：494.

75. 例如，参见 Ivor Halstead，*The Truth about Our Tanks*（London：Lindsay Drummond，1943），11；Irving M. Gibson［A. Kovacs］，"Maginot and Liddell Hart：The Doctrine of Defense," in Edward Mead Earle，ed.，*Makers of Modern Strategy：Military Thought from Machiavelli to Hitler* (Princeton，N.J.：Princeton University Press，1943），375—385；以及 esp. LH's correspondence with the press for 1940 and 1941，in sec. 6 of his papers。

76. "Diary Notes," 11/1939/75b.关于李德·哈特的声望在 1939 年夏天提升到何种程度，参见流传的一些照片，"Liddell Hart at Home：Off-Duty Shots of a Great Military Scientist," *Bystander*，2 Aug. 1939，172—173；also rev. of *Defence of Britain* by V.S.Pritchett in ibid.，183。

77. *The Fateful Years：Memoirs*，*1931—1945*（London：Muller，1957），175.

78. 例如，参见 A. Rhinoceros［someone from the War Office］，letter，*New Statesman and Nation*，7 Sept. 1940，234；and see Pile to LH，22 June 1940，1/575。

79. 参见 B. Bond，Liddell Hart，chap. 5；also Paul Addison，"Lloyd

George and Compromise Peace in the Second World War," in A.J.P.Taylor, ed., *Lloyd George: Twelve Essays*(London: Hamilton, 1971), 361—384。

80. LH to Wingfield-Stratford, 22 Apr. 1944, 1/757.

81. Ibid., 5 Oct. 1942.

82. LH to Brophy, 9 Aug. 1944, 1/112.关于公众对战争期间英国大屠杀的了解，参见 Walter Laqueur, The *Terrible Secret: Suppression of the Truth about Hitler's 'Final Solution'*(Boston: Little, Brown, 1980), and Bernard Wasserstein, *Britain and the Jews of Europe, 1939—1945*(Oxford: Clarendon, 1979)。

83. LH to Wingfield-Stratford, 5 Oct. 1942, 1/757.也参见 B.Bond, *Liddell Hart*, 126; LH, *The Other Side of the Hill*, rev. and enlarged ed. (London: Cassell 1951), 12—13。

84. Brophy to LH, 30 July 1944, 1/112.

85. 参见 Anthony J.Trythall, '*Boney*' *Fuller: The Intellectual General, 1878—1966*(New Brunswick, N.J.: Rutgers University Press, 1977), chap.8。

86. 参见 LH to Fuller, 6 May 1937, 1/302; "Power and Freedom," memorandum for the record, 9 May 1937, 11/1937/39; "The Universal Pattern of Self-made Despotic Rulers throughout History," memorandum for the record, 12 May 1937, 11/1937/40; "B.H.L.H.Special Diary Notes, 1934," 27 Feb. entry, 11/1934/1c; untitled note, 6 Sept. 1934, 11/1934/14; "Thoughts Jotted Down—to Be Expanded," memorandum for the record, 4 Aug. and 6 Nov. 1936 entries, 11/1936/2-25c; "'Woman Wanders—the World Wavers' or Woman and the World-quake," *English Review* 59(Sept. 1934): 312。然而，正如上面最后这篇文章(ibid., 310—325)所表明的，李德·哈特对女性的观点很传统，并且坚决反对他那个时代的女性主义运动。

第七章
李德·哈特在决策中的作用

现有文献中除了对两场战争之间李德·哈特军事思想的要旨以及主要理论形成因素的考察，还有一些有关他在决策过程中所发挥作用的讨论，但这些都不是系统的考察。这一章将满足这一需求，在第八章，我将转向最后的目标：展现李德·哈特如何在第二次世界大战后挽救他严重受损的声誉。

要评估两场战争之间李德·哈特在决策过程中的作用，需要回答三组问题。第一，他在两场战争之间给出的政策建议是什么？第二，第二次世界大战爆发之前，他对德国的政策有什么影响？他对英国的官方政策是否施加了任何有意义的影响？他的政策提议和警告是否像他所说的那样被忽视，或者他是否对官方施加了影响？第三，他的政策观点带来的后果是什么？对于如何避免第二次世界大战爆发，他是否给出了合理的建议？

关于第一个问题我已经说了很多。例如，我在前面两章相当详细地论述了李德·哈特对第三帝国所构成的威胁的思考，以及他为了应对这个威胁提出的政策建议。我还将他的观点与官方政策作了对比。然而，两个关键问题仍然存在：他是否认识到德国国防军构成的可怕军事威胁以及盟国的虚弱？他是否预料到1940年春季会发生什么？

李德·哈特在第二次世界大战后试图证明他预见到了法国的沦陷。其他人重复了这一点。例如,按照迈克尔·霍华德的说法:"在1939年应该没有人比李德·哈特更清楚英国的盟国可能被打败。很可能确实没有人更了解。"[1]然而,我的观点是他没有预料到法国的沦陷。所有现有的证据指出,到20世纪30年代后期,他坚定地相信他已经阐明的军事立场,甚至有可能在30年代中期,当他第一次转变对于闪电战和法德战斗力量相对平衡的观点时,他就意识到这种改变是权宜之计,而不是因为他实际上相信他的新观点。

一些粗略的证据支持这种权宜之计的说法。李德·哈特在1934年12月写了一篇很能说明问题的笔记,当时他刚刚发表第一篇关于防御力量不断增强的文章。[2]这篇笔记的主题是挑战正统思想的难度,因为"对新观点的直接攻击要面对它自身的阻力"。他由此得出结论,他的间接路径理论,起先被看作一种赢得战争的方式,实际上有更广阔的应用空间,事实上它是"某种实用哲学的根源"。他认为"反思使人认识到,间接路径在所有领域都是生命的法则——在所有人为因素占主导和存在意愿冲突的地方,间接路径都是解决问题的关键"。这种哲学备忘录(思考),与我们所知道的当时他的军事观点所发生的巨大变化联系在一起,说明他在有意识地转变他的(思考)路径。这篇笔记中还有很重要的一段暗示出,李德·哈特放弃闪电战不是因为他对装甲战略本身的思考已经发生变化,而是出于实现更高目标的权宜考虑:"我现在的困难是将我对(间接路径)实际价值的信仰与不断追求事实的热情相调和。"很明显,他发现他想要持有的新("间接路径")观点和"事实"之间存在矛盾。我认为这个问题与一个事实有关,即他需要放弃之前关于装甲战和法德军队相对战斗能力的观点,这肯定是他当时所相信的,可以使英国避免另一场在西线的血战。[3]没有证据表明他在20世纪30年代中期思考的变化是源于认真的分析,就像他从坚持步兵战术理论变为一个闪电战的支持者时一样。

不管李德·哈特在 20 世纪 30 年代中期如何思考他的新战略观点的有效性,随着时间的推移,他明显开始相信它们是正确的。并且有一些证据支持他的新观点。例如,法国军队在 30 年代中期发展机械化部队,他可以将此视为积极的发展。他还有一个长期持有的观念,即大规模征召的军队在战场上是非常低效的,并且德国军队必定在希特勒治下扩展规模。然而,更重要的是,他在 30 年代后期是坚定地致力于英国避免卷入下一场战争,以至于他不能允许自己怀疑他的新观点,结果是他在 1940 年春季完全误判了事态的发展。他声称他预见到法国沦陷这一说法中的缺陷可以证明这一点。

李德·哈特的公开作品或档案中没有证据可以支持这个说法。没有私人的信件和备忘录表明他有不同于公开观点的私下看法。[4]如果存在这样的证据,他怎么会不在《回忆录》中引用?别人无法相信他在私下里持有不同的观点,但只是没有把它们写下来。他总是将他的想法用文字记录下来。

另外,如果李德·哈特预料到导致法国沦陷的问题所在,却没有让决策者知晓,他就是极端不负责任。而李德·哈特不是不负责任的(人)。他非常关心他的国家,这也是为什么他要如此热心地确保英国不会陷入战争。尽管他在战争发生前的几年中经常作出错误的判断,也难以想象他面对盟国威慑立场的明显弱点却保持沉默。如果没有别的原因,纠正这些问题会有助于威慑,这毕竟是他的主要目标之一。李德·哈特如果知道 1940 年 5 月将会发生什么,他一定会尽全力警告负有责任的领导人。然而,没有任何证据表明他和任何人谈起过这些事。相反所有现有的证据表明,他对盟国应对德国进攻的前景有信心。

最后,当德国攻势在 1940 年 5 月中旬展开时,李德·哈特对它的评估说明他没有预见到结果。即使报纸报道盟国正处于极度危险之中,他坚持认为他们会阻止住德国的进攻。他认为盟国会像在第一次世界大战中一样,实现另一次"马恩河奇迹"。他完全忽视了一个事实,即如果恰当地部署坦克力量,将会赢得胜利。

一般的看法是在两场战争之间,英国和法国的决策者拒绝听从李德·哈特明智的建议,而德国的将军们却认真关注了他的军事理论,结果就是德国在 1940 年 5 月获得了令人震惊的胜利。尽管我提供了很多证据质疑英国决策者拒绝听从他的建议的说法,以及在 20世纪 30 年代无人理睬他的声音的说法,这些事情需要更加详细的思考。首先,有一个主题得到的关注很少,即李德·哈特对德国将军的影响。

李德·哈特与德国将军

大家普遍认为德国的将军们,尤其是装甲部队的指挥官,在装甲战知识上得益于李德·哈特颇多,因为他们接受了他的闪电战观点,并且在战争早期取得了一些辉煌的胜利。这个故事绝非事实,而在很大程度上是李德·哈特在第二次世界大战后制造的神话,目的是挽救他受损的声誉。他如何制造了这一神话是下一章要讨论的内容。这里我只想质疑他对德国闪电战思想的发展产生巨大影响的说法。

然而,难以确定 20 世纪 30 年代李德·哈特的思想在德国的知名度如何。在这段时期,他认识的政府内外有影响力的德国人很少。当然有一些证据表明他的一些观点在德国广为人知。例如,很有权势的帝国国防委员会执行秘书莫里斯·汉基爵士在 1933 年告诉李德·哈特,他"从柏林的一个高级军事机构听说……他和富勒的作品在德国军队中得到广泛阅读和迫切期待"[5]。德国流行的期刊和报纸也经常评论他的著作。[6]1939 年 7 月底,当时德国正在压迫波兰作出让步,德国当局极力强调英国和法国根本无法帮助波兰。纳粹的宣传机器坚持认为英法两国无力发起进攻，只能保持防御姿态。正如《纽约时报》在柏林的记者所记录的，"被用于证明这一观点并在德国媒体中广为人知的权威，首先就是李德·哈特上尉，他被称为'最伟大的对德军事评论家'，然后是前英国海军大臣阿尔弗雷德·达夫·库珀"。[7]但除了这个证据之外，没有其他证据说明李德·哈特对德国20世纪30年代的政策辩论有很大影响力。这一时期的学者也没有提供关于他影响力的证据。

　　然而，让我们关注一个具体的问题，即李德·哈特是否影响了德国人对闪电战的思考。李德·哈特关于装甲战写作的基本特点可以对他所谓的影响力提出严重的质疑。正如我之前表明的，他关于闪电战的观点出现于他开始建立声誉的时期，这些观点从没在一篇文章中完整地展示出来，更不要说在一本书中。那么当时的德国将军们怎么可能从他的著作中了解到闪电战？很明显李德·哈特意识到这个问题。他在1953年5月告诉切斯特·威尔莫特，"关于坦克理论对'扩展急流'思想的接纳——无论在这里还是在德国——不是源于任何一本书中对这个思想的阐述，而是因为我现有的关于军事部署的文章对这个问题的反复强调"。[8]这些"流行文章"大部分刊登在《每日电讯报》上，[9]他没有在任何一篇文章中展示他对装甲理论的早期思考。他在后来也很少提到这些文章，这说明他不将这些文章视为他观点的首要源头。

　　另外，李德·哈特在20世纪30年代放弃了他关于装甲战的先进观点，转而支持在现代战场上进攻无效的观点，他还不断重复这个信息。如果德国的将军们，尤其是海因茨·古德里安和埃里希·冯·曼施坦因，曾经是李德·哈特的信徒，应该会对德国对抗盟军的前景持完全不同的观点。[10]毕竟，李德·哈特30年代著作的目的在于阻止而不是促进闪电战思想的发展。

　　如果李德·哈特在德国确实有影响力，可能是源于他关于防御力量的观点。在战争之后，曾为古德里安和隆美尔工作过的德国将军弗里茨·拜尔莱因告诉李德·哈特，"你的著作：《步兵的未来》《动态防御》《当英国走向战争》和《武装的欧洲》尤其得到我们的认可，但你的权威著作《间接路径的战略》当时仍不为我们所知"。[11] 这些著作中没有任何一本包含他早期有关闪电战的文章。《武装的欧洲》和《当英国走向战争》确实包含他的一些关于防御优势的重要文章。德国的将军不可能在这些书中找到对他们在装甲战方面进步观点的支持。富勒在 1935 年对柏林进行一次访问之后，富勒告诉李德·哈特，他看见德语版的李德·哈特关于劳伦斯的著作，他还被告知《步兵的未来》一书已经被翻译，并且吸引了"冲锋队二号指挥官的注意"。[12] 这些书也不包含任何关于闪电战的内容。

传递他闪电战思想的渠道会是他与德国将军们的私人联系么？这看起来也是不大可能的。在两场战争之间，他与德国的军事领导人只有有限的联系，但与后来和他的声誉相关的著名将军们没有任何联系，例如古德里安、隆美尔和曼施坦因。他主要的联系对象是陆军元帅维尔纳·冯·布隆贝格和瓦尔特·冯·赖歇瑙，他对他们都不是很熟悉。这两个人都对坦克战持有进步性观点，但没有迹象表明李德·哈特与他们交流了闪电战的观点。[13] 他在《回忆录》中暗示当《谢尔曼》被翻译成德语的时候，德国将军们就了解到他关于深度战略突破的观点，但正如我已经表明的，在《谢尔曼》和两场战争之间的任何其他著作中，都没有关于深度战略突破的讨论。[14] 在他与布隆贝格唯一一次谈话的备忘录中，李德·哈特没有提到"闪电战"，事实上，他记述了这次会面："我的《福煦》等作品中最打动他的是对防御力量和灵活防御可能性的强调。他说正在训练中纠正对进攻力量的迷信。"[15] 李德·哈特没有将这一引述放在他的回忆录中。[16] 最好的情况可能是，德国国防军中有先进思想的人了解到李德·哈特对装甲战的一些早期洞见，并且在这个基础上加以发展，但同时明智地摒弃了他在 20 世纪 30 年代以后的思想。如果这个假设是真实的，在战后就应该找到一些确实的证据。李德·哈特对很多战败的德国将军的访谈却没有产生这样的证据。[17]在《德国将军谈话录》(1948年)一书中,李德·哈特记录了那些战后的访谈,他没有提出任何证据可以证明他所声称的影响力。

1949年后期,当李德·哈特第一次联系上古德里安和已故陆军元帅隆美尔的家人,他的命运开始出现转机。不久他就全身心投入古德里安回忆录(《装甲战领导人》)的出版和《隆美尔档案》的编辑工作。他利用这两位著名的将军,以及略显次要的曼施坦因,他证明他曾影响了闪电战在德国的发展。曼施坦因的案例有些牵强。在两场战争之间,他不是装甲战的支持者,所以在那个时期他不大可能受到李德·哈特关于闪电战著作的影响。然而,他曾经深入参与策划德国在西线发起的进攻。[18]他是一个著名计划的主要策划者,即将德军进攻轴心从比利时北部移到阿登纳地区。李德·哈特很清楚这一事实,他在战后宣称曼施坦因将主要进攻放在阿登纳地区的绝妙想法来自他的著作。而曼施坦因却拒绝认可这一没有证据支持的说法。

关于李德·哈特在两场战争之间对隆美尔的影响是明确的。在这段时期,隆美尔是一名步兵军官,他反对古德里安关于坦克具有革命性潜力的说法。引述李德·哈特的说法,"在战争之前,他是一个非常有热情的步兵支持者,因此反对那些鼓吹坦克战的观点"。[19]另外,与曼施坦因不同,他没有参与在西线发起攻势的策划。如此李德·哈特只能试着说明战争期间他对隆美尔产生了影响。但隆美尔和李德·哈特之间的关联与德军在法国的胜利没有关系。

因此关于李德·哈特的影响力就有赖于海因茨·古德里安了,李德·哈特曾经称他为"闪电战首相"。[20]古德里安不仅是德国装甲部队的主要构建者之一,还是使法国沦陷计划的主要谋划者。这里有一个有意思的故事。古德里安回忆录《装甲战领导人》的英文版中有两个关键的段落表明,李德·哈特对古德里安闪电战思想的发展有很大的影响:

> 富勒、李德·哈特和吉法德·马特尔将军(一个英国的坦克

专家)这些英国人的著作和文章激发了我的兴趣并给予我思想的食粮。这些有远见的军官当时就致力于使坦克成为比协助步兵更有力的武器。他们认为坦克关系到我们这个时代机械化的提升,因此他们是大规模新型战争的先驱。

我从他们那学到集中装甲力量,正如康布雷战役中所应用的。另外,是李德·哈特强调使用装甲力量进行远程打击,破坏敌军通信系统,并提议建立一支装甲部队,将装甲和装甲步兵力量结合起来。深受这些观点的启发,我试图发展这些观点使其适用于我们的军队。因此,我们未来发展的很多思路得益于李德·哈特上尉。[21]

以上这段陈述引人注目,不仅因为古德里安表示李德·哈特对他的闪电战思想产生了重要影响,更具体的是他看起来想说明他从李德·哈特那里获得了深层战略突破(远程打击)的观点。他承认这些当然动摇了我的说法,即李德·哈特直到第二次世界大战结束才理解深层战略突破的重要性。第二段看起来是一个关键的证据,表明李德·哈特与古德里安的思想发展有关。

然而,这个故事还有其他情节。第二段没有出现在《装甲战领导人》的德文版中,[22]德文版中只能找到第一段。李德·哈特完全参与到古德里安回忆录的英文版编辑工作中,他对第一段中简要的承认并不满意,他建议古德里安在英文版中增加一些关于李德·哈特影响力的叙述。李德·哈特暗示他应该说出他所想的内容,古德里安接受了他的提议。确切地说,李德·哈特在1951年4月6日给古德里安写了一封信:

> 我很感激您在(第一)段落中说的内容……我想富勒和马特尔也是一样。这是非常慷慨的认同。但是由于我们之间特别的关系,并且要我给您的著作撰写前言,人们会想为什么没有单独提到我的文章让您学到了什么。您可以加入一段话说明是我强调使用装甲力量进行远程打击,破坏敌军通信系统,并提议建立

一支装甲部队,将装甲和装甲步兵力量结合起来,并且这些观点让您印象深刻。这段话的合适位置应该放在……我将很感激如果您愿意插入一两句话。

古德里安在 4 月 23 日的回信中包含了这个著名的第二段,几乎是逐字重复了李德·哈特信中的要点。[23] 这次通信可以很清楚地说明,这个关键的第二段不能作为李德·哈特影响了古德里安的有力证据。因此他的影响力只能依赖第一段的陈述。

我们没有理由质疑第一段的合理性,因为没有证据表明古德里安是在李德·哈特的敦促下写了第一段。而且,古德里安在写于 20 世纪 30 年代中期的《装甲战领导人》(德文版)中也简要指出,他认识到李德·哈特和富勒以及马特尔一起是英国军队机械化的主要支持者。[24] 古德里安明显很熟悉李德·哈特的名字以及他早期坦克思想的发展轮廓。李德·哈特在 20 世纪 20 年代被普遍认为是军队机械化的支持者,而古德里安是德国发展强大装甲力量的主要支持者。古德里安在战后告诉李德·哈特,"我第一次阅读您的文章是在 1923 年或 1924 年。我读了《英国何时走向战争》《步兵的未来》,以及《现代陆军的重塑》",[25] 最后一本包含了李德·哈特关于"闪电战"的一些早期作品。然而,第二段内容并不能说明李德·哈特的作品有很大影响力。第一段只能说明李德·哈特和其他英国装甲力量支持者的作品一起,激发了古德里安对装甲战的兴趣,以某种方式促进了他对闪电战的早期思考。这无论如何都很重要,但是这并不能说明古德里安就是李德·哈特的信徒。

也没有其他证据支持李德·哈特有很大影响力的说法。在撰写受质疑的第二段话之前,古德里安从未表明李德·哈特的作品对他的理论发展非常重要。例如,古德里安在最早给李德·哈特的信件之一中描述了他对坦克战兴趣的发展,但是在讨论他对闪电战思考的发展时没有提到李德·哈特的名字。[26] 另外,肯尼思·麦克塞在他出色的古德里安传记中,也没有找到任何证据表明李德·哈特对这

位装甲将军的思想发展产生了非常大的影响。事实上,古德里安的大儿子告诉他:

> 据我所知,是富勒给出了最重要的建议。我父亲在战前曾拜访他。富勒作为一名活跃的军官明显比李德·哈特上尉更有能力……至少我的父亲经常提到他(富勒),而我不记得他当时提到其他的名字(1939 年之前)……似乎是通过战后的沟通,才更多地强调李德·哈特。[27]

另外,李德·哈特不可能有很大的影响力,因为他关于闪电战的作品很少。支持这一说法的证据可以在《装甲战领导人》的德文版中找到。古德里安同时提到了李德·哈特、夏尔·戴高乐、富勒和马特尔的名字,但是他没有在参考文献中列出任何李德·哈特的作品,不过他确实引用了其他三位的相关作品。[28]

最后,尽管李德·哈特对古德里安在 20 世纪 20 年代的思考明显地有一些影响,这位将军无疑拒绝接受李德·哈特 30 年代关于防御处于优势的观点。[29]如果古德里安在 1939 年是李德·哈特的信徒,他毫无疑问会反对在西线展开进攻。相反,他坚信装甲攻势将成功击败同盟国。[30]因此李德·哈特在闪电战方面的影响力只局限于 20 年代,不是影响古德里安思考的主要因素。总之,我无法证明李德·哈特在两场战争之间对德国闪电战思想的发展有显要影响,并且德国在 1940 年 5 月发起的攻势是他的信徒将理论付诸实践,对于这些被广泛接受的说法,我没有找到什么证据。[31]

20 世纪 30 年代李德·哈特在英国的影响力

外界普遍认为,李德·哈特在两场战争之间处于被孤立的状态,他的大部分观点被英国政策制定者所忽视,尤其是英国的将军们。

他缺乏影响力,主要是因为他的个人观点与官方政策完全相反。例如,外界普遍相信,英国和法国的将军们拒绝聆听李德·哈特关于装甲战的明智建议,因为他们对如何在西线防御德国的进攻有完全不同的观点。结果就是法国沦陷,李德·哈特这个被拒绝的先知只能"袖手旁观"。[32]

现在这些事情已经非常清楚,李德·哈特在决策过程中的地位和从前的说法完全不同。在战争之间,他完全融入英国的决策圈,他的观点不仅得到认真的对待,而且经常和官方政策一致。据他自己承认,他在做军官时期,高级官员很认真地对待他,他在离开军队并加入《每日电讯报》以后,也没有被决策者忽视。事实上,从20世纪20年代后期到30年代初期,他一直和英国的军事精英保持联系。他到《泰晤士报》工作后,他肯定也是外交决策群体的一员。鉴于他在《泰晤士报》的地位和他与霍尔-贝利沙的紧密工作关系,很难想象别人会将他视为局外人。1938年1月,当时李德·哈特正在帮助霍尔-贝利沙重组军队,《每日电讯报》的主编对他说:"我听说他们已经让你成为帝国总参谋长了。"同一个月,一位内阁大臣以调侃的语气问他:"作为帝国总参谋长,对于在远东的政策,你会给内阁提出什么建议?"[33]在之前的一个月,哈特在祝贺克莱夫·利德尔将军被任命为副统帅时,这位将军对他说:"我认为我的任命得益于你。"[34]毫不夸张地说,由于与霍尔-贝利沙的合作关系,李德·哈特在一段时间内就是"非正式的帝国总参谋长"。[35]总之,李德·哈特在英国完全没有受到孤立,无论是20世纪20年代还是30年代。

然而,问题仍然存在:李德·哈特在20世纪30年代对英国的政策施加了多大影响?决策者认真对待他的观点不能说明他发挥了多大影响力,并且很难衡量他的影响力,没有政府职位,他就不能直接参与到张伯伦政府的政策讨论中(当然他作了霍尔-贝利沙一年的非正式顾问,一定会对这位国防大臣的想法产生影响)。相反,他的影响力大部分来源于他被广泛关注的作品和他与一些特别人士的联系。

影响力是让别人改变他们的观点或者引导关于一个新问题的思考和塑造其他人思考问题的方式。李德·哈特 20 世纪 30 年代在英国没有这么大的影响。他很少能抓住一个正在出现的议题并塑造别人的思想。他的观点通常与官方政策或者有影响力的特殊群体保持一致。他不是像他自己描述的,是一个打破旧有观念的人,在 20 世纪 30 年代他极为受到推崇的原因是他会告诉别人他们想听到的内容。两位知名高级官员对李德·哈特《武装的欧洲》一书的评价可以强化这个观点。皇家空军元帅特伦查德子爵在这本书出版之后写信给他说:"您写的文字都是我自己想写的东西,如果我有能力写作……非常出色。"少将约翰·肯尼迪也同样赞美了这本书:"这本书里都是我一直想说的内容,但是我自己却无法表达……你提供了一个无可争辩的观点,反驳了未来战争的荒谬——我希望它能被世界所有的好战者看到。"[36]李德·哈特的书只是以一种有力的方式强化了这些官员的倾向。很多对这本书的评论都是正面的,这说明肯尼迪和特伦查德的观点都不是不同寻常的。事实上,从 20 世纪 30 年代开始,对李德·哈特很多著作的评论表明他的核心观点都为国人共享。[37]

让我们从一个不同的角度来看待影响力这个问题,把李德·哈特在 20 世纪 30 年代对政策议题的思考与官方观点进行对比。想一下李德·哈特整个 30 年代都在反对的"大陆承诺"。在整个那段时期,英国政府都对"大陆承诺"没有什么热情,张伯伦政府在 1939 年初只是十分犹豫地接受了"大陆承诺"。另外,军队对于承诺在欧洲大陆战斗也没有什么热情。李德·哈特错误地认为将军们急于筹建一支将用于欧洲的军队,并且大力推动筹建军队。[38]大多数将军确实认识到,如果战争在欧洲大陆爆发,英国一定会被卷入其中,十有八九要另外建立一支大型军队。[39]尽管有这种宿命论,在 20 世纪 30 年代很多军队领导人不愿意坚持英国应该为欧洲大陆准备一支军队。简单地说,李德·哈特在这个重要问题上的观点与英国决策者一致,包括很多军队的将军。他关于大陆承诺的作品被广泛接受,原因在于他一直在"迎合大众的观点"。

想一下李德·哈特在进攻和防御战略之间选择的观点。他认为将军们坚定地致力于建设以进攻为导向的军队,没有认识到防御的力量。事实上战争之间的将军们对进攻的热情很小。认为李德·哈特在20世纪30年代与一小群将军陷入论战,这些将军倾向于支持进攻,并认为使用坦克或其他武器可以快速获得决定性胜利,这基本不符合当时的事实。李德·哈特对防御力量的观点和当时大多数将军的观点是相似的。[40] 相信坦克可使进攻力量再次占据优势的英国官员只是少数,他们也是李德·哈特最信任的官员,因为他们在20世纪20年代形成的紧密关系,当时李德·哈特也相信坦克可以作为进攻性武器。李德·哈特和多数将军们在选择进攻还是防御问题上没有明显分歧,他们对一个重大问题的观点可以说明这一事实,即盟军是否应该在1939年9月1日至1940年5月10日之间对德国展开进攻。盟军在战争之前和虚假战争期间的行为基本与李德·哈特认为进攻无用的思想相一致。[41] 他当然非常高兴盟国选择保持防守,并且他对盟军在虚假战争期间的防御状态也没有疑义。

李德·哈特确实在1938年的捷克斯洛伐克危机期间对绥靖政策表达过担忧。然而,他并没有呼吁政府放弃这一有争议的政策,毫无疑问他没有什么替代的建议。他只是对绥靖政策的有效性表示怀疑。这件事没有表现出他的影响力,他没有试图改变当时的政策。

20世纪30年代大部分时间里,李德·哈特对英国的影响非常小,不是因为他的观点与政府相反而被孤立,而是由于他的观点大部分与政府的思维一致。他是一个重要人物,不是因为他施加了真正的影响,而是因为他是大多数英国人观点的代言人。只有在二十年和平的最后几个月,当他的国家开始准备与第三帝国的战争时,李德·哈特的观点才与主流脱离。在那时他才试图施加真正的影响力。不幸的是,他的努力以失败告终。

李德·哈特观点的后果

因为不能将李德·哈特对闪电战的思考与法国沦陷或其他第二次世界大战早期的事件联系在一起，对他军事理论带来影响的评估必须聚焦于他提出的防御在现代战场上占有优势的观点，他在希特勒掌权后的几年中一直鼓吹这一观点。如果所有欧洲国家的决策者都了解并且接受李德·哈特关于防御占优势的说法，1940 年在西线的战争就不会发生。在征服波兰之后，德军就应该会停留在齐格菲防线之后，而盟军应该待在马其诺防线之后。盟军的行为当然与李德·哈特鼓吹的进攻无用论完全一致。德军最终推翻了这一逻辑，发动了进攻。事实上有一些德国将军的想法与李德·哈特的观点有些相似，[42] 他们坚定地反对希特勒要求在西线发起进攻的命令。[43] 但尤其讽刺的是，正是古德里安和曼施坦因这两位后来被描述为李德·哈特信徒的高级军官拒绝接受他的进攻无用论，相反他们坚持德国国防军可以快速打败盟军。如果这些被称为李德·哈特信徒的人认真对待他的作品，战争早期的进程就会完全不同。

也许会有人认为，尽管李德·哈特尝试威慑第三帝国没有成功，他的努力也是值得的。但情况并非如此，盟国接受李德·哈特倡导的政策，避免作出大陆承诺，没有联合发起进攻，这两个建议使威慑德国变得非常困难，严重削弱了盟国应对纳粹威胁的能力。我们永远不会知道是否存在什么方式使得英国能够避免与德国发生战争。我们确实知道李德·哈特的政策建议阻止了可以实现这一结果的最好战略。它们（李德·哈特的政策建议）不仅削弱了威慑力量，而且使得英国军队在威慑一旦失败之后对战争毫无准备。

盟军的缺陷不能简单地归咎于李德·哈特。不能让一个人对现代民族国家安全政策的成功或失败负责。李德·哈特没有担任重要的决策职位,当然也不是英国 20 世纪 30 年代外交与军事政策的主导力量之一。但是在如何应对第三帝国的问题上他帮助构建并维持了坚定的共识,这一共识至少持续到 1939 年初,他当然应该承担一部分责任,尽管其他人需要为威慑希特勒的失败承担主要责任。

英国军队的规模和形态在很大程度上由英国对大陆承诺的态度决定。如果作出这个承诺,就有必要为可能在欧洲大陆发生的战争维持一支强大的、训练有素的常备军,并且能够通过动员快速提升它的规模。没有这一承诺,则只需要一支小规模的能够在帝国范围内维持治安的军队,而不需要在欧洲进行一场大型战争的军队。1937年 12 月,英国明确地决定不为一场欧洲陆地战争作准备,因此忽略它的军队建设,再加上军队之前一些年的经费很少,这些因素给英国军队构成了灾难性的影响。它陷入年久失修的状态,甚至有人怀疑它还能否执行维持帝国治安的任务。[44]当英国在 1939 年初最终接受"大陆承诺"的时候,它的军队处于十分糟糕的状态。不幸的是,军队在战争爆发前只有 5 个月时间修正这些问题,只有 13 个月时间准备应对德国在西线的进攻。批评者宣称英国军队没有准备好在战场上面对德国国防军,他们当然是对的。李德·哈特将这不幸的局面归咎于毕灵普上校的领导,而不是没有为战争作好准备的政治决策,而这样的决策正是他坚定支持的。

毫无疑问,李德·哈特当然清楚拒绝作出"大陆承诺"会使军队保持弱小状态。陆军元帅德弗雷尔还是总参谋长的时候曾两次告诫李德·哈特,他在《泰晤士报》上反对"大陆承诺"的文章"百分之百地增加了陆军从政府获得经费的难度。它导致部长们认为'只需要警察'"。李德·哈特的亲密朋友蒂姆·派尔在 1937 年 12 月 22 日的内阁会议后不久告诉他,霍尔-贝利沙"告诉内阁,新的军队政策可以让他在坦克支出上节省数百万"。从这里我们可以看到为什么在战争开始的时候,英国军队只有很少数量的坦克。同样,坦克力量的支持者马特尔将军在1938年11月下旬询问李德·哈特,他是否可以做点什么缓解他最近在《泰晤士报》上发表的一封信的效果,这封信争论说"不需要将在欧洲大陆使用的军队"。马特尔担心这封由一位杰出军官写的信"可能会导致政府停止发展坦克项目——尤其是新的重型克里斯蒂坦克"。两周以后,埃德蒙兹将军告诉他,"霍尔-贝利沙已经扼杀了陆军。我们下一次不应该再这么做"。[45]李德·哈特并不赞同这些观点。一支弱小的军队可以抑制在欧洲大陆使用它的诱惑。

有人可能会认为,尽管李德·哈特不支持建设地面力量,他还是作出了有价值的贡献,帮助军队聚焦于建设一个强大的陆基防空系统。正如他的《回忆录》中所反映的,李德·哈特坚定地支持军队将微薄的经费用于建设这些力量。没有人会在原则上反对分配一部分经费建设有效的陆基防空体系,尤其是在20世纪30年代后期,英国非常担忧德国的空中打击。然而投资防空力量不可避免地会分割步兵和装甲部队的微薄经费,而它们将构成任何派驻欧洲大陆力量的核心。因此在整个20世纪30年代后期,在投资建设防空力量还是传统作战部队的问题上,军队内一直存在矛盾。德弗雷尔早在1936年12月就告诉李德·哈特,"建设防空力量的需求正在威胁陆军的(经费)供给"。李德·哈特的好朋友、装甲力量的支持者珀西·霍巴特将军在1938年5月告诉他,整个军队中弥漫一种感觉,"一定不能允许对防空力量的重视影响建设一支大规模陆军"。那一年的早些时候,1939—1945年担任防空司令部负责人的派尔告诉李德·哈特,当时的总参谋长戈特正在阻止发展防空力量,"因为担心这会削减对远征力量的投入"。李德·哈特非常清楚这两项任务之间的尖锐矛盾。他在1938年5月《泰晤士报》上给巴林顿-沃德的信中写道:"我越来越担心陆军的发展速度……最让人沮丧的是这个国家的防空状况。对发展大规模地面军队的潜意识需求是(导致这种状况)的一个强大因素。"[46]

基于这样的权衡,李德·哈特支持在发展防空力量方面做更多的投入,借此使地面部队保持虚弱状态。李德·哈特的死敌蒙哥马利-马西伯德将军在德国发起西线进攻前不久的一次公开演讲中,断然指责李德·哈特导致了陆军的这种虚弱:

> 我们现在有三支远征力量,在很大程度上是由于李德·哈特和他这样的人,远征力量没有得到应有的完善装备。

> 如果我站在那个人的角度,会感觉很抱歉并且良心上过不去。他将上一场战争中很多人的丧失归咎于海格伯爵和英国的将军们,但是我想知道在那个人和像他一样的人的教导下,有多少生命会在这场战争中丧失。[47]

一支弱小的英国军队不仅不能在战场应对高效的德国国防军,也不能起到威慑希特勒的作用。威慑第三帝国的可能性依赖于在西线有一支强大的战斗力量,使得德国国防军难以快速取得决定性胜利。李德·哈特一直持防御占优势和进攻无用的言论,他很了解让德国人相信不可能在战场上取得胜利的重要性,但是他没有言论并敦促盟军作必要的军事准备。他宁愿让法国在西线独立应对。不仅可以从第一次世界大战中看出法国自身不是强大德国军队的对手,而且到 20 世纪 30 年代后期为止,两个情况的发展进一步弱化了法国的地位。第一,法国和德国在经济力量和人力资源方面的差距在 20 世纪 20 年代初期到 30 年代后期不断扩大,这是获得军事成功的两个重要因素。[48]第二,法国和苏联在 30 年代没能结成像 1914 年之前那样的同盟;如果法国要以两线战争威胁希特勒,它就只能依靠陷入争吵的东欧小国,这不是有希望的选择。

李德·哈特当然很清楚如果英国作出大陆承诺并建立必需的地面部队支持法国,就可以增强对德国的威慑。在 1938 年的捷克斯洛伐克危机期间,他研究的问题是如果英国在 1914 年之前明确地承诺支持法国,是否可以阻止第一次世界大战的发生。[49]他的结论让人非常吃惊:"尽管没有什么结论是完全确定的,现有证据有力地表明,如果英国能够明确地表明其意图,促使德国政府及时地约束奥地利,战争就有可能被避免。"[50]然而,尽管在 1938 年和 1939 年早期有迹象表明事态在朝相反方向发展,李德·哈特却不能接受他的观点产生的必然结果并赞同接受"大陆承诺"。他只是不愿意再支持他一直重复的观点,即德国的进攻会失败。他的不情愿只能弱化威慑的前景。

迄今为止的讨论都集中于在西线建立强大军力,阻止第三帝国对法国的进攻。盟军还关心是否能阻止德国在东部发起进攻,这不仅是一个目标,而且可以对他们在西线的形势产生重要意义。法国和英国不能允许希特勒在东部打败他们的盟军、稳固态势,然后集中所有力量对他们发起攻击。如果战争是不可避免的,他们宁愿迫使德国在两个方向进行战争。德国当然一直担心同时在两线陷入战争,希望轮流对付敌军。因此如果德国认识到不能仅在一个方向进行战争,威慑就有可能奏效。

德国在两翼的对手需要具备进攻能力以确保展开两线战争。这样的能力会使德国难以在打击一个对手的同时不受另外一个对手进攻的约束,这样就可以制造真正的两线战争。相反,如果德国的两个或一个主要对手拘泥于严格的防御战略,不对德国发起进攻,德国就可以一次对付一个敌人。这里的逻辑不是盟军简单地采取进攻战略,因为如果德国首先在西线发起进攻,盟军毫无疑问地想要保持防御状态而不重复 1914 年的错误。如果德国首先在东线发起进攻,盟军就需要采取进攻战略。而盟军在 20 世纪 30 年代后期采取的当然是防御战略,因此当德国在 1938 年和 1939 年分别进攻捷克斯洛伐克和波兰的时候,他们没能成功威慑希特勒。他们事实上允许希特勒稳固了在东线的战果,然后集中大部分军事力量对付他们。因此,在德国军队打败盟军之后,希特勒就转向对付苏联。

李德·哈特很清楚迫使德国预期将在两线陷入战争所带来的威慑效应,他对德国控制捷克斯洛伐克的担忧显示出这一点。然而,如果希特勒首先在东部发起进攻,他仍然坚决地反对采取进攻战略。例如,他在整个捷克斯洛伐克危机期间强调,法国支持捷克斯洛伐克而发起进攻不能成功地解决危机。他努力劝服盟军不要支持任何形式的进攻,尽管他理解用两线战争威胁希特勒的重要性,他还是没能敦促盟军发展必要的军事战略以给德国造成真正的威胁。不确定的是,采取这样的战略是否能够有效威慑希特勒。然而,很明显的是,采取进攻政策会比李德·哈特的纯防御战略有更大的机会,防御战略使得希特勒可以逐个地对付敌人。

有一种观点认为,尽管对李德·哈特的批评可说的很多,但是应该认识到,任何可选择的政策都会受限于英国将军的无能,这些将军完全不能被赋予指挥强大军队发起进攻的重任,这种观点可以被轻易地反驳。这些在 20 世纪 20 年代和 30 年代领导英国军队的将军不是李德·哈特在后来所成功描绘成的井底之蛙。相反,正如我所展示的,他们大多很有能力,有理由相信他们可以建设一支强大的军队,如果希特勒威胁在东线发动战争,可以给他施加强大的压力,或者在西线抵御德军的进攻。

注 释

1. Michael Howard, "Liddell Hart," Encounter 34(June 1970):41.泰勒同样宣称(这点),"A Prophet Vindicated," rev. of *Memoirs*, vol.2, by LH and *The Theory and Practice of War*, ed. Michael Howard, Observer, 31 Oct. 1965, 27。

2. Untitled note, 20 Dec. 1934, 11/1934/32.这篇文章名为"Speed! -and More Speed! -in War," New York Times Magazine, 2 Dec. 1934, 3—18;仔细研读(这篇文章)将证明我的观点。

3. 李德·哈特在第二次世界大战之后给他的儿子艾德里安的信中写道,"我自己发现生活总是要在一个人的理想和境况之间作出不可避免的妥协。为我们面临的问题寻找任何直接的解决办法都是徒劳的,但是间接路径是一种哲学,也是一种战略"(罗伯特·波考克的 BBC 广播节目中曾引用这段话)。"Liddell Hart: The Captain Who Taught Generals," a copy of which is in *Listener*, 28 Dec. 1972, 892.

4. 李德·哈特在战争后暗示,他曾私下警告法国的防御弱点;参见 LH to Edward Mead Earle, 24 Apr. 1946, 1/255/6。没有证据可以证明他的说法。

5. Hankey to LH, 27 Dec.1933, 1/352.也参见 Andrew Throne to Hankey, 22 Mar.1946, 13/45。

6. 例如，参见 the many German reviews of *The Defence of Britain*(London: Faber, 1939) in 9/17/9。

7. Otto D.Tolischus, "Reich Press Hails Submarine Fleet," *New York Times*, 26 July 1939, 8.

8. LH to Wilmot, 14 May 1953, 9/24/30.

9. 他个人文件中第 10 部分的副本。

10. 关于古德里安和曼施坦因的观点，参见 John J.Mearsheimer, *Conventional Deterrence*(Ithaca, N.Y.: Cornell University Press, 1983), chap.4。

11. Bayerlein to LH, 15 Feb.1950, 9/24/50.

12. Brian Bond, *Liddell Hart: A Study of His Military Thought*(London: Cassell, 1977), 219.

13. Correspondence with Reichenau in 9/24/87;没有与布隆贝格的通信,他与李德·哈特唯一的联系应该是在 1932 年的裁军会议上;参见 *Memoirs* 1:171—172, 200—203; LH, "Talk with Gen.-Lt. von Blomberg-8/3/32," memorandum for the record, 11/1932/9。

14. *Memoirs* 1:171—172;也参见 *Memoirs of General William T. Sherman*(Bloomington: Indiana University Press, 1957), xiv; LH, Introduction, *From Atlanta to the Sea*, by William T.Sherman, ed. LH(London: Folio Society, 1961), 14—15。

15. "Talk with Gen.-Lt. von Blomberg."

16. 李德·哈特在战争之后写到这次会面:"他告诉我,我书中对谢尔曼战术(深层战略突破)的阐述令他印象深刻,并且正将之应用到他所指挥的军队训练中。"(*Memoirs of General William T.Sherman*, xiv)(他的)备忘录不能证实这一点。另见 *The German Generals Talk*(New York: Morrow, 1948), 23,在这本书中,李德·哈特宣称,正是由于布隆博格对他关于进攻战略的观点感兴趣,"使得我们开始联系"。

17. 这些采访的记录收录在他的个人文件第 9 部分。

18. 参见 Mearsheimer, *Conventional Deterrence*, chap.4。

19. *German Generals Talk*, 46—47.

20. LH, ed., *The Rommel Papers*, trans. Paul Findlay(New York: Harcourt, Brace, 1953), xx.

21. *Panzer Leader*, trans. Constantine Fitzgibbon(London：Joseph, 1952), 20, emphasis added.

22. Heinz Guderian, *Erinnerungen eines Soldaten* (Heidelberg：Vowinckel, 1951), 15.

23. LH to Guderian, emphasis added；Guderian to LH, both in 9/24/62.

24. Heinz Guderian, *Achtung-Panzer*！：*Die Entwicklung der Panzerwaffe*, *ihre Kampftaktik und ihre operative Moglichkeiten*(Stuttgart：Union Deutsche Verlagsgesellschaft, 1937), 136.出版商在 1943 年以另一个名称 *Die Panzerwaffe* 再次发行了这本书。

25. Guderian to LH, 19 Mar. 1949, 9/24/62.很明显他也熟悉李德·哈特的 *Europe in Arms*(London：Faber, 1937)；参见 Heinz Guderian, *Die Panzertruppen*：*Und ihr Zufammenwirfen mit den anderen Waffe*n(Berlin：Mittler & Gohn, 1938), 14, 47。

26. Guderian to LH, 14 Dec. 1948, 9/24/62.

27. Kenneth Macksey, *Guderian*：*Creator of the Blitzkrieg*(New York：Stein & Day, 1976), 62；也参见 idem, *The Tank Pioneers*(London：Jane's, 1981), 118, 137, 155—156, 216。

28. Guderian, *Achtung-Panzer*, 214.

29. 如果古德里安熟悉 *When Britain Goes to War*(London：Faber, 1935)和 *Europe in Arms* 两部著作,那么他应该知道李德·哈特关于防御优势的说法。

30. 参见 Guderian, *Panzer Leader*, chap.5；Mearsheimer, *Conventional Deterrence*, chap.4。

31. 尽管李德·哈特致力于证明德国进攻的胜利明显得益于他的作品,但他认为他们的防御战略也是基于他在 30 年代的观点；例如,参见 LH to Esme Wingfield-Stratford, 5 Oct. 1942, 1/757。没有证据可以支持他的说法。

32. *Memoirs* 1：281.

33. LH, "How People Talk," memorandum for the record, 14, 25, Jan. 1938 entries, 11/1938/19b.

34. LH, "Talk with General Liddell(Lunch, with me, at the Athenaeum)-31.12.37," memorandum for the record, 11/1937/108.根据 *Memoirs* 2：249, 68, 70,很明显将军的怀疑是正确的。

35. 海关专员用这个词短语描述李德·哈特；参见"How People Talk,"

21 Jan. 1938 entry。也参见 LH，"Correspondence with Various Officers regarding Army Reform，" Memoranda for the record，11/1933/50—108。李德·哈特这时将他自己视为一个非常重要的人物；例如参见，"Adam. 9th January，1938，" memorandum for the record，11/1938/7。

36. Trenchard to LH，8 Mar. 1937，and Kennedy to LH，22 Feb. 1937，both in 9/15/8.也参见 favorable comments in Gen. William E.Ironside to LH，9 Mar. 1937，1/401；Neville Chamberlain to LH，8 Mar. 1937，1/519/1；Chamberlain to Leslie Hore-Belisha，1/519/2。

37. 关于评论，参见 9/10/18，9/15/8，9/17/9。

38. 关于军队的态度，参见 Brian Bond，*British Military Policy between the Two World Wars*（New York：Oxford University Press，1980），chaps. 7—11；也参见 idem，*Liddell Hart*，106；Norman H.Gibbs，*Grand Strategy*，Vol.1（London：Her Majesty's Stationery Office，1976），xxi，451—452；Michael Howard，*The Continental Commitment：The Dilemma of British Defence Policy in the Era of the Two World Wars*（Harmondsworth：Penguin，1974），106—107，119。关于李德·哈特对军队想作出"大陆承诺"的担忧，参见他的"Talk with Field Marshall Sir C.J.Deverell，12. 11. 36，" memorandum for the record，13 Nov. 1936，11/1936/99；LH to Robert Barrington-Ward，19 Dec. 1936，3/106。

39. 例如，参见 Deverell's comments in LH，"Talk with Field Marshal Sir C.J.Deverell，12.11.36"；Kennedy to LH，23 Sept. 1937，1/417；Gen. Sir Frederick Maurice，letter，*Times*，29 Oct. 1937，17；Gen. Sir Clement Armitage to Barington-Ward，8 Dec. 1936，3/106。

40. 参见 B.Bond，*British Military Policy*。关于英国将军对坦克及其战场意义的观点，ibid.，130—132。

41. 盟国关于对抗德国的军事战略的思考，参见 Brian Bond，*France and Belgium*，*1939—1940*（London：Davis-Poynter，1975）；Mearsheimer，*Conventional Deterrence*，chap.3；Barry R.Posen，*The Sources of Military Doctrine：France，Britain，and Germany between the World Wars*（Ithaca，N.Y.：Cornell University Press，1984），chaps.3—5。

42. 例如，参见 Ritter von Leeb，*Defense*，trans. Stefan T.Possony and Daniel Vilfroy（Harrisburg，Pa.：Military Service，1943）。

43. 参见 Mearsheimer，*Conventional Deterrence*，chap.4。

44. 关于 20 世纪 30 年代后期英国军队状态的生动描述，参见 *Time Unguarded：The Ironside Diaries，1937—1940*，ed. Roderick Macleod and

Denis Kelly(New York: McKay, 1962);也参见 B.Bond, *British Military Policy*, chaps.10—11。

45. LH, "Talk with Sir Cyril Deverell-29.6.37," memorandum for the record, 30 June 1937, 11/1937/56, and LH, "Talk with Field Marshal Sir C.J.Deverell," memorandum for the record, 13 Nov. 1936, 11/1936/99;也参见 LH, untitled note, 6 Nov. 1936, 11/1936/96. LH, "Talk with Pile-30.12.37," memorandum for the record, 11/1937/107. LH, "Talk with Brigadier G.Le Q.Martel," memorandum for the record, 28 Nov. 1938, 11/1938/122;参考原始信件,参见 J.Burnett-Stuart, letter, *Times*, 28 Nov. 1938, 15; Brig. Gen. J.E Edmonds to LH, 17 Dec. 1938, 1/259。

46. 尽管不是非常担心,李德·哈特很关切德国会采取空中攻势(chap. 4, n.22 and attendant text). LH, "Talk with the C.I.G.S(Sir Cyril Deverell) (at His Flat) Sunday Morning-6.12.36," memorandum for the record, 11/1936/118; LH, "Lunch with Hobart-24.5.38," memorandum for the record, 11/1938/58; LH, "Pile-12th and 13th March 1938," memorandum for the record, 11/1938/58; LH to Barrington-Ward, 24 May 1938, 3/112;也参见 ibid., 9 Feb. 1938, 3/108; LH, "Outline of the Opposition to the Development of Anti-Aircraft Defence of Great Britain," memorandum for the record, 30 July 1938, 11/1938/89。

47. 这个演讲的摘录来源于 1940 年 4 月 29 日的 *Lincolnshire Echo*,副本在李德·哈特的个人文件中,6/1940/5;也参见 LH, "Note," 4 May 1940, 11/1940/29。

48. 参见 H.C.Hillmann, "Comparative Strength of the Great Powers," in Arnold Toynbee and Frank T. Ashton-Gwatkin, eds., *The World in March 1939*(London: Oxford University Press, 1952), 366—507; Robert J. Young, *In Command of France: French Foreign Policy and Military Planning, 1933—1940* (Cambridge, Mass.: Harvard University Press, 1978), chap.1。

49. 参见 LH, "Talk with Dr. G.P.Gooch(Editor of British Documents on the Origins of the War)-19.3.38," memorandum for the record, 11/1938/34; LH, "The Neutrality Issue in 1914," memorandum for the record, 21 Mar. 1938, 11/1938/36b, rptd. in his "Strategy and Commitments," *Fortnightly* 143(June 1938):645—648, and in *Defence of Britain*, 70—74。

50. "Strategy and Commitments," 647.

第八章
恢复失去的声誉

　　李德·哈特对避免另一场世界大战的关切在法国沦陷之后变得没有意义。1940年春天的那场灾难性失败以及谁应该承担最终责任的问题成为他新的关注点,并且一直到1970年他去世为止。第一次世界大战一直牢固地支配他的思考,这最终被他所描述的"一场使历史进程向更坏方向发展的震撼世界的灾难"所打破。[1]然而,不同于在第一次世界大战中他与事态的发展没有任何关系,(在第二次世界大战中)法国的沦陷严重地损害了李德·哈特的声誉。他面临一个重大的任务:在大量不利的证据面前挽救他的声誉。在接下来的25年中,他接受了这一挑战。

　　这一努力围绕两个紧密关联的问题展开:他是否预见到盟军在1940年5月的失败? 在英国谁应该为那场灾难承担责任? 在李德·哈特看来,承担责任的无非就是他或者将军们。他将所有过失归咎于将军们,并将他自己描绘为一个预见到1940年5月事件的、有先见之明的思考者,但被英国和法国的军事将领所忽视,而德国的将军们却倾听了他(的思想)。李德·哈特已经养成挖苦英国军队的习惯。

　　事实上进行这种描述的努力在法国向德国投降之前就开始了,尽管它在第二次世界大战结束之后才获得成功。[2]1965年他的《回忆录》的出版对于推销他对 20 世纪 30 年代的叙述至关重要。他成功地使读者相信他的叙述是真实的,这引发两个重要的问题。他是如何推销他对过去历史的叙述,以及他使用什么方式使大众信服? 为什么在大量相反的证据面前,他的努力可以获得如此成功?

对虚构故事的推销

李德·哈特使用了四个主要方法来挽救他受损的声誉。第一,他坚持认为出于合理的安全原因,在 20 世纪 30 年代后期他不能在公开的写作中完全暴露盟军的弱点和德军的力量。例如,他在《回忆录》中声称,他以"谨慎的方式"写作,"因为我知道我写的东西在德国会受到密切关注,因此对任何不明显弱点的揭露都会加快我所预见到的危险的到来。"[3]没有证据可以支持这一说法。如果他了解这些弱点,他完全可以私下地将他的看法传达给政府官员,但没有证据表明他曾这么做。另外,这个说法和他经常重复的说法相互矛盾,即他在那场灾难之前明确地指出盟军的缺陷,但是没有负责任的决策者倾听他的意见。

第二个也是更为重要的方法是自私地操纵历史记录。他选择性地使用证据,引用支持他观点的文章和著作,却忽视那些使他看起来很愚蠢的证据。他着重强调他 20 世纪 20 年代的作品,却忽视他在 30 年代后期的很多文章。例如,他几乎不谈论他《回忆录》中关于防御优势地位的观点。他只提到过一次 1937 年 10 月他发表在《泰晤士报》上的著名连载文章"防御或进攻?"即使如此他也没有告诉读者他在这些文章中对防御进攻平衡的观点是什么。[4]读者如果不熟悉 30 年代后期关于如何应对第三敌国的辩论,就不会了解李德·哈特当时关于防御优势的极端观点。相反地,他用了大量的空间讨论"闪电战"，使读者断定他在两场战争之间强有力地支持这一战略。

李德·哈特对他在战争前关于防御优势的作品轻描淡写，并且强调他早期关于闪电战的作品，这些努力在他出版《回忆录》之前就已开始。思考一下他在第二次世界大战期间写的两本书。在《战争的趋势》(1941 年)中，他在开篇章节中重新刊印了他 20 世纪 20 年代关于装甲战的主要文章。他在 20 世纪 30 年代很少提到这些文章。他后来出版的《对战争的思考》(1944 年)是他第二次世界大战前作品中引文的选编，这本书中很少提到防御对进攻的明显优势，并强调他关于"闪电战"的早期作品以及被视为等同于军事理论的间接路径。[5]

他使用相同的方法处理他关于法国军队的作品。他忽视 20 世纪 30 年代的文章，在这些文章中他曾积极地评价法国的军事能力，相反却强调 20 年代的作品，在这些作品中他表达了相反的观点。例如，他在《战争的趋势》中重印了他在 1926 年为《每日电讯报》撰写的连载批评性文章，这些文章还发表在《重建现代军队》(1927 年)一书中。在第二次世界大战后他经常提到这些文章，目的是制造一种(他有)先见之明的错觉。[6]

李德·哈特不仅选择性地使用证据，还提出一些说法和推断，与其说它们是有问题的，不如说是完全失实的。此外，他还制造证据支持他的理由，关于这一行为我在前面一章已经提供了证据。例如，他在第二次世界大战后宣称，他在 1932 年见到布隆贝格元帅时，他的深层战略突破和闪电战思想给这位德国领导人留下了极为深刻的印象。按照李德·哈特的说法，布隆贝格说他正在将这些思想应用到德国陆军的训练中。事实上，李德·哈特的备忘录中关于这次会面的记录显示，布隆贝格实际上是对李德·哈特关于防御力量的观点印象深刻，并且正着手"在他的军队训练中修正对进攻的一贯痴迷"[7]。另外一个例子，回忆一下李德·哈特请求古德里安将关键的第二段内容加到《闪击英雄》中，在战后将他自己描述为绥靖政策的主要反对者，主张在捷克斯洛伐克问题上对抗希特勒。

关于李德·哈特歪曲历史事实的例子,还有很多其他我没有讨论的。毫不奇怪的是,在第二次世界大战后他有时被看作防御到底政策的支持者。例如,一份美国杂志叫《步兵期刊》,它的编辑们在1949 年写道,"在第二次世界大战前的岁月中,哈特上尉因为支持在现代战争中防御比进攻更加有力而获得了一些名望。"李德·哈特回信反驳这个引人注目的说法,他写道:"欧洲的士兵听到我作为防御支持者在美国而闻名会觉得很好笑。对他们来说,从 1920 年开始,我主要因为支持装甲进攻和未来的闪电战而闻名。"[8]而事实体现在法国沦陷不久后李德·哈特的好朋友派尔给他的一段评论中:

> 你认识到蒂尼(陆军元帅艾恩赛德的昵称,他在第二次世界大战中前 9 个月是英军总参谋长)和我认为他所有的追随者因为你关于防御力量的声明而批评你……他们甚至没有进行适度公平的争辩,他们只是说你否认进攻是可能的,因此你损害了英国的,甚至是法国军队的进攻精神。在此时,我们所有的失败都归咎于这种进攻精神的缺失。[9]

另一位美国人在《纽约先驱论坛报》上写道:"他在第一次世界大战后根植在盟军思维中的信条是从静态的堑壕战中吸取的经验。"在写给编辑的一封信中,李德·哈特否认了这一点,他强调说他"经常重复一个预言,'在未来由于坦克、履带式车辆和飞机所带来的新的机动能力,我们不会再次目睹堑壕战的停滞不前'。"这在 20 世纪 20年代可能是真实的,但在 20 世纪 30 年代肯定不是真实的;在 1939年 2 月他写道:"尽管没有任何事可以确定,但看起来……堑壕战有可能重现在任何未来的大规模战争中。"[10]毕竟,在 20 世纪 30 年代后期,他的主要目标之一是使他的读者相信第二次世界大战将是第一次世界大战的重复,其主要特点当然是"静态的堑壕战"。

他还反复地讲,英国和法国陆军在 1940 年被打败的原因是他们没有注意他的警告。他在《回忆录》中争辩说:"由于盲目地忽视已经被清晰指出的弱点,西方的防御瓦解了。"[11]他看起来在暗示是他指出了这些缺陷,这与他的其他说法是矛盾的,例如他如果这么做(指出盟军缺点),就会警醒德国人。"事实是,我的观点在英国和法国的军事委员会遭遇到冷漠。"[12]他的《回忆录》中很突出的一个主题是,"我这么告诉过你",事实上这个主题出现在他于法国沦陷后出版的第一本著作《动态防御》中。《泰晤士报(文学副刊)》的评论者谈论说:"李德·哈特上尉确实是充满活力的,尽管很多次他说'我这么告诉过你'的时候声音出奇的小。"[13]

引用一个具体的例子,李德·哈特在战后宣称他曾经预见到德军对阿登高地的突破:"德国的装甲力量就在我曾经指出的区域取得突破。"[14]他甚至宣称德国人,尤其是曼施坦因从他的著作中获得了将他们的主要进攻放在那一区域的想法。这两种说法都无法经受严格的审视。[15]尽管他有时在著作中提到阿登高地,他也从没说过德国人有可能将主要的进攻轴线放在那一区域,也没有阐释过这么做的效果。[16]在讨论1918年美国在西线攻势的时候,他确实简短地提道:"通过阿登高地的困难程度被严重夸大。"[17]然而,他在后来的著作中并没有发展这一观点,也没有说明它对未来战争的意义。他确实在1939年的著作《英国的国防》(216—219)中讨论过阿登高地的军事形势,他还在那个区域旅行过。但他没有提到任何德军会将主要进攻轴线放在那一区域的危险,并且将盟军在这个布满障碍区域的前景描写的十分有利。最后,正如我后面要讨论的,他宣称德军从他的著作中获得突破阿登高地的想法,这是完全失实的。

另一个操纵证据的例子与夏尔·戴高乐和保罗·雷诺有关,他们在1930年代主张发展有巨大进攻能力的装甲力量。[18]他们认为如果德国首先对东欧发起打击,法国需要具备进攻德国的能力,因为他们正确理解了使德国面临两线战争的重要性。李德·哈特在他的《回忆录》中暗示他与戴高乐和雷诺的意见一致——例如,当他在1935年无意中读到戴高乐的《未来的陆军》时,他很高兴地发现戴高乐呼吁建立一支"专业士兵组成的机械化打击力量"。[19]李德·哈特可能欣赏戴高乐强调建立一支由专业士兵主导的小规模装甲力量，尽管没有证据表明这点。然而，说他欢迎法国建立一支有强大进攻能力的装甲力量，这几乎是不可能的。[20] 他担心法国进军德国，并同心协力阻止法国采取进攻性战略。例如，当他在 1938 年思考一种有限的"大陆承诺"时，他坚持这个承诺要与法国承诺不发起进攻相关联。[21]

李德·哈特操纵历史记录的其他重要例子也值得一提。然而，这些案例最好放在他为拯救声誉采取的另两个手段的背景下讨论。第三个手段是他对其与英国、德国和以色列军事领袖之间关系的刻意描述。为了将法国沦陷完全归咎于英国和法国的将军们，他将他们描述为无能并且不愿听从他的想法。他和盟军将军们之间的巨大鸿沟很自然地可以使他摆脱这个重大失败的责任。

对德国国防军他的目标不同，他高度赞扬德国的将军们，然后将他自己与他们中间最受推崇的将军联系在一起。这种对德国国防军的认同提升了他在军事问题学者眼中的地位。更具体地说，这帮助他证明了他曾预见到 1940 年 5 月的事件，并且事实上德国将军们依靠从他那里学到的战略而获胜。他的最终目标很明确：让别人相信德国获得的重大胜利可追溯于他，他不仅不应该为盟军的失败负责，而且还是德军获胜的主要原因。

李德·哈特在战争期间多次提到这点，即德国的将军们关注到他战前关于闪电战的著作，"并且掌握它的重要意义，他们快速采取必要的手段将其转化为现实。在 1940 年 5 月实现了闪电战"[22]。战争结束之后，他得到机会发现一些关于他的影响力的确切证据。在战争结束后不久，他就与很多德国将军建立了密切的关系。他们中大多数当时都被关押，一些人处于绝望的困境中。李德·哈特尽力帮助他们。布赖恩·邦德代表他们总结了他的努力：

> 李德·哈特在第二次世界大战结束后的五年时间左右使他
> 自己成为一个被俘德国将军的主要支持者，他在媒体呼吁改善

监禁条件,并且反对将他们作为战争罪犯审判。在私下里,他对他们表现得非常慷慨,给他们送去烟卷、烟草、食品包裹以及他的书和文章。在一些尤其难办的事情中,他甚至给自己带来了更多的麻烦,例如给身体不舒服的伦德施泰特提供床垫,努力将曼施坦因的妻子和儿子转移到这位陆军元帅的妹妹在法国占领区的家中。[23]

然而,更重要的是他努力帮助他们恢复受损的名誉。首先,他竭尽全力帮助他们出版英文版的回忆录和其他作品。他对古德里安的帮助尤其多。[24]李德·哈特实际上成为古德里安的文稿代理人,在出版古德里安回忆录的英文版时发挥了非常重要的作用,以至于出版商决定让他作为这本书的编辑。李德·哈特打消了这一想法,很可能是为了不引起别人怀疑古德里安对他的赞扬的可信度。[25]

其次,他在自己的作品中表达了对这些将军的赞许,并且经常在公共场合维护他们,赞赏他们在道德操守方面的声誉和他们在战场上的表现。由于积极参与了1941—1945年之间第三帝国在东欧和苏联制造的巨大恐怖,德国国防军已经声名狼藉。[26]而李德·哈特尽力要纠正这一点。他的主要渠道是《德国将军谈话录》(1948年),他在书中将这些将军描述为基本上理性和体面的人,面对一个一意孤行导致德国毁灭的狂人。"他们实质上是技术专家,"他写道,"专心于他们的专业工作,对于这之外的事情所知无几。希特勒如何蒙蔽并操纵他们是显而易见的,把他们作为达到某种目的的有力工具。"有评论者指责他有一种"对公平竞争的过分理智,这使他看不到他如此努力美化的人的道德堕落",他回应说"他们设法维持一种与纳粹思想一直对立的行为准则,其努力程度引人注目。"[27]他还努力通过公共和私人渠道,阻止以战争罪行起诉这些将军。这个做法失败后,他努力帮助他们获得赦免。[28]

李德·哈特试图支撑他们作为战场指挥官和军事战略家的声誉,正如罗伯特·范西塔特对《德国将军谈话录》的评论所指出的:

"这好像是说无所不能的德国将军们总是被阻止按照他们自己的方式行事,如果不是外在力量的粗暴干涉,战争的结果会有所不同。"我们还可以在《隆美尔战时文件》中看到这种策略,在这本书中,李德·哈特用十分赞美的言辞描述这位在西方备受推崇的将军的领导才能。《旁观者》杂志中一位评论者的观点很有道理,他注意到这本书"需要一位可以质疑他观点的编辑,即除非在最不可想象的战争条件下,英雄是不可战胜的。"29

李德·哈特一定认识到通过将他自己与德国的将军紧密联系起来,他可以成功挽救他受损的声誉。他的第一次努力就是出版《德国将军谈话录》,这本书描述了德国国防军指挥官的回顾性观点,大部分基于他在战后对这些将军的访谈。这本书当时受到广泛评论,至今仍是经典之作,它表现出李德·哈特和将军们的紧密联系;他的名字通过这本书的众多评论被广泛传播。30李德·哈特在书中巧妙地暗示这种联系,例如对1940年春天德军针对盟军采取计划的讨论:

> 关于这个计划如何变化的内情非同寻常。我也是逐渐了解
> 到。从一开始,德国将军非常坦率地告诉我军事行动的情
> 况——这种职业客观性是他们的特点。我发现,他们中的大多
> 数一直在关注我的军事作品,所以他们尤其愿意(与我)交谈并
> 交换观点。(112—113)31

当这本书在英国《星期日电讯报》以连载形式发表时,这份报纸的编辑用以下言辞介绍这本书:"德国人对李德·哈特十分了解。在战争前,他们是李德·哈特的战略和战术著作的密切关注者。因此,他们愿意与一个他们认可的声名卓著的人进行自由、坦率、无所畏惧的交谈。"32

李德·哈特轻而易举地使用其他手段将他自己与德国将军们联系在一起。第二次世界大战后在英语世界最知名的德国将军可能就是古德里安、曼施坦因和隆美尔,这些将军都因对大规模装甲力量的娴熟指挥而闻名。李德·哈特编纂了隆美尔的私人信件集,并为这

本书写了序言。他还为古德里安和曼施坦因的回忆录以及大量其他与德国军队有关的著作撰写了介绍性文章。杰伊·卢瓦斯恰当地描绘了这个情况："实际上，出版商要出版任何德国将军回忆录的英文译作，都有一个既定规则，即包含一篇由这位著名的机械化战争支持者撰写的前言。"[33]因此第二次世界大战的研究者，尤其是关注德国国防军的学者，很容易认为李德·哈特与德国的将军们关系紧密。

尽管如此，对他来说真正的关键是找到具体的证据，证明他对德国人在战前关于闪电战的思考有重大影响，坚实的事实支持他的说法，即德国将军确实曾经是他的信徒。他需要证据表明他的战前著作影响了德军在西线打败盟军的计划，但是在《德国将军谈话录》中，李德·哈特没有指出，德国将军曾宣称这种影响力的存在。李德·哈特只能制造证据。我知道，这是一个很严重的指责，但是证据能够证实这一点。他的努力大部分集中在古德里安、曼施坦因和隆美尔身上。

李德·哈特为了将曼施坦因描述为其信徒，重点关注后者在一个作战计划制定过程中发挥的关键作用，这个计划使得德国在1940年春获得巨大胜利。李德·哈特宣称曼施坦因从他的著作中获得了绝妙的想法，将国防军的主要进攻轴线放在阿登地区，这种说法出现在李德·哈特文件的一份正式备忘录中：

> 关于我的学说在1940年被证明是错误的说法是滑稽的，事实上，取得决定性突破的古德里安将他自己称为我的"信徒"和"学生"——而设想使用坦克穿过阿登高地的曼施坦因声称他的想法是受我的一篇文章启发，在这篇文章中我已经指出装甲力量在阿登高地移动的可能性。[34]

李德·哈特在他的《回忆录》中重复了这个说法（2：202—204）。然而，没有支撑这一说法的证据，曼施坦因也拒绝认可这一说法。

产生怀疑的第一个理由是李德·哈特在战前从没写过任何文章，阐述穿过阿登地区的好处，所以没有可以给曼施坦因阅读的东西。第二个理由是这两个人之间关于计划 1940 年进攻的私人信函，曼施坦因没有一次提到过李德·哈特的作品对他的思考有任何影响。[35]事实上，这些通信没有表现出 1945 年之前李德·哈特有任何影响力，曼施坦因的回忆录《失去的胜利》也没有表明这一影响。

证明李德·哈特不可信的最后且最好的一个理由是，这位陆军元帅对李德·哈特试图在他的传记中插入一句关于这件事的描述的反应。李德·哈特曾努力阻止盟国当局以战争罪起诉曼施坦因，失败后，他又不知疲倦地努力帮助他获得赦免。[36]在这个过程中，他与曼施坦因的英国律师雷金纳德·T.佩吉特成为好朋友。佩吉特写了一本关于他委托人的书，在 1951 年底出版。1951 年 4 月 12 日，佩吉特给李德·哈特写信："我在这本书中包含了下列语句：'李德·哈特上尉，他（曼施坦因）说，在写于战前的一篇文章中建议使用装甲力量突破阿登高地在技术上是可行的。'我认为这没有问题。"[37]（然而）这还是不太恰当。李德·哈特在 1951 年 5 月回信给佩吉特：

> 你在 4 月 12 日信件开头引用的句子十分简洁而且有效——（而打字员将"他曾说过"打成了"他说"。）另一种表述的方式可以是："他曾说过，他对李德·哈特上尉一篇认为使用装甲力量突破阿登高地在技术上可行的文章印象深刻。"这仅供您考虑，哪种方式都可以——非常感谢。[38]

李德·哈特的另一种表述方式，与佩吉特的原有表述不同，很清楚地暗示了曼施坦因是从李德·哈特那里获得的绝妙想法。不幸的是，李德·哈特的文件中没有他和佩吉特关于这件事的进一步的通信，而且李德·哈特也从没有对曼施坦因直接提起这个问题。然而，在他的文件中有一份正式的备忘录显示，佩吉特曾尝试改变关键的语句以回应李德·哈特的建议，但是曼施坦因拒绝这么做：

> 佩吉特后来告诉我，曼施坦因反对如此明确地说出他在私下里告诉佩吉特的事情——所以在这本书的公开版本中这句话被修改为："他说过，李德·哈特上尉曾在战前的一篇文章中建

议,用装甲部队突破阿登高地在技术上是可行的。"[39]

当然,没有证据表明李德·哈特提过这种建议,但更重要的是曼施坦因明确地拒绝了李德·哈特将他描述为一个信徒的做法。[40]

李德·哈特发现古德里安更愿意合作,他在其回忆录英文版本中加入段落,承认李德·哈特的贡献。我认为他是在回报李德·哈特的帮助和慷慨。李德·哈特努力完成《闪击英雄》。当古德里安提出与他分享一部分获利时,李德·哈特写了封友好的回信说他不会拿任何一分钱,除非他确定古德里安的经济状况好转。[41] 如果说李德·哈特在与古德里安的通信中表现得很谄媚有些夸张,但事实是他确实接近于如此。古德里安的信件有同样的味道。李德·哈特在发行《德国将军谈话录》(《山的另一面》,1951 年)的修订和扩展版时,第五章都是关于古德里安,而原来的版本是在他们相见之前写的,根本不包含这一章。因此断定这两个人都明白通过相互赞赏可以获益匪浅并不过分吧?

关于这件事还有其他方面值得讨论。李德·哈特在 1951 年 4 月 6 日写给古德里安的信一定是他(李德·哈特)十分关切的事情。毕竟,这封信表明他让古德里安将著名的第二段加到《闪击英雄》中。而且,这封信表明是李德·哈特写了那关键段落中的最重要部分——这种信息他可不想让其他人知道。看起来他永久地从他的文件中删除了这封信的副本以及古德里安在 1951 年 4 月 23 日给他的回信,并假装它们从没存在过。我来说明这个指责的(事实)基础。

一位美国学生在 1968 年 3 月给《闪击英雄》的译者写信,询问为什么著名的第二段没有出现在回忆录的德文版本中。[42] 他正在撰写有关德国装甲部队发展的论文,他对那著名段落的来源很感兴趣。译者将这封信转给李德·哈特,李德·哈特在 1968 年 4 月给这个学生写了回信,他告诉这个学生他只能找到他发给出版商和翻译者的信——并传送了第二段。他完全没有提到他在 1951 年 4 月 6 日给古德里安的信和后者在 4 月 23 日的回信。事实上他说,"在我与古

德里安的通信文件中没有任何是关于这件事的,除了⋯⋯我在 1951
年 5 月 18 日的信中感谢他在那个附加段落中所说的话"[43]。

这些信有可能意外被丢掉,但考虑到它们的重要性又不大可能。
李德·哈特文件中的一些信函似乎确有丢失。他通常让他的秘书将
他写的或收到的重要信件复制多份,然后将这些副本放到不同文件
夹中。看一下在李德·哈特去世后,整理他文件的档案保管员所做
的评论:"李德·哈特不仅是几乎没有扔掉任何文件,而且尤其从
1945 年开始,他复制了所有他认为重要的文件。一些复印件被放在
一起保存,准备发给有兴趣的使用者,但大多数分布在档案文件中,
目的是保存多样化的相互交叉的主题(档案)、编年、私人、公务和通
信文件,对可用副本进行选择性使用。"[44]根据我们对他私人文件状
况的了解,文件中应该有这些信件的副本。丢失信件的问题暂且不
说,他竟然没有回忆那些信件以及它们包含的要点,这几乎是不可想
象的;这问题太重要了,不会被忘记。另外,李德·哈特无论何时得
到别人的称赞,他都会将此告之与他通信的人。这个规律的一个例
外是关于《闪击英雄》第二段的那些信件。

这段插曲证实了他不想承认那两封信的存在,并且到 1968 年 4
月,这两封信很可能从他的文件中丢失了。从他的通信文件还可以
很明显地看出,他在生前的最后两年中没有尝试从古德里安家族得
到那两封信的副本,如果他愿意,他会这么做的。很难相信他没有从
他的个人文件中移除这两封信。在 20 世纪 70 年代后期,这两封信
的副本又被放回到李德·哈特的个人文件中。曾是李德·哈特朋友
的军事历史学家肯尼思·麦克西 20 世纪 70 年代中期在仔细检查古
德里安个人文件的时候发现了这两封信。麦克西之前检查过李德·
哈特的文件,并且知道这些通信丢失了(私人的交流,1985 年 7 月 20
日和 1987 年 9 月 15 日)。他将两封信的副本给了布赖恩·邦德,邦
德将它们插到了李德·哈特的文件中。邦德当然不知道这两封信的
存在,直到麦克西拿给他看(私人交流,1985 年 7 月 9 日和 1987 年 9

月 24 日）。

最后是关于隆美尔的案例，事实上与古德里安的故事很相似。由于在两场战争之间，隆美尔反对建立装甲力量，并且没有参与策划导致法国沦陷的德国攻势，李德·哈特只能寄希望于表明他在战争期间显著地影响了隆美尔。这当然不能直接支持李德·哈特的观点，即他帮助德国获得了在西线的胜利。然而，将在英语世界广为人知的隆美尔描述为他的信徒有很多明显的好处。

然而，（这么做）有两个问题。隆美尔在 1944 年去世，他大量的战时作品并不支持他是李德·哈特信徒的说法。在这些作品中，隆美尔只有一次提到李德·哈特，也只是评论他在 1942 年中读到的一篇李德·哈特的文章："在战役结束后，我看到英国军事评论者李德·哈特的一篇文章，这篇文章将非洲战役中英国指挥的缺陷归因于英国将军与步兵作战不理想的紧密联系。我有同样的感想。"[45] 尽管情况不妙，李德·哈特还是将他自己与隆美尔如此紧密地联系在一起，事实上，他可以对外宣称，隆美尔像古德里安一样，是他的信徒，别人就会附和（他的说法）。这个神话的制造需要仔细的推敲，不仅因为它涉及几个人和一些关键的举动，还因为隆美尔的故事如此恰好补充了很多古德里安和曼施坦因案例中的要点。

一个英国陆军军官、准将戴斯蒙德·扬当时正在完成一本隆美尔的传记并一直与隆美尔家族保持联系，他在 1949 年 11 月询问李德·哈特是否有兴趣编辑隆美尔个人文集的英文版本。[46] 隆美尔家族明显认为李德·哈特是一个很好的人选。李德·哈特用两个问题回应扬的询问：隆美尔家族是否确定想让他做编辑？是否存在李德·哈特影响到隆美尔的证据？[47] 扬在回应中暗示了对第一个问题的确定答案。关于第二个问题，扬写道，露西-玛利亚·隆美尔夫人（陆军元帅的妻子）和曼弗雷德·隆美尔（他的儿子）曾告诉他："隆美尔一直对您的作品非常感兴趣。"[48] 李德·哈特在那之后不久就开始与隆美尔家族通信，直接写信给隆美尔夫人。在赞美已故的陆军元

帅后,他写道:

> 我从戴斯蒙德·扬那里听说,您曾告诉他您的丈夫在战前非常热衷于研究我的作品,我对此非常感兴趣……如果您可以告诉我更多有关他对我作品的阅读以及他做的任何评论,我会非常感激。[49]

曼弗雷德·隆美尔替他的母亲回信写道:

> 我的父亲非常看重您,我知道,他成为在法国的第七装甲师的指挥官时,他读了您写的一本或者更多的著作。在北非,他研究了您在战争期间写的文章。我当时很年轻,并且是个外行,不记得我父亲对您著作的评价,我的母亲当然知道您已久,并且了解您一直在倡导现代战争理念,但是她说不出特别的东西来。[50]

曼弗雷德·隆美尔还附寄了来自他父亲战时文件的两篇短的摘录。每一篇都提到英国的决策者在两场战争之间拒绝接受由"英国的军事评论家"发展出来的关于机械战的创新观念。这两篇摘录都没有提到李德·哈特的名字。曼弗雷德·隆美尔还将弗里茨·拜尔莱因对这些摘录的评论告诉了李德·哈特,弗里茨是战争期间为隆美尔将军服务的一名军官,并积极筹划在德国出版隆美尔文集:

> 拜尔莱因将军对我说,我父亲在这段话中指的是您和富勒将军(英国军事评论家),并且我父亲和他都认为,英国如果能在战前更多地关注您和富勒将军(的建议),就可以避免最严重的失败。

李德·哈特立即回信给曼弗雷德·隆美尔,感谢他的回信。[51]他在信中做了两件事值得注意。他询问曼弗雷德·隆美尔是否能将上面包含拜尔莱因评论的一段话用德语重新写一遍,这样的话他可以得到"准确的翻译",这表明李德·哈特是多么认真地在收集赞美之词。他还告诉这位陆军元帅的儿子,古德里安最近将他自己称为李德·哈特在"坦克(方面)的信徒"。这里他不仅仅是传播一位著名人物对他的赞美之词,而是积极地制造证据,表明隆美尔曾是他的信徒,引用古德里安的话是为了暗示他希望从隆美尔那里听到什么。他不会失望的。

拜尔莱因将军到这时为止还不曾与李德·哈特直接通信,他在1950年2月15日第一次给他写信。由于与隆美尔家族非常亲近,拜尔莱因可能一直在关注曼弗雷德·隆美尔和李德·哈特的通信,他在(给李德·哈特)信中写道:

> 在战争期间与隆美尔的很多会议和私人谈话中,我们讨论了您的军事作品,都很让我们钦佩。我们将您视为给陆军元帅留下最深的印象并深刻影响到他的战术和战略思想的军事作家。作为隆美尔的前任总参谋长,我可以说,不只是古德里安,还有隆美尔都可以在很多方面被称为您的"学生"。[52]

李德·哈特很快回信给拜尔莱因,感谢他提供这些信息,并询问他能否将这些关键的语句写成德文,他可以将它们翻译成英文。李德·哈特一直非常注意这些赞美之词,肯定是在寻找引证,以最有利的方式展现他自己。他将拜尔莱因德文版的声明发给两个不同的译者。[53]然而,重点是李德·哈特现在已经有了证据,让他可以说明隆美尔也和古德里安一样,都曾是他的信徒。他现在需要寻找一种方式,将这个信息传递给公众。

在李德·哈特收到拜尔莱因的第一封信前不久,他询问正在准备《隆美尔》再版的陆军准将扬,能否将曼弗雷德·隆美尔发给他的隆美尔文集中的两篇摘录放入书中的隆美尔选集附录中。因为在两篇摘录中,他的名字都没有被提及,李德·哈特在1950年2月21日给扬的信中为两篇摘录提供了一个脚注:"这是隆美尔文集中两个短的段落。我感谢您愿意将这两篇摘录放到您著作的美国和其他新版本的附录选集中。我随信同时附上德文原版和它们的翻译。我还草拟了一个脚注,可以使它们的意义显得更清楚——如果您愿意使用它,或者以您认为合适的方式修改。"[54]从李德·哈特的信件中可以很清晰地看出,他在2月21日写信给扬后不久就收到了拜尔莱因在

2月15日写给他的信。[55]他马上又给扬写了另外一封信,日期也是2月21日,重复了拜尔莱因在他信中所说的李德·哈特对隆美尔的影响。果然,拜尔莱因的评论被放入脚注,出现在扬著作的新版中:

> 拜尔莱因将军说隆美尔在这里指的是富勒将军和李德·哈特上尉。说到后者,拜尔莱因还声称他的装甲战理论"给陆军元帅隆美尔留下了最深的印象,并且深刻影响到他的战术和战略思想……古德里安将军和隆美尔在很多方面都可以被称为李德·哈特的'学生'"。[56]

这个脚注的第一句话基本重复了曼弗雷德·隆美尔在写给李德·哈特的第一封信中所说的话,而剩余的部分摘录于拜尔莱因最初给李德·哈特的信件中。扬还在他的著作正文中插入了一句话,声称"在大多数英国高级军官中,隆美尔和古德里安更加关注富勒将军和李德·哈特上尉的作品"。[57]

李德·哈特的下一步是接近拜尔莱因,在即将出版的《隆美尔文集》的德文版本中加入基本一样的脚注,这当然包括扬在其著作附录中所加入的同一摘录。当李德·哈特给他写信时,拜尔莱因即将完成《隆美尔文集》德文版的编辑工作。提及文集中隆美尔讨论"英国军事评论家"的部分,李德·哈特对拜尔莱因提出了以下问题:"我想知道您是否同意在附于特定页的文字中加上一个解释性脚注。您会看到,它将包含您之前写的内容。这个脚注将有助于解释陆军元帅言辞的含义,我会发自内心地感激。"[58]不幸的是,在李德·哈特的文件中没有他写给拜尔莱因脚注的副本,但是李德·哈特写给拜尔莱因的信和随后的通信可以清晰地表明,《隆美尔文集》中的脚注是李德·哈特发给拜尔莱因的。[59]内容是:

> 拜尔莱因将军注——隆美尔这里指的是李德·哈特上尉和富勒将军。他认为英国本可以避免大多数的失败,如果他们在战前更多地关注这两位作者所阐释的现代理论。在战争期间,在很多会议以及和陆军元帅的私人谈话中,我们讨论了李德·

哈特的军事作品,这些作品获得了我们的钦佩。在所有军事作家中,李德·哈特给马歇尔陆军元帅留下了最深的印象,并且对他的战术和战略思考产生了深刻影响。他和古德里安一样,在很多方面可以称之为李德·哈特的"学生"。(299)

这个脚注当然是他给扬的著作所写脚注的润色。李德·哈特再一次将曼弗雷德·隆美尔的第一封信中的文字和拜尔莱因最初信件中的一部分结合起来,并且明确他想要拜尔莱因说什么。

关于这段插曲尤其有意思的是,尽管拜尔莱因接受了李德·哈特的提议,他并没有将其所建议的全部脚注都纳入在《没有仇恨的战争》德文版中。[60]他省略了最后三句话,这三句话基本重复了他在 2 月 15 日信件中所写的,关于李德·哈特对隆美尔思想的显著影响。《没有仇恨的战争》里面这个脚注写道:"隆美尔这里指的是李德·哈特上尉和富勒将军。如果他们在战前更多地关注这两位作者所阐释的现代理论,他认为英国本可以避免大多数的失败。"[61]拜尔莱因唯独将可以证明隆美尔是李德·哈特的"学生"这部分信息排除在外(而他本人正是这个信息的来源)。在李德·哈特的文件中没有通信直接涉及为什么拜尔莱因忽略了脚注的后面部分。我们可以猜测,拜尔莱因不想在公众面前重复他认为并不真实的说法。《隆美尔文集》英文版和德文版本之间的差异与古德里安的例子有惊人的相似性。然而,这里的问题是:李德·哈特如何做到将完整的脚注放到《隆美尔文集》中?

《没有仇恨的战争》出版于 1950 年 11 月 15 日,比其英文版本早了两年多。1953 年 1 月 30 日,(这本书)英国出版商写信告知李德·哈特,下面这条脚注将被放在《隆美尔文集》中:

出版者注——下面这条来自拜尔莱因将军的脚注出现在德文版《没有仇恨的战争》中,表明为什么隆美尔的家人特别希望李德·哈特上尉编辑著作的英文版本并撰写引言——

隆美尔这里指的是李德·哈特上尉和富勒将军。如果他们在战前更多地关注这两位作者所阐释的现代理论,他认为英国本可以避免大多数的失败。[62]

出版商决定重复拜尔莱因在《没有仇恨的战争》中所说的话并且在之前加上简短的注解,这是可以理解的。(但)李德·哈特作为英文版的编辑,立即对(这一做法)表示反对。[63]他首先坚持被拜尔莱因忽略的那部分脚注要被放入《隆美尔文集》中。另外,他意识到,不能在出版商的注解中说明以下的脚注"出现在"《没有仇恨的战争》中,所以他要求用"为⋯⋯而写"(这个说法)取代"出现在"。出版商同意了他的要求。这样,出版商最后的注解开头是"以下是拜尔莱因将军为德文版《没有仇恨的战争》所写的脚注"(299)。脚注的剩余部分包含李德·哈特发给拜尔莱因的全部脚注,即包含"隆美尔是李德·哈特学生"这个说法。

这里可以得出几点结论。首先,出版商的脚注是不准确的。出现《没有仇恨的战争》中的脚注不是拜尔莱因所写,是李德·哈特写了脚注并要求拜尔莱因插入书中。其次,拜尔莱因决定不将脚注关键的后半部分包含在德文版本中,但是李德·哈特的脚注版本暗示(拜尔莱因)将这条脚注包含在其著作中。最后,是李德·哈特和英国出版商科林斯的职员们决定修改了出现在《没有仇恨的战争》中的脚注,将其放在《隆美尔文集》中,而拜尔莱因对此并不知情,因为(李德·哈特)文件没有表明这引起他(拜尔莱因)的注意。

但是李德·哈特所极力证明的师徒关系是否存在任何事实基础?几乎可以肯定的是,甚至在第二次世界大战之前隆美尔就知道,李德·哈特是一个很有影响力并且很受尊敬的英国军事分析家,因为在那场战争之前李德·哈特就已蜚声国际。隆美尔甚至有可能错误地认为李德·哈特在两场战争之间的所有时间里都是"闪电战"的坚定支持者。拜尔莱因所说的有可能是真实的,即他认为如果英国军队的领导人听从李德·哈特的建议,英国军队会在第二次世界大战中表现得更加出色。但是,这些都与隆美尔在第二次世界大战期间是否李德·哈特虔诚的追随者没有关系。

几乎可以肯定他不是(李德·哈特的追随者)。除了拜尔莱因信件中的那段话,没有其他肯定的证据。隆美尔大量的文件中没有展示出证据,并且除了拜尔莱因之外,其他与隆美尔一起共事的官员都没有提到过(李德·哈特对隆美尔存在这样的影响力)。最后甚至拜尔莱因也不愿意将他私下的说法被纳入公开出版的《隆美尔文集》中。曼弗雷德·隆美尔曾向李德·哈特表明,当他的父亲"成为在法国的第七装甲师指挥官的时候",他至少读过李德·哈特的一本著作。因此在1940年春德军在法国的重大胜利中,第七装甲师所发挥的作用可能会引发猜测,即李德·哈特的作品对隆美尔在战役中如何指挥军队起到了积极影响。但是隆美尔是在1940年2月15日担任第七师的指挥官,是德国国防军在西线发起进攻不到三个月之前。[64](然而)在整个虚假战争期间(1939年9月至1940年5月),更不用提20世纪30年代的最后五年,李德·哈特都在极力证明防御者在装甲战场上有很大优势,德国在西线的进攻几乎没可能成功。如果隆美尔阅读了李德·哈特在这一时期的著作,里面的主要观点几乎不适用于他的任务。另外,李德·哈特在战争期间关于装甲战的写作很少,因此隆美尔从他1940年以后的作品中能学到的东西很少。[65]最后,在仔细观摩了德国装甲师在波兰的表现并且参加了在法国的战斗之后,隆美尔对装甲战的理解已经根深蒂固。总之,我无法证明李德·哈特的著作影响了隆美尔装甲战思想的发展。[66]

既然如此,为什么隆美尔的家人,尤其是拜尔莱因愿意为李德·哈特提供令人质疑的、关于他对这位已故陆军元帅产生影响的信息?我认为答案十分简单。他们认识到李德·哈特可以有力地帮助他们在英语世界为隆美尔塑造非常正面的形象。同时,他们也理解,他们需要说明李德·哈特对这位陆军元帅有积极的影响。德斯蒙德·扬巧妙地向曼弗雷德·隆美尔说明了这点,告诉他包含他父亲作品的著作"将在英美出版界得到广泛重视,唯一的原因是大众普遍希望读到在现代战争行为方面你父亲的观点如何与李德·哈特的作品相互印证"[67]。李德·哈特非常清楚地表明他正在寻找证据,证明隆美尔受到他作品的影响。一个事实上存在的交易达成了:李德·哈特将隆美尔描述成一个鲜有瑕疵的杰出将军,而隆美尔的家人将告诉李德·哈特这位陆军元帅曾是他忠实的信徒。

这种方式清晰地体现在李德·哈特和隆美尔家人的最初通信中。扬第一次联系李德·哈特请他编辑《隆美尔文集》的时候,他肯定会告诉哈特,隆美尔在其职业生涯中与"总参谋部军官"之间有很多矛盾(没有关于这次通话的记录,但是随后的通信可以证明这一猜测),因此他的家人希望确保《隆美尔文集》英文版本的编辑者不会赞同其对手的观点而轻视隆美尔。隆美尔的家人很有可能熟悉《德国将军谈话录》,因为李德·哈特对很多行政军官的赞许态度认为他不合适编辑《隆美尔文集》。李德·哈特在给隆美尔夫人的第一封信中试图缓解任何这类担忧。[68]他对隆美尔大加赞赏,并且对在《德国将军谈话录》中没有更多地称赞她的丈夫表示道歉,他将之归咎为他从总参谋部军官听到的内容。然后他开始提出他对已故陆军元帅的所谓影响这件事。他告诉隆美尔的遗孀,他非常有兴趣听到这种关联,并且表示他将"很感激任何您告诉我的有关他阅读我的著作的情况,以及他作出的任何评论"。

曼弗雷德·隆美尔代表他母亲的回信可以说明很多信息。首先,他告诉李德·哈特,"作为德国人,我们感恩于您,因为您权威客观地描述了上一场战争中发生的事情"。他还明确说明他很担忧他父亲在总参谋部的敌人,但他认为李德·哈特会在关键问题上成为他们的盟友。然后他开始回答有关他父亲对李德·哈特作品的兴趣问题,即前面描述过的回应。[69]这样我们可以看到双方目标的关联。

《隆美尔文集》将整条脚注都包含进去使得李德·哈特有理由宣称隆美尔和古德里安一样,都是他的信徒。在关于这个关键脚注所包含内容的争执解决后不久,李德·哈特给英国出版商写了一封信,这封信突出了这条李德·哈特借之挽救声誉的冗长脚注的重要性：

非常感谢您昨天的来信，确认 299 页拜尔莱因的脚注将完整刊印……我能理解您想删减（一部分脚注）的意图，是希望避免招致批评。但是如果拜尔莱因脚注的主要部分被省略，就会使您提议的"出版者注"失去意义。另外，他的说明除了对我的价值之外，还有重要的历史意义。（它在法国很快留下了深刻的印象，就像刊印在德斯蒙德·扬的书中而在美国产生的效果一样。）

顺从英国虚伪的谦虚传统而压制这样有重要历史意义的证据是错误和愚蠢的，这是最严重的欺骗，与真正的谦卑完全不同。

但您一开始写的出版者注很好地配合了拜尔莱因的脚注，鉴于您还计划扩展其他的脚注或者加入新的注解，我不明白为什么您不能在拜尔莱因的第 8 句至 9 句话之前或者之后配上那几句脚注。

总之，在著作前期宣传和您分发的各种版本说明中，都应该强调拜尔莱因的证词，以及隆美尔家人希望我编辑文集的理由，就如阿米奥特-迪蒙在法国所做的那样。我以为您可能会将它们刊印在封面或给书商的宣传册上，尤其是去年您坚持让我为切斯特的著作《十字军东征在欧洲》提供引证之后。祝福您![70]

《隆美尔文集》的评论者当然注意到隆美尔和李德·哈特之间的关联。例如，著名的二战将军布赖恩·霍罗克斯爵士写道，李德·哈特的"编辑让人想到一个仁慈的舍监在叙述一个被喜欢的学生的业绩。这有些让人困惑，直到 299 页的一个脚注中，拜尔莱因将军让我们了解了内情。"《泰晤士报》的评论者甚至认为李德·哈特没有资格编辑文集，因为他对隆美尔有如此直接的影响，而一个人不能公正地评价他自己的学生。[71]

我不想过分强调《闪击英雄》中那一段落以及《隆美尔文集》中那

个脚注的重要性,李德·哈特挽救他的声誉的努力是全面性的。然而,这两处短小的赞颂对于他重塑历史记录发挥了主要作用。例如,看下面这段,那个就《闪击英雄》中著名的第二段来源而质询李德·哈特的学生论文的摘录:

> 尽管李德·哈特和富勒一样,在第二次世界大战之前没有得到很多英国军队领导人的赏识,德国军人却注意到他。海因茨·古德里安承认自己"在坦克问题上是李德·哈特的信徒之一"。拜尔莱因将军说明了李德·哈特给陆军元帅隆美尔留下的深刻印象,而装甲将军哈索·冯·曼陀菲尔在1949年3月将李德·哈特看作"现代坦克战略的创造者"[72]。

李德·哈特和以色列军队

在战争学者看来,德国国防军不是唯一与李德·哈特有紧密关联的军队。人们普遍认为他对以色列军事思想的发展也产生了重要影响,以色列国防军很多让人印象深刻的胜利都是应用他的间接路径理论的结果。李德·哈特自己认为,以色列而不是德国,是他"所有学生中最出色的"。[73]例如,他在《回忆录》中写道,"从我见到以色列正崭露头角的领导人时,我就发现了他们对军事问题的掌握以及可与德国相媲美的军事思想,并且在一些方面超越了德国。"[74]李德·哈特的声誉因与以色列的紧密联系而提升,以色列和德国一起被普遍视为闪电战的卓越实践者。然而,这种关联对于恢复他失去的声誉并不重要,因为以色列与他20世纪30年代的职业生涯没什么关系,这段时期的历史记录(给他)造成了障碍。

有足够的理由怀疑李德·哈特对以色列军队的影响,正如图维亚·本-摩西的研究所显示的。[75]据说是他关于间接路径的作品对以色列的军事思想产生了重要影响,在 20 世纪 40 年代这种影响力达到最高程度。首先,鉴于"间接路径"概念的模糊性,难以想象以色列国防军如何操作并将每次军事胜利都归功于(间接路径)。要证明影响的存在,需要在李德·哈特具体的观点和以色列军事学说的形成之间建立关联。

按照布赖恩·邦德的说法,最有利于李德·哈特的证据是,"几位杰出军官和学者的赞扬。"它们大多是零散的称赞,并且如邦德注意到的,"需要更加仔细考察的是这种影响力的来源、程度和性质。一些有热情但对历史不够了解的访谈者和记者将以色列的所有成功都归结于对李德·哈特所教诲的间接路径的熟练应用,(这种结论)根本站不住脚"。[76] 然而,与德国的案例一样,除了一些事后称赞外,基本没什么证据。例如,作为对以色列这一问题的持续研究的一部分,本-摩西查阅了期刊《马阿拉霍特》(Ma'arakhot)的过刊,其中有很多关于重要军事话题的理论文章,他的结论是:

> 通过查阅这份期刊中所有"意在灌输(间接路径理论)"的文章,可以发现从 1939 年至 1949 年,没有出现一篇李德·哈特讨论"间接路径"的文章。事实上,直到 1950 年赫佐格发表的一篇文章,之前没有其他任何人发表过有关"间接路径"的文章。因此可以断定在这份政府的军事培训期刊中,既没有对哈特的特别关注,也没有对他思想的任何重视。[77]

伊加尔·雅丁是 20 世纪 40 年代和 50 年代初期以色列一个重要的军事人物,据说他是 40 年代在以色列军队中传播李德·哈特思想的主要人物。本-摩西注意到,雅丁宣称"在 1940—1943 年负责军队训练期间,他教授甚至翻译了哈特著作的部分章节。"本-摩西研究了一下这个说法,写道:"我无法找到支持这一说法的证据。"[78] 另外,现有的证据有力地"表明哈特的'最好的学生'事实上在战争中对他知之甚少,而他们的实践被捧上天,成为'间接路径'的明显证明。"[79] 可能对李德·哈特影响力的最好证明是他的作品有助于少数以色列人激发关于战争的思想,像至少两位将军所宣称的那样,[80]尽管发挥影响的途径从未被说明。完全没有证据支持阿里尔·沙龙所说的,李德·哈特是"我们所有人最伟大的老师"。[81]这只是另一个被制造出来的神话,用以提升李德·哈特的声誉。

那么为什么一些以色列人合作制造了这个神话? 让我提供一个合理的解释。以色列的军事威力现在被认为是理所当然的。研究战争的学者经常将德国国防军和以色列国防军称为 20 世纪两个最强大的军事机器。事实并非一直这样。以色列的战斗力量并没有得到特别的认可,直到在 1967 年 6 月获得令人震惊的胜利。在那之前,以色列国防军没有什么特别的地位,尽管它在独立战争和 1956 年战争中也表现得很出色。正如李德·哈特在 1965 年写道,"以色列军队只是最近才建立起来,传统的西方军事研究者将之视为一群业余者"[82]。缺乏(外界的)尊重,加上 1948 年至 1967 年之间以色列只是一个羽翼未丰的、正努力建立合法性的国家,这些因素使李德·哈特的称赞对其有很大吸引力。他毕竟是世界上最为著名和备受尊敬的军事作家。他确实对他们大加称赞:"在有关以色列军事问题方面,李德·哈特没有假装公正;他的态度类似于一个骄傲的校长赞扬一代又一代学生,这些学生不但获得奖赏而且在他教导的基础上不断改进。"作为非正式的交换条件需要以色列人对李德·哈特大加赞赏,并且不遗余力地证明他们是李德·哈特学生的说法。以色列人兑现他们的交易毫无困难,邦德对李德·哈特在 1960 年唯一一次访问以色列的描述充分体现了(交易)的圆满成功:

> 李德·哈特作为(以色列)政府客人的访问是一次胜利之旅。他被媒体称为"我们时代最伟大的军事专家"、"20 世纪的克劳塞维茨"和"军事理论教皇",而他立即称赞他的接待者是他最好的信徒和世界上最杰出的军队。他与所有的"高级军官"会面,包括与拉斯科夫(以色列国防军总参谋长)和他的副总参谋长拉宾,以及本·古里安总理进行的有关总体局势的讨论。[83]

应对潜在的对手

除李德·哈特之外,还有两个人被认为在两场战争之间对德国的闪电战思想产生了重要影响,他们是夏尔·戴高乐和 J.F.C.富勒。李德·哈特的第四个办法是挑战他们的影响力。《国家和英国评论》在 1958 年发表了一篇文章,将戴高乐描述为"20 世纪 30 年代最有原创性的军事思想家"。[84] 他还被认为对古德里安产生了重大影响。这两个说法大多在 1940 年之后出现,引发了李德·哈特的愤怒,他开始挑战(这两个说法)。[85] 他强调戴高乐不可能影响到古德里安,因为古德里安自己说他直到 1937 年才读到戴高乐的著作《未来的陆军》,当时装甲师已经开始组建。用古德里安自己的话说,戴高乐的理论"没有对装甲力量的发展产生任何影响"。看起来找不到理由挑战这一说法。然而,李德·哈特也不能宣称戴高乐对于装甲战没有先进的观点,因为证据不支持这一点。相反地,他致力于说明戴高乐是从英国闪电战的倡导者那里获得这些观点,这当然指的是他自己:"戴高乐关于机械化力量和战争的一个简短论述直到 1934 年才发表,而英国的作家已经阐释这一理论有 15 年之久。与古德里安相比,戴高乐(对这个理论)的借用更加具体,但是他远没有古德里安诚实,承认他受益良多。"[86]

还有另外一个例子,李德·哈特认为戴高乐从他那里借用了一个重要的观点,涉及他的一个虚假说法(之前讨论过),即在 20 世纪 30 年代他和戴高乐和雷诺分享过一个观点,法国应该建立一支具备强大进攻能力的装甲部队。他同样暗示戴高乐是从他那里得到这个观点,尽管没有可支持(这个说法)的证据。例如,他在《回忆录》中写道,"我曾经在 1927 年关于那支军队的一篇文章和《重塑现代陆军》

中力劝这么做的必要性(建立一支职业军人组成的机械化先锋部队),过去两年中,陆军中校戴高乐在一本引人注目的小册子中持有这一观点,保罗·雷诺则在议会中提出这个观点".[87](2:127)结果表明戴高乐的重要观点大部分来自别人,结果是降低了他作为一位军事思想家的地位。李德·哈特曾要求乔治·奥威尔道歉,理由是他"很容易就相信了一个传言",即德国人是从戴高乐那里借用的坦克理论,他告诉奥威尔:"事实是机动装甲力量的使用源于英国,这个概念在英国产生并得到发展,远远早于它在其他任何地方得到的重视。"[88]这个观点贬损了戴高乐的名声,但却提升了李德·哈特的声誉。

关于李德·哈特所称的对戴高乐影响的讨论,加上前面讨论的他对德国和以色列人的所谓影响,都说明李德·哈特想表明西方几乎所有著名的装甲力量指挥官都得益于他。要使这个故事完整,还需要讨论乔治·巴顿将军的案例。档案管理人员斯蒂芬·布鲁克斯在李德·哈特去世后整理了他的文件,据她所说:

> 1948年,李德·哈特记录了他与巴顿在1944年的两次会面。这个记录简短地提到,巴顿在第一次拜访中意志消沉地讨论应该回到1918年法国的缓慢战争方式。李德·哈特提醒他回忆谢尔曼的战役:"我认为间接(路径)观点(给他)留下了一些印象。不管怎样,当我在6月的一个晚上与他再次见面时,刚好在他出发前往诺曼底之前,他不再讨论1918年的方式,而是变得更加进取。"这里的言下之意是李德·哈特的谈话明显发挥了作用,但这完全是推测。现在回顾李德·哈特在两次会面时所做的原始记录,在第一次会面记录中确实提到了谢尔曼,但是据李德·哈特的记录,是在第二次会面中巴顿谈起回归到1918年的方式。很明显,1948年的记录与会面时的记录不一致。[89]

富勒的情况更有挑战性。李德·哈特的理论很多得益于富勒,但他从没有公开承认。毕竟富勒促使李德·哈特转变为一个装甲支持者,并且对他早期的"闪电战"思想产生了重要影响。他们在第二次世界大战后是好朋友,由于他们在两场战争之间曾有过争执,李德·哈特可能不想再做任何破坏友谊的事情。[90]另外,如果任何人可以合理地宣称影响了德国装甲力量的将军们,那就是富勒。[91]出于这些原因,李德·哈特明显地愿意与富勒共享荣誉,这体现在他关于戴高乐对德国影响的通信中,李德·哈特讨论的不是他本人的影响力,而是关于"英国作家"的影响力。

然而,李德·哈特确实试图降低富勒的重要性而提升他自己的(重要性)。他在出版于富勒去世前一年的《回忆录》中辩称,他们早期关于闪电战的观点有根本区别:[92]富勒提倡建立全坦克军队,而他支持将装甲力量编入其他作战部队中,他理解深层战略突破的重要性,而富勒不理解,相反支持深层战术突破。这两个问题——将军队行动和深层战略突破结合在一起——是实施闪电战的最重要因素。这些是李德·哈特为古德里安的《闪击英雄》所写的关键第二段的核心内容。

在第二次世界大战中,尤其是德国的经验证实深层战略突破是闪电战的核心元素,并且全坦克部队是一个坏主意。英国军队正是由于接近这个理想模式(全坦克作战)而在战争早期遭受很大损失。[93]所以李德·哈特明显将他自己置于这个争论的正确一边,而将富勒置于错误的一边。推论当然是德国人和李德·哈特在这些关键问题上意见一致,而富勒的观点与英国将军们的观点类似。然而,李德·哈特《回忆录》的读者不用自己推断,李德·哈特告诉他们:

> 在 20 世纪 30 年代,皇家坦克部队的大部分领导者,尤其是霍巴特,倾向于贬低附属炮兵的必要性,强烈支持富勒的概念,即装甲部队应该是全坦克力量而不是全机动力量。因此当战争爆发,与古德里安所发展的装甲部队相比,英国式的装甲力量缺乏平衡的结构。古德里安选择遵从早期的英国思想(当然是李德·哈特的观点)。正如接下来时常出现的局面,(英国)由于既

得利益之间的冲突而付出了惨重的代价。(1:103)

尽管李德·哈特如此宣称,两场战争之间却没有证据表明装甲战分歧的存在。李德·哈特没有讨论过深层战略突破这个主题,他也没有提到过在闪电战推进阶段方面他与富勒的分歧。仔细研读他们的作品找不出证明分歧存在的证据。[94]另外,在需要将步兵和炮兵整合到大规模的装甲部队中这个问题上,他们之间没有明显的分歧。与李德·哈特在第二次世界大战之后的暗示相反,在那场冲突之前,他时常倾向于支持全坦克军队,而富勒经常强调步兵和炮兵不应从战场上消失。[95]

富勒1932年在著名的《野战条令(三)》中表述了他关于装甲战的观点。李德·哈特在1932年两次对这本书作出评论。他在写给《每日电讯报》的一篇文章中讨论了这本书,并在写给《三军评论》(*United Services Review*)的一封信中称赞这份期刊对富勒著作的正面评论。他还将《每日电讯报》的专栏文章副本和一张便条一起寄给富勒。[96]在那封信中以及两场战争之间的任何场合,李德·哈特都未曾批评富勒的观点。[97]简而言之,李德·哈特是在战后制造出这些分歧,意图是贬低富勒的影响力而提升他自己的(影响力)。[98]

挽救(声誉)的成功

在20世纪60年代中期,李德·哈特成功地挽回受损的声誉。他和富勒在1963年10月获得皇家三军学会颁发的久负盛名的齐斯雷金质奖章。在颁奖仪式上,李德·哈特因他的远见卓识和对德国将军的影响而被大加称赞。然后他在1966年被授予爵位,然而,对他来说最重要的是1965年,这一年是他的70岁生日和获得成功的关键,即他的《回忆录》出版的年份。用A.J.P.泰勒的话说,他的《回忆录》"得到了几乎震耳欲聋的称赞".[99]这本《回忆录》当然完全是李德·哈特对导致法国沦陷的一系列事件的描述。

《回忆录》由英格兰的卡塞尔出版，这家出版商在 1965 年还出版了另外两部有助于恢复李德·哈特声誉的著作。第一部是杰伊·卢瓦斯的《军队教育》，其中一章对李德·哈特大加称赞.[100]卢瓦斯是李德·哈特非常亲密的朋友,[101]他在书中提出了很多将在李德·哈特《回忆录》中出现的观点，这并不奇怪，因为李德·哈特"详细校订"了卢瓦斯书中关于他的那一章.[102]卡塞尔还出版了《战争理论和实践》，这本书由李德·哈特的另一个亲密朋友迈克尔·霍华德编著.[103]这本书实际上是送给李德·哈特 70 岁生日的纪念文集，包括很多著名人物的文章：伊加尔·阿隆、博弗尔、阿拉斯泰尔·巴肯、戈登·克雷格、诺曼·吉布斯、亨利·基辛格、彼得·帕雷，这只是其中一些。这些论文是"一群学生、信徒、崇拜者和朋友献给一位最伟大的导师"的。

这本纪念文集在两个方面提升了李德·哈特的声誉。首先，受到如此的尊敬可以提升他的总体名望.[104]其次，这本书包含的三篇文章可以支持李德·哈特对两场战争之间（形势的观点），分别是博弗尔的《李德·哈特和法国军队，1919—1939 年》；罗伯特·奥尼尔的《德国军队的信条和训练，1919—1939 年》；蒂姆·派尔的《李德·哈特和英国军队，1919—1939 年》。这些作者都是李德·哈特的亲密朋友.[105]奥尼尔的文章主要关注闪电战思想在德国的发展，结尾是引述《闪击英雄》中的两个关键段落.[106]派尔的文章是讨论两场世界大战之间的英国军队，与李德·哈特对一系列事件的描述完全一致.[107]最后，博弗尔文章的精华体现在它的最后一段中："毫无疑问李德·哈特的影响是巨大的。就我来说，我只是试图说明这种本来可以让我们免于 1939—1940 年灾难的影响力没能改变历史进程，至少就法国军队来说是这样的."[108]

卡塞尔在 1965 年 2 月发布了《军队教育》。《回忆录》第一卷于 5

月出版,第二卷于 10 月同《战争理论和实践》一同出版。后面两本著作经常被放到一起评论。这四部著作的连续出版都有助于李德·哈特改变历史记录,都得到了良好的评价,夯实了对李德·哈特的重新评价。在《回忆录》第二卷出版后不久,博弗尔和霍华德在英国广播公司的一个节目上讨论了李德·哈特的生涯。他们的交流结尾是:

> 霍华德:我认为他是一个悲剧性人物。很高兴他能活着,并且庆祝他的 70 岁生日,看到全世界对他的英明和远见表示敬意,并承认他是一个天才的先知和引导者。

> 博弗尔:是的,我完全同意你的观点。[109]

李德·哈特从 20 世纪 40 年代走过了漫长的黑暗。他成功地实现了自我。

李德·哈特的成功有几点原因。随着时间的流逝,记忆逐渐淡去,人们对没有政策意义的争论细节逐渐失去兴趣。因此随着时间流逝,改变人们对某一特定事件的看法变得愈加容易。如果李德·哈特的《回忆录》在 1945 年出版,不会像在 1965 年那样深受欢迎。另外,如布赖恩·邦德注意到:“英国的社会习惯是,所有的持异见者、反叛者、局外人和体制的批评者到了 70 岁的时候都会被原谅。”[110]这些因素无疑可以解释李德·哈特能够成功恢复声誉,但是过于看重它们的重要性却是错误的。毕竟,很多在 20 世纪 30 年代涉及李德·哈特的争论仍然是激烈争论的主题。

李德·哈特指责的英国军队是一个容易受到攻击的目标,部分是因为两场战争之间对它名声的损害带来的持续效应。大多数英国人很熟悉他们的军队被指责为由“保守的上校”所领导,因此倾向于相信最坏的情况。然而,更重要的是,军队从没有认真地为自己辩护。关于 20 世纪 30 年代和战后(的民意)的一个调查,值得注意的是李德·哈特完全主导了与其军事(理论)反对者之间的争论。军队作为一个机构,更不要说将军们,很少在公开出版物中反对李德·哈特。卢瓦斯在《军队教育》出版后不久写信给李德·哈特,表示很高兴看到这本书的正面评论,他还说:"我原以为我会遇到一个尖刻的年长批评者,利用这一机会清算旧账,但却没有这份运气。"李德·哈特可能并不惊讶,因为在 20 世纪 40 年代后期他就明白他几乎不会受到来自欧洲的批评,批评他作品的多是美国人,正如他在给亨利·斯提尔·康麦格的一封信中所说:"近年来我已经习惯了美国出版界对我的廉价批评,这与我的观点在欧洲得到越来越多的尊敬形成对比。"[111]

另外关于英国将军的两点(与李德·哈特的成功)相关。第一,不仅英国军官没能挑战李德·哈特对两场战争之间事情的描述,还有少数有影响力的将军对他重塑历史的努力作出了贡献。例如,约翰·哈克特将军在李德·哈特获得齐斯雷金质奖章颁奖典礼上的讲话中有力地表述传统观点,20 世纪 70 年代中期做过英国国防大臣的著名军人学者 F.M.洛德·迈克尔·卡弗也在他 1979 年的利斯·诺尔斯讲座中也做了几乎同样的事情,讲座随后以《机动化信徒》为名出版。[112]第二,人们可能认为富勒会挑战李德·哈特对两场战争之间所发生事情的解读,然而富勒看起来不关心是否名垂青史。他在这方面与李德·哈特完全相反,从来不与他的朋友争论。在 1978 年一次讲座的讨论中,艾德里安·李德·哈特评论了他的父亲和富勒(富勒是艾德里安的教父):"我认为这两个人之间的区别是,如果今天他们都在场,我父亲会对您所说的表现出热情,无论是赞美还是批评。在他还是一个年轻人的时候,他就关心他将在历史中发挥什么作用。我了解富勒,我怀疑他会毫不在乎别人如何评论他!"[113]

李德·哈特的成功还源于他很少受到军事问题研究者的挑战。《回忆录》本应引发一些争论,然而却罕有批评的言论。这并不令人惊讶。他的一生中有时会在私人通信中被质疑但很少受到公开的挑战。[114]在整个 20 世纪 30 年代,没有任何人与他进行长期的公开争论,后来也没有人要求他对在 30 年代政策争论中的作用作出解释。缺少持续有力的批评使得他在 30 年代享有崇高的地位,尽管如果他的观点受到更多挑战,他毫无疑问也会从中获益。在没有批评的环境中,他可以基于自己的目标随意塑造历史记录。

我们只能推测学术批评缺乏的原因。首先,在这之前没有多少严肃的军事问题研究者。现在有一个不断壮大的、关注军事问题的历史学家群体,尤其是在英国,但是这个群体是在李德·哈特生命中的最后十年才出现。当时,对李德·哈特的既有观点是根深蒂固的,事实真相自然需要一些时间才能清楚。只有完全熟悉20世纪20年代和20世纪30年代英国军队历史和李德·哈特私人文件的人才能挑战他对历史的描述。布赖恩·邦德当然符合这些条件,他撰写的关于李德·哈特的杰出著作以及对英国军队的出色研究帮助纠正了历史记录。

接下来一个重要的问题是李德·哈特与第二次世界大战后英国和美国出现的众多军事历史学家之间的关系,他友好地对待他们中的大部分人,正如卢瓦斯所证实的:

> 很少有讣告会提到全世界(军事)历史研究者从李德·哈特那里得到难以估量的帮助。在25年时间里,他的房子就是历史学家以及将军和政治家们的圣城。他从不犹豫向别人提供他著名的文件,即使是对那些正在撰写论文的大学生,他很高兴与其他进行战争研究的学者分享他的权威知识和宝贵时间。他对美国的来访者尤其宽厚,付出了大量的休闲和工作时间。无论多么琐碎的请求,他都会回复,多小的错误,他都不会视而不见。他被描述为教导将军的上尉;他还是英国和美国一代军事历史学家真正意义上的最重要导师。
>
> 那些有幸得到这位伟大人物帮助和指导的人可以真诚地说,他鼓励了(我们),纠正了(我们的错误),并且慷慨地帮助我们提升了事业和灵魂。[115]

那些与李德·哈特发展了紧密关系的人包括:科内利·巴尼特、布赖恩·邦德、阿拉斯泰尔·巴肯、迈克尔·霍华德、阿拉斯泰尔·

霍恩、保罗・肯尼迪、罗纳德・莱文、杰伊・卢瓦斯、肯尼思・麦克塞、理查德・奥戈基维斯、罗伯特・奥尼尔、彼得・帕雷、巴里・皮特和唐纳德・舒尔曼。一个例外是约翰・特雷恩，他成为(李德・哈特)的尖刻批评者，因为他坚定地维护第一次世界大战中最让李德・哈特反感的陆军元帅黑格。[116]

李德・哈特和这些学者之间的联系在两个方面有利于他。首先，这些联系可以保证在这些学者关注涉及李德・哈特的事件时，他可以最有利地证明自己的观点。他们在亲自聆听李德・哈特的讲述之后，会非常了解他对历史的描述，相比之下对别人如何讲述同样的历史就不那么熟悉。其次，尊敬和友谊会使这些学者倾向于接受李德・哈特对历史的描述。即使当他们怀疑他的说法时，他们也尊敬他渊博的知识，并感激他的友谊和慷慨。他们当然不会从最坏的角度看待他。我应该强调我不是暗示李德・哈特的学者朋友们在学术问题上不诚实，只是这些学者(与李德・哈特的)私人关系会影响到他们提出的问题和提供的答案。因此李德・哈特与这些学者的亲密朋友关系只能有利于他。

那些对两场战争之间的(事情)没有研究的人不可能遇到不同的信息，以挑战他们对李德・哈特的观点。对他们来说，他的作品就是权威。例如，彼得・帕雷就影响到他在斯坦福的一个博士生，这个学生有一段时间考虑撰写关于这本书主题的博士论文，但最后选择了一个不同的题目：

> 作为斯坦福大学的研究生，我认为对李德・哈特的理论发展进行详细的考察，重点关注他在大战中的经验如何影响到他的理论，这是有意义的。我的导师彼得・帕雷指出这个领域已经有大量的作品，最著名的就是李德・哈特的《回忆录》，他明智地引导我放弃这个思路。[117]

帕雷的研究不包括两场战争之间的欧洲历史，毫无疑问他不了解李德・哈特的《回忆录》歪曲了历史。

当然,真正的事实已经开始浮现。值得称赞的是,李德·哈特的一些学者朋友在澄清历史事实方面迈出了第一步。肯尼思·麦克塞是第一个对李德·哈特塑造的历史提出疑问。他在李德·哈特去世后不久提出,李德·哈特是借助于德国的将军挽救了他受损的声誉,尽管他没有详细发展这一观点。1981 年他出版了《坦克先锋》,主要研究装甲学说在 20 世纪前半叶的发展。尽管这本书较少关注李德·哈特对坦克战的思考,但却清晰地表明对他的传统看法是有严重缺陷的。[118]布赖恩·邦德的《李德·哈特》是第一本严肃挑战李德·哈特所创造的遗产的著作。这本书不是对李德·哈特遗产的直接指责,但是邦德在很多方面提出了挑战并且提出了质疑。撰写对他敬仰的人的批评性研究一定是相当困难的。

李德·哈特在歪曲历史方面的成功还得益于他自身的一些条件。他非常聪慧,并且在军事问题方面知识渊博,尤其是对那些与他职业生涯有关的事件。任何与他争论的人都会很快认识到,这是与一个令人敬畏的对手的学术争斗,正如陆军准将埃德蒙兹在他们的一场激烈争论中间对他说:"你是一个比劳合·乔治更加危险的敌手。这可以说明很多!"[119]

哈特还是一个富有技巧的作者,这对一个以写作为生的人并不稀奇。即使这样,以新闻专业的标准来看,他运用词汇和提出观点的能力也是令人印象深刻的。此外,他的目标(能够实现)还得益于他是一个多产的作者,他在一些重要问题上的观点随着时间而改变。因此他拥有很多的政策观点,当在某个问题上遇到挑战的时候,他可以从中挑选(合适的观点)。另外,作为他的主要军事思想之一,间接路径是一个定义不精确而且灵活的概念,它可以被用来适应任何目标。因此只有一个非常熟悉他所有作品的人才能确定他的观点,让他对不同时期所说的话负责。

李德·哈特成功挽救声誉还源于他的坚持不懈。他表现出无尽的精力,毫不夸张地说,从法国沦陷开始一直到他 1970 年去世,他人

生的最主要目标就是要在历史上建立他的地位。下面的一些趣闻轶
事表现出他是多么严肃地对待这个事业。1949 年初，对《德国将军谈
话录》的一篇不乏洞察力的批评出现在一份美国期刊《军事问题》中。
这个评论者是美国军队一位正在服役的军官，他对被俘的德国军官
进行了大约 500 次访谈，他抱怨：

> 李德·哈特倾向于让别人替他说话，这带来恶劣的效果。
> 当每一个德国人都（被驱使）虚伪地说出本书是作者的著作，教
> 给他们所有关于战争的知识，我认为这是令人恼火的，并且损害
> 了这本书的可信性。关于这个问题，换一种说法是德国人的经
> 验完全证实了李德·哈特的战术防御优势理论和间接（路径）超
> 越历史的价值。我认为这些声明都是虚假的，《德国将军谈
> 录》的真正麻烦是：他们（德国人）不是那么说的。[120]

被激怒的李德·哈特写信给德怀特·艾森豪威尔，说明为什么
这篇评论是有缺陷的，并且还询问艾森豪威尔是否有可能惩罚作者
的过错。艾森豪威尔当然拒绝合作。[121]

第二件事涉及一本 1957 年出版的有关第二次世界大战中卡西
诺战役的著作，作者是弗莱德·马杰达拉尼。在（书中）某处，作者简
单列出了李德·哈特在战前关于防御处于优势的观点，然后解释了
它们为什么在战争初期被证明是错误的。这个用了一页篇幅的讨论
是准确而且没有偏见的。李德·哈特很生气并写信给曾为曼施坦因
辩护的英国律师雷金纳德·佩吉特，询问提起诽谤诉讼的可能性。
佩吉特告诉李德·哈特他无能为力，因为他不是诽谤罪的专家，李
德·哈特回信给佩吉特，表示实际上他"没有严肃地考虑对朗曼（英
国出版商）提起诽谤诉讼，但是我想触动他们一下，如果有可能劝说
他们做些什么去改正马杰达拉尼书中对我观点的错误陈述"[122]。

总而言之，李德·哈特本身的才智，加上他对其目标的锲而不
舍，使他能够消除批评者和那些了解他 20 世纪 30 年代后期所持观
点的人（对他的批评）。[123]值得注意的是这些批评者几乎总是对的。

他们没有提供虚假信息。这些事情的本质很好地体现在《步兵杂志》的一个编者按中，不久之前李德·哈特刚刚给这份杂志写信，抗议编辑在之前一期中，描述他在第二次世界大战之前宣称"在现代战争中，防御比进攻更加有力量"。这个注解写道：

> 杂志致以最谦卑的歉意。我们的声明是一个编辑错误，本应被发现并删除，因为我们了解的更多。我们一直很遗憾，关于李德·哈特上尉真正军事思想和建议的错误观点持续存在这么久。[124]

注　释

1. *Memoirs* 2:280.他在法国沦陷之后很少再写到第一次世界大战，唯一一篇我知道的重要文章是"The Basic Truth of Passchendaele," *Journal of the Royal United Services Institution* 104(Nov. 1959):433—439。

2. 参见 Brian Bond, *Liddell Hart: A Study of His Military Thought* (London: Cassell, 1977), 132。也参见 LH, "The German Invasion of the West: The Basic Factors," *Union: The Monthly Forum of the New Commonwealth Institute* (July 1940):193—205; LH, *Dynamic Defence* (London: Faber, 1940)——这是他早期两次为自己辩护。

3. *Memoirs* 2: 202:以及 204, 242—243; LH to Edward Mead Earle, 24 Apr. 1946, 1/255/6; ibid., 19 Sept. 1947, 1/255/11; LH, *This Expanding War* (London: Faber, 1942), 10。

4. 他在《回忆录》中简要讨论了从 20 世纪 30 年代开始他发表在《泰晤士报》上的大部分文章,在这些文章中他阐述了关于防御优势地位的观点,但却几乎没有任何关于进攻-防御平衡的观点。合适的参考文章有"The Army To-day" series of November 1935, discussed *Memoirs* 1: 294—98; "The Army under Change" series of October-November 1936, discussed *Memoirs* 1:379—381; "The Attack in Warfare" article of 10 Sept. 1937, discussed *Memoirs* 2: 21, 24—28; the famous "Defence or Attack?" series of October 1937, discussed *Memoirs* 2:58。

5. 关于这种手段的其他两个例子,参见 *Dynamic Defence*, 57—64; "German Invasion of the West," 203—205。

6. *The Current of War* (London: Hutchinson, 1941), 83—91.关于这些文章,例如,参见 LH to editor, *New York Herald Tribune*, 5 Nov. 1948, 9/

24/16；LH，"Appeasement in the Thirties," transcript of lecture for BBC Home Service Programme，written Apr. 1963，delivered Sept. 1963，12/1963/1；*Memoirs* 2：127。

7. "Talk with Gen.-Lt. von Blomberg-8/3/32," memorandum for the record，11/1932/9.

8. Editors' biographical sketch，*Infantry Journal* 64（Mar. 1949）：31；LH，letter，ibid.（June 1949）：52—53.

9. Gen. Frederick Pile to LH，22 June 1940，1/575.

10. William Harlan Hale，"Meeting of Military Minds," rev. of *The German Generals Talk*，by LH，*New York Herald Tribune*，Weekly Book Review，26 Sept. 1948，2. LH to editor，ibid.，5 Nov. 1948，9/24/16；LH，letter，*World Review* 6（Mar. 1939）：65.

11. *Memoirs* 2：270；以及 53—54，280—281；LH，"Churchill in War," *Encounter* 26（Apr. 1966）：16。

12. LH to editor，*New York Herald Tribune*，5 Nov. 1948，9/24/16.也参见 LH to Earle，24 Apr. 1946，1/255。

13. "New Techniques of War：Captain Liddell Hart's Analysis," rev. of *Dynamic Defence*，by LH，*Times Literary Supplement*，16 Nov. 1940，574.

14. LH to editor，*Time*，5 Nov. 1948，9/24/16.也参见 *Memoirs* 1：237，379；2：202—204，265—266。

15. 参见 B.Bond，*Liddell Hart*，232—233。

16. 关于李德·哈特对阿登高地的看法,参见 *The Decisive Wars of History：A Study in Strategy*（Boston：Little，Brown，1929），89，166，225；*The Defence of Britain*（London：Faber，1939），216—219；*Foch：Man of Orleans*（London：Eyre & Spottiswoode，1931），383；*A History of the World War*，*1914—1918*（London：Faber，1934），577；*The Real War*，*1914—1918*（London：Faber，1930），461；*Reputations*（London：Murray，1928），23，28；*Through the Fog of War*（New York：Random，1938），8，126，316，320。

17. *Real War*，461.也参见 *History of World War*，577；*Decisive Wars of History*，225.李德·哈特战后在 *Real War* 和 *Decisive Wars of History* 中宣称他曾经阐述阿登高地有利于开展装甲攻势；参见 LH，"The Ardennes as a Potential Route for Mechanised Forces：Historical Note," memorandum for the record，14 Dec. 1948，11/1948/28；以及 LH to Earle，24 Apr. 1946，1/255。情况不是这样。

18. 参见 P.C.F.Bankwitz，*Maxine Weygand and Civil-Military Relations in Modern France*（Cambridge，Mass.：Harvard and University Press，1967），chap.4；Gen. Charles de Gaulle，*The Army of the Future*（London：Hutchinson，n.d.）；Robert A.Doughty，"De Gaulle's Concept of a Mobile，Professional Army：Genesis of French Defeat，"*Parameters*，4，no.2（1974）：23—34。

19. *Memoirs* 1：274；也参见 2：126—127；LH，"Appeasement in the Thirties."

20. 李德·哈特概述了雷诺和戴高乐的观点，参见 *Defence of Britain*，203—206，但没有说明他的想法。尽管从 20 世纪 20 年代开始，他关于法国军队的主要作品显示出他有兴趣看到一支军队发展为高度专业化的机械化力量，但没有提到发展进攻能力的需要；例如，参见 *The Remaking of Modern Armies*（London：Murray，1927），chaps.15—18；*Current of War*，chap.5。然而，从 20 世纪 30 年代开始，他的作品中罕有提到建设机械化力量的需求，而是对法国军队当时的状态表示满意。

21. LH，"The Defence of the Empire，"*Fortnightly* 143（Jan. 1938）：29.

22. LH，"Tortoise to Tank，" *World Review* 9（Sept. 1940）：21.也参见 LH to Esme Wingfield-Stratford，5 Oct. 1942，1/757；LH，*This Expanding War*，258。

23. Liddell Hart，227—228.弗里多·冯森杰（Frido von Senger）将军描述了李德·哈特与很多德国将军搭上关系的原委："在战俘营中，我们'一起'被著名的军事作家李德·哈特上尉拜访，他对德国人很友好，从那时起我与他建立起不仅限于职业方面的友谊。很多次我都感受到来自他的家庭的善意。"（*Neither Fear nor Hope*：*The War Time Career of General Frido von Senger und Etterlin*，*Defender of Cassino*，trans. George Malcolm［New York：Dutton，1964］，353.）

24. 参见他们两位关于出版 *Panzer Leader*（9/24/37；9/24/38；9/24/42）的大量通信。李德·哈特还试图帮助盖尔·冯·施韦彭贝格（Geyr von Schweppenberg)和阿道夫·霍伊辛格（Adolf Heusinger）两位将军出版他们的英文版回忆录；参见 LH to Robert Lusty，27 Apr. 1951，9/24/42。

25. 印有李德·哈特作为编辑的著作封面的副本收于 9/24/42；也参见 LH to V.W.Morrison，18，20，28 Dec. 1951，以及 Morrison to LH，19 Dec. 1951，所有都在 9/24/42。

26. 参见 chap.1，n.34。

27. LH，*The German Generals Talk*（New York：Morrow，1948），x；也

参见 LH，*The Other Side of the Hill*，rev. and enlarged ed.（London：Cassell，1951），12—13. "The German Generals Oblige，" rev. of *The German Generals Talk*，by LH，*Manchester Guardian*，22 Apr. 1948，4. LH，letter，ibid.，29 Apr. 1948，4。

28. 关于他的努力程度，参见 9/24/155—202；也参见 B.Bond，*Liddell Hart*，180—188。

29. Robert Vansittart，"My Reply to the German Generals，" *Sunday Dispatch*，13 Oct. 1946，6，a response to a serialized version of *German Generals Talk* in the *Sunday Dispatch* in 1946. Nigel Nicolson，"Partisan for Rommel，" rev. of *The Rommel Papers*，ed. LH，*Spectator*，24 Apr. 1953，506.切斯特·威尔莫特评论了《隆美尔战时文件集》，他告诉李德·哈特：你应该"在引言和脚注稍微抑制一下你的热情。"（Wilmot to LH，13 May 1953，1/753）

30. 关于评论，参见 9/24/18。

31. 也参见 23，100，185，280；*Other Side of the Hill*，9—13。

32. "Hitler's Generals Tell All，" *Sunday Dispatch*，8 Sept. 1946，1.这本书的长篇摘录发表在 *Sunday Dispatch* on 8，15，22，29 Sept and 6 Oct. 1946。

33. Jay Luvaas，*The Military Legacy of the Civil War：The European Inheritance*（Chicago：University of Chicago Press，1959），225.参见 LH，Introduction，*The Rommel Papers*，ed. LH，trans. Paul Findlay（New York：Harcourt，Brace，1953），xiii—xxi；LH，Foreword，*Panzer Leader*，trans. Constantine Fitzgibbon（London：Joseph，1952），11—15；LH，Foreword，*Lost Victories*，by F.M.Erich von Manstein，ed. and trans. Anthony G. Powell（Chicago：Regnery，1958），13—16；也参见 LH，Foreword，*The Schlieffen Plan*，by Gerhard Ritter，trans，Andrew Wilson and Eva Wilson（London：Wolff，1958），3—10；LH，Foreword，*The German Army and the Nazi Party*，*1933—1939*，by Robert J.O'Neil（New York：Heineman，1966）；LH，Foreword，*Neither Fear nor Hope*，5—7。

34. "Attack and Defence，" memorandum for the record，n.d.，filed under memoranda written in 1948，11/1948/32.

35. Correspondence in 9/24/71.参见 esp. LH to Manstein，29 Dec. 1947，10 Jan. 1948，2 Apr. 1949；Mainstein to LH，7，25 Jan.，24 Feb. 1948，14 Feb. 1950。

36. 例如，参见 LH，"Manstein Trial-Correspondence，Notes and Cut-

tings," 9/24/176—181；LH's correspondence with Reginald T. Paget（1/563）and Manstein(9/24/71)。也参见 B.Bond，Liddell Hart，184—186。

37. Paget to LH，12 Apr. 1951，1/563.我不能解释佩吉特为什么插入这句话，但我推断是李德·哈特促使他这么做，因为他自己不可能得出这个结论。他不是军事专家，而且正如我说过的，他并不了解什么（军事）著作。*Reginald T. Paget*，*Manstein：His Campaigns and His Trial*（London：Collins，1951）。

38. LH to Paget，1 May 1951，1/563.

39. "Later Note," n.d.，copy in 9/24/71 and 9/24/124. Actual quotation in Paget's *Manstein*，22. See also B.Bond，*Liddell Hart*，237，n.32.

40. 李德·哈特在 *Memoirs* 2：204 中引用这本书，证明曼施坦因受他（李德·哈特）的战前著作启发，将主要力量置于阿登高地，而佩吉特的《曼施坦因》的最后版本削弱了李德·哈特的说服力。

41. LH to Guderian，26 Feb. 1951，9/24/42.

42. Richard T.Burke to Constantine Fitzgibbon，6 Mar. 1968，9/24/38.

43. LH to Burke，2 Apr. 1968，9/24/38.

44. Stephen Brooks，"Liddell Hart and His Papers," in Brian Bond and Ian Roy，eds.，*War and Society：A Yearbook of Military History*（London：Croom Helm，1977），2：129.

45. *Rommel Papers*，203.

46. LH to Young，15 Nov. 1949，1/776.从这封信可以清楚地得知扬在与李德·哈特的一次电话交谈中第一次谈起这件事，但没有记录，这封信是继续那次谈话的内容。

47. LH to Young，29 Nov. 1949，1/776.

48. Young to LH，3 Dec，1949，1/776.

49. LH to Lucie-Maria Rommel，16 Dec. 1949，9/24/24.

50. Manfred Rommel to LH，28 Dec. 1949，9/24/24.在讨论隆美尔案例中使用的长篇引文，我没有试图改进其拼写、语法以及句法。

51. LH to Manfred Rommel，9 Jan. 1950，9/24/24.

52. Gen. Fritz Bayerlein to LH，15 Feb. 1950，9/24/50.

53. LH to Bayerlein，21 Feb. 1950，9/24/50.两篇翻译的副本及相关通信，见 9/24/50。

54. LH to Young，21 Feb. 1950，1/776.李德·哈特在扬的督促下，撰写了一篇对其著作的赞赏评论；"Genius and Gentleman," rev. of *Rommel*，by Desmond Youmg，*Listener*，2 Feb. 1950，212。

55. 李德·哈特给扬的下一封信支持这一点；copy in 1/776。

56. Desmond Young, Rommel：*The Desert Fox*（New York：Harper，1951），248；originally pub. as *Rommel*（London：Collins，1950）.第一条引文和脚注被插入到 1950 年版本的 274 页中。

57. 第二条引文插入 1951 年版本的第 254 页和 1950 年版本的第 279 页。

58. LH to Bayerlein，30 Apr. 1950，9/24/50.

59. 参见 esp. LH to Ronald J.Politzer，31 Jan. 1953，9/24/23。

60. 关于拜尔莱因的赞同，参见 Bayerlein to LH，11 May 1950，9/24/50。

61. Erwin Rommel，*Krieg ohne Hass*，ed. Frau Lucie-Maria Rommel and Generalleutnant Fritz Bayerlein（Heidenheim：Heidenheimer Verlagsanstalt，1950），241.

62. Politzer to LH，30 Jan. 1953，9/24/23.

63. LH to Politzer，31 Jan. 1953，9/24/23.这份文件包含大量关于这个问题的通信。

64. Young，*Rommel*，66.

65. 例如，参见他在 1940 年到 1945 年之间写的文章，收于他个人文件的第 10 部分。

66. 隆美尔在第二次世界大战之前的数年中高度关注步兵战术研究。他最著名的成果是 1937 年出版的著作 *Infanterie Greiftan*，在美国首版为 *Infantry Attacks*，trans. Lt. Col. G.E.Kidde（Fort Leavenworth, Kans.：Infantry Journal，June 1944）。当然，李德·哈特在 20 世纪 20 年代早期撰写了大量关于步兵战术的文献。在这一领域李德·哈特很有影响力，但是没有证据表明隆美尔了解这些，更不要说受到李德·哈特步兵战术作品的影响。

67. Young to Manfred Rommel，10 Mar. 1950，9/24/23.

68. LH to Frau Rommel，16 Dec. 1949，9/24/24.

69. Manfred Rommel to LH，28 Dec. 1949，9/24/24.

70. LH to Politzer，4 Feb. 1953，9/24/23.也参见 ibid.，5 Feb. 1953。

71. Lt. Gen. Sir Brian Horrocks，"The Rommel Myth," rev. of *The Rommel Papers*，ed. LH，Sunday Times，19 Apr. 1953，6；"German Generals," rev. of *The Rommel Papers*，ed. LH，Times，25 Apr. 1953，8.然而一位很重要的评论者声称，李德·哈特与德国的将军们只是出于互惠，改善对方受损的声誉。一位记者和受欢迎的历史学家米尔顿·舒尔曼（Milton Shulman)将这种关系称为"相互仰慕的美好关系"；参见"This Fervent Friend

of the Wehrmacht: Enough of Him!" rev. of *The Rommel Papers*, ed. LH, *Sunday Express*, 19 Apr. 1953, 4. Copies of the reviews in 9/24/32。

72. Richard T. Burke, "The German 'Panzerwaffe', 1920—1939: A Study in Institutional Change"(Ph. D. diss., Northwestern University, 1969), 87.伯克这篇文章中的脚注提到了 *Panzer Leader* 中著名的两段内容与 *Rommel Papers* 中冗长的脚注。

73. 引自 Tuvia Ben-Moshe, "Liddell Hart and the Israel Defence Forces: A Reappraisal," *Journal of Contemporary History* 16(Apr. 1981): 373。

74. *Memoirs* 2:183.也参见 LH, "Strategy of a War," *Encounter* 30 (Feb. 1968): 17。

75. Ben-Moshe, "Liddell Hart and the Israel Defence Force."与本-摩西相比,布赖恩·邦德认为李德·哈特有更大影响力,但是他提供了很多证据支持了本-摩西的观点;参见 *Liddell Hart*, chap.9。这两部作品非常有助于我接下来的讨论。

76. B.Bond, *Liddell Hart*, 238.

77. Ben-Moshe, "Liddle Hart and the Israel Defence Forces," 375.

78. Ibid., 374.

79. Ibid., 376.

80. 布赖恩·邦德对亚丁和哈伊姆·拉斯科夫的访谈,参见 *Liddell Hart*, 245—246。

81. 陈列于伦敦大学国王学院李德·哈特军事档案中的一张题赠照片上的引文。

82. *Memoirs* 2:183.

83. B.Bond, *Liddell Hart*, 242;也参见"Strategy of a War," 16—20。B.Bond, *Liddell Hart*, 260, emphasis added.

84. "Charles De Gaulle," 151(Oct. 1958):138.

85. 例如,参见 LH to Harvey A.DeWeerd, 20 Apr. 1944, 1/234; LH to John Brophy, 17 Aug. 1942, 1/112; LH to George Orwell, 8, 16 Aug. 1942, 1/557; LH to Earle, 24 Apr. 1946, 1/255; LH, letter, *National and English Review*, 151(Nov. 1958):198—199; LH, letter, *Times Literary Supplement*, 18 July 1942, 335; LH, letter, *Times*, 9 July 1942, 5。

86. Letter, *National and English Review*.也参见 *German Generals Talk*, 91; *Other Side of the Hill*, 121—122。李德·哈特从没举出任何证据证明他所宣称的,戴高乐曾从英国作家那里借用观点。

87. 也参见 *Current of War*, 91; *Memoirs* 1:274; LH, "Appeasement in

the Thirties."

88. Orwell to LH, 12 Aug. 1942, 1/557; LH to Orwell, 16 Aug. 1942, 1/557. 也参见 LH to Orwell, 8 Aug. 1942, 1/557。

89. Brooks, "Liddell Hart and His Papers," 138. 李德·哈特讨论他对巴顿的影响, 参见 *German Generals Talk*, 23; *Memoirs of General William T.Sherman* (Bloomington: Indiana University Press, 1957), xvi。

90. 参见 B.Bond, *Liddell Hart*, 30; Anthony J.Trythall, *"Boney" Fuller: The Intellectual General*, *1878—1966* (New Brunswick, N.J.: Rutgers University Press, 1977), 155—157, 159—160, 199—200; 李德·哈特给富勒的回信, 1/302。

91. 参见 Trythall, *"Boney" Fuller*, 203—205, 回顾本书第七章中来自古德里安儿子的引文。

92. 参见 *Memoirs* 1: 90—91; 以及 LH, "The Development of Armoured Infantry—'Tank Marine,'" memorandum for the record, 1948, 11/1948/36a。

93. 参见 chap.2, n.68。

94. 富勒如何看待李德·哈特关于防御比进攻占优势的观点？在 20 世纪 30 年代后期, 富勒至少在一个场合挑战了这一观点 (参见 Brian H.Reid, J.F.C.Fuller: Military Thinker[London: Macmillan, 1987], 192), 尽管他关于这个主题的写作很少。这毫不奇怪, 因为这一时期他主要关心的是法西斯政治, 而不是装甲战。参见 ibid., chap.8; Trythall, *"Boney" Fuller*, chap.8。

95. 关于李德·哈特对全坦克部队观点的想法, 参见 chap.2。富勒对使用步兵和炮兵的观点显示他们在这方面, 以及深层战略突破问题上没有什么分歧, 参见 Brian H.Reid, "J.F.C.Fuller's Theory of Mechanized Warfare," *Journal of Strategic Studies* 1 (Dec. 1978): 295—312。

96. "Armies of the Future: Tanks Instead of Men," *Daily Telegraph*, 19 July 1932, 8; letter, *United Services Review*, 29 Dec. 1932, 4314. LH to Fuller, 19 July 1932, 1/302.

97. 在他们大量的通信中 (1/302), 我找不到任何关于深层战略突破概念的讨论, 更不要提 (李德·哈特) 所说的分歧。在李德·哈特的文件 (11/1932/49) 中有一篇冗长的备忘录, 名为"关于富勒《野战条令 III》(机械化力量之间的行动) 讲座的笔记", 其中包含了与《回忆录》中同样的关键观点。这份文件的目录显示它写于 1932 年, 但备忘录上却没有时间, 1932 年是富勒著作出版的年份。我认为这篇备忘录是写于第二次世界大战之后, 因为在李德·哈特这个时期的其他通信中都没有提到它，如果确实存在他对自己观点的陈述，他一定会提到。

98. 李德·哈特对这个任务的重视体现在安东尼·特赖索尔（Anthony Trythall）对他与李德·哈特的第一次也是唯一一次见面的描述中。特赖索尔当时正在撰写富勒的传记，他记录道，"我几乎立即就得到了李德·哈特对富勒《野战条令 III》讲座的一些记录，记录中概括了他们在 20 世纪 30 年代的分歧（Lt. Col. Anthony J. Trythall, "Liddell Hart: Some Thoughts and Memories," *Journal of the Royal United Services Institution* 115［June 1970］: 71），emphasis added。"李德·哈特对这个神话的成功传播，参见 Trythall, *"Boney" Fuller*, 200, 226—228。

99. 参见 "Award of Chesney Gold Medals," *Journal of the Royal United Services Institution* 109（Feb. 1964）: 68—72。A. J. P. Taylor, "A Prophet Vindicated," rev. of *Memoirs*, vol. 2, by LH and *The Theory and Practice of War*, ed. Michael Howard, *Observer*, 31 Oct. 1965, 27。

100. 参见 Luvaas, "The Captain Who Teaches Generals," in *The Education of an Army: British Military Thought, 1815—1940*（London: Cassell, 1965），374—424。

101. 体现在他们大量的通信中（1/465）。

102. 这些是布赖恩·邦德在 *Liddell Hart*, 279 中的话；审查后的章节副本，见 13/4。

103. The Theory and Practice of War: Essays Presented to B.H. Liddell Hart on His Seventieth Birthday（London, 1965）. 关于他们的亲密友谊，参见回信 1/384。

104. 例如，参见 Louis Morton, rev. of *The Theory and Practice of War*, ed。Michael Howard, *Journal of Modern History* 39（Dec. 1967）: 454—455。莫顿（Morton）最后说道，"李德·哈特被称为'教导将军们的上尉'。这册书充分证明这个观察，也为他对两代军事历史学家的影响提供了有说服力的证明"（455）。

105. 在这些特别的文章中，根据莫顿的说法，"李德·哈特对机械化战争发展的贡献十分清晰"（ibid., 454）。关于这些友谊的证据，参见这些通信文件：Beaufre（1/49）；O'Neil（1/555）；Pile（1/575）。

106. Howard, *Theory and Practice of War*, 164.

107. 事实上，李德·哈特帮助派尔撰写了这一章；参见 Howard to Pile, 8 Sept. 1964；Pile to LH, 10 Sept. 1964；LH to Pile, 16 Sept. 1964；copies in 13/51。

108. Howard，*Theory and Practice of War*，141. LH vetted Beaufre's chapter；参见 LH to Beaufre，9，20 Oct. 1964；Beaufre to LH，15 Oct. 1964；copies in 1/49。

109. 副本收于 *Listener*，23 Dec. 1965，1028—1030。应该强调，迈克尔·霍华德在 1965 年对于固化(公众)对李德·哈特的传统观念发挥了关键作用。原因不仅限于他是之前提到的纪念文集的编辑，而且他还在两处地方对李德·哈特的《回忆录》做了赞赏的评论；参见 chap.1，n.18 及副本；以及 Michael Howard，"The Liddell Hart Memoirs，" rev. of *Memoirs*，vols.1 and 2，*Journal of the Royal United Services Institution*，111（Feb. 1966）：58—61，文章结尾是："在过去 20 年中，李德·哈特努力教导、写作、分析，尤其是训练了西方世界新一代军官和学者，将他精细的理性标准和学术诚信应用于分析军事问题。结果是他的声誉大为提升。他的历史地位是稳固的，尽管没有像他自己所期望的那样，成为英国军队的改革者，但却超越任何人，成为指导我们如何理性并清晰地思考战争的人，并且作为这样的先知，最终理所当然地在他的国家享有盛名"(61)。然而，随着时间流逝，霍华德的评价逐渐平和；例如，参见 Michael Howard，"Liddell Hart，" *Encounter* 34（June 1970）：37—42。

110. B.Bond，*Liddell Hart*，273.

111. Luvaas to LH，27 May 1965，1/465；LH to Commager，1 June 1949，9/24/18.对《德国将军谈话录》的一些负面评论引发李德·哈特作出书面回应，评论的大部分出现在一些美国的报纸和期刊上；参见 9/24/18。

112. 参见"Award of Chesney Gold Medals，" 68—69；其他 Hackett's address at a memorial service for LH on 20 Apr. 1970，in *Journal of the Royal United Services Institution* 115，（Sept. 1970）：37—38. F.M.Lord Michael Carver，*The Apostles of Mobility*：*The Theory and Practice of Armoured Warfare*（New York：Holmes & Meier，1979）。

113. "The Fuller-Liddell Hart Lecture，" *Journal of the Royal United Services Institution* 124（Mar. 1979）：30.富勒于 1966 年 2 月去世，《回忆录》1965 年出版时，他的健康状况不断恶化；参见 Trythall，"*Boney*" *Fuller*，chap.10。

114. 李德·哈特一生中面临的一次重要的公开挑战，参见 Irving M. Gibson's［A. Kovacs］chapter in Edward Mead Earle，ed.，Makers of Modern Strategy：Military Thought from Machiavelli to Hitler（Princeton，N.J.：Princeton University Press，1943），365—387，文章写于第二次世界大战期间，对李德·哈特 20 世纪 30 年代以后的作品提出了批评。尽管厄尔

245

(Earle)的著作被公认为是一部经典,但这篇文章几乎没有被关注。参见 chap.1, n.37, and n.123 below。牛津的第一位齐切利战争史讲座教授斯潘塞·威尔金森(Spencer Wilkinson)也公开挑战了李德·哈特早期的一些观点;参见他的"Killing No Murder: An Examination of Some New Theories of War," *Army Quarterly* 15(Jan. 1928):14—27。李德·哈特有时还受到私下的挑战;参见 LH correspondence with Fuller (1/302); J. M. Scammel (1/622); Wilkinson(1/748)。

115. Luvaas, LH's Obituary, *American Historical Review* 75 (June 1970):1574.参见 also B. Bond, *Liddell Hart*, 1—4; Howard, "Liddell Hart," 37—42; Kathleen Liddell Hart, Foreword, LH, *History of the Second World War* (London: Cassell, 1970), vii—viii; Robert Pocock, "Liddell Hart: The Captain Who Taught Generals," BBC radio program (transcript in *Listener*, 28 Dec. 1972, 892—896); Trythall, "Liddell Hart: Some Thoughts and Memories," 71—72。

116. 例如,参见 LH, letter, *Times*, 24 Apr. 1963, 13; John A. Terraine, letter, *Times*, 26 Apr. 1963, 15; LH, The Basic Truths of Passchendaele"; John A.Terraine, "Passchendaele and Amiens: I," *Journal of the Royal United Services Institution* 104 (May 1959):173—183; idem, "Passchendaele and Amiens: II," ibid.(Aug. 1959):331—340; their correspondence in 1/683; John A.Terraine, *Douglas Haig*: The Educated Soldier (London: Hutchinson, 1963); idem, *The Western Front*, *1914—1918* (Philadelphia: Lippincott, 1965); idem, *To Win a War*: *1918*, *the Year of Victory*(Garden City, N.Y.: Doubleday, 1981)。

117. Harold R.Winton, "General Sir John Burnett-Stuart and British Military Reform, 1927—1938"(Ph.D. diss., Stanford University, 1977), iv.

118. 参见 Macksey's comments in Pocock, "Liddell Hart," 895;以及 Kenneth J.Macksey, "Fuller and Liddell Hart Reviewed," rev. of *Liddell Hart*: *A Study of His Military Thoughts*, by Brian Bond, *Journal of the Royal United Services Institution* 123(Mar. 1978):72。也可参见麦克塞的 *Armoured Crusader*: *A Biography of Major-General Sir Percy Hobart*(London: Hutchinson, 1967)中多处对李德·哈特的赞赏,a marked contrast to *Tank Pioneers*。

119. Edmonds to LH, 20 Nov. 1934, 1/259.

120. Capt. Frank C.Mahin, rev. of *The German Generals Talk*, by LH, *Military Affairs* 13(Spring 1949):58.关于马欣(Mahin)的传记资料出处

同上。

121. LH to Gen. Dwight D.Eisenhower，21 May 1949，9/24/18；see also LH to Commager，1 June 1949，9/24/18. Eisenhower to LH，11 July 1949，1/261.

122. LH to Paget，20，28 June 1958；Paget to LH，24 June 1958，1/563. Fred Majdalany, *The Battle of Cassino*（Boston：Houghton Mifflin，1957），25.

123. 关于李德·哈特消除批评者并将他们变为朋友的案例，参见他与 Paul Addison（2/121），Gen. Andre Beaufre（1/49）和 F.M.Lord Michael Carver(1/153)的通信。最好的例子是关于 Earle：Makers of Modern Strategy (see chap.1，n.37)原版中涉及李德·哈特的章节。这一章包含一些细微的错误，但对李德·哈特20世纪30年代的思考作了很好的分析。李德·哈特与这本书的编辑者爱德华·米德·厄尔(Edward Mead Earle)进行大量的通信，最后成功说服厄尔这一章的作者是完全错误的。参见回信 1/255。

124. 关于编辑的初始描述，参见 Infantry Journal 64（Mar. 1949）：31。关于李德·哈特的信件，参见 ibid.，(June 1949)：52—53。关于编辑的道歉，参见 ibid.，53。

第九章
结论：对现在的教训

从李德·哈特的故事中可以归纳出三个普遍的经验。第一个是关于历史如何影响政策制定，对研究外交政策的学者来说这是一个很有意思的题目。[1]决策者都有自己关于世界如何运转的理论（这里我使用的是最宽泛的含义），因为他们需要理论框架去理解他们所面对的问题。在形成这些理论或框架的过程中，人们有意或无意识地依赖过去发生的事情。当然，过去的事情对思想的影响程度因人而异。构建关于世界如何运转的理论，历史是一个丰富的数据库。当过去的事件可以提供与今天相似的具有启发性的案例时，历史尤其有用。与政策相关的，基于历史事实的理论很容易从这些类似的案例中发展出来，尤其是在外交和军事政策方面，过去的历史由战争和外交事件构成，它们对于当今的决策者有重要的意义。

在有关历史的问题上决策者的表现遵循三种一般的模式。[2]在第一种模式"解析历史"中，决策者表现为传统的理性行为体，他会有意识地寻求通过历史理解现在的事情。[3]历史可以被用来发展出适用于现在的一般性规律。决策者仔细地选择历史案例，关注现有问题与历史案例之间的区别。另外，决策者还会寻找证据驳斥那些他认为有用处的一般规律。大体上，决策者会选择历史事件指导自己处理今天存在的问题，因为历史不能提供最终的答案，只能提供一些作为参考的框架帮助加深对现有问题的理解，或者为解决问题提供一些线索。

历史的作用是有限的。我们对于过去事件的了解是不全面的，因此对历史的解读从没有过一致性。简单地说，没有被普遍接受的关于过去的经验。过去的事件与现实问题之间总会有很多不同，例如两个不同时期军事技术的差别或者两个国家战略环境的不同。理性的行为体当然会考虑到这些差异，并且还会认识到不利于历史对比的情况。历史可以成为有价值的工具，但是要谨慎使用。

在第二种模式"历史无处不在"中，一个决策者会完全从特定历史事件的角度看待问题。[4]他会迫使现在的问题符合他对过去事件的解释。他不会认识到过去与现在事件之间的区别，而这会弱化过去事件作为范例的效用。简单地说，决策者没有在过去和现在之间进行有效的取舍。被简单切割的历史成为主导性变量。

在第三种模式"选择历史"中，历史对决策者的影响不大。[5]尽管没有人会完全不受历史的影响，但对于这类决策者，没有证据表明历史有重要的或持久性的影响，或者说他们尝试通过过去理解现在。相反地，决策者的政治处方是基于狭隘的利益，他们尽全力维护这些利益。然而，一旦决策者在某一问题上形成固定的立场，历史还是可以发挥作用，决策者会选择性地利用历史支持他的观点。他对历史的使用既不科学又不客观。历史仅仅成为他维护既得利益的借口。一位学者将这种模式称为对历史的"动机性理解"。[6]历史不仅被裁剪以契合决策者的利益，当一些明显的历史教训与现在相关并且威胁到既得利益，决策者也会尽全力忽视它们。在"历史无处不在"模式中，过去完全主导现在，而在"选择历史"模式中，情况正相反，过去是从属于现在的。

在两场战争之间，李德·哈特是如何使用历史的？这个问题可以转化为更为具体的问题，即他对第一次世界大战的思考与他军事思想的发展如何关联？在第一次世界大战刚刚结束的几年中，李德·哈特的注意力都集中在步兵战术和装甲战略上,他的思想具有解析历史的典型特征。他对第一次世界大战经验进行系统研究的努力令人钦佩,并且提出了综合性的步兵战术理论。他还善于接受批评,他询问其他人的意见并且认真对待他们的评论,当他认为他的观点经不起推敲就加以改变,就像他与富勒之间的交往一样。李德·哈特主动将他的步兵战术作品寄给富勒,请求他作出评论。这两位军事思想家随后就坦克的作用进行了尖锐的辩论。李德·哈特尽力坚持他的观点,即步兵仍将是战场上的主导力量,坦克只能发挥附属作用。然而不久他就开始认识到富勒的观点更有道理,他随后改变了他的观点,并接受富勒的观点。[7]李德·哈特对他与英国军事领导人之间关系的早期思考对他发展新的战术和战略观念的分析路径起到了补充作用。他将自己视为一个杰出的年轻思想家,可以为善于接纳意见的高级指挥官们提供军事获胜的关键。这种关系是一个理性的过程,思想开明的将军们能够认识到他精心创造的观点的价值。

到 20 世纪 20 年代后期,李德·哈特开始渐渐从"解析历史"转变为"历史无处不在"的思维模式,在很大程度上是因为他对英国军队的失望,主要原因是他对英国进行第一次世界大战感到厌恶。他的幻灭后来(变成)根深蒂固,他尽全力确保英国军队不会在欧洲大陆再进行另一场陆地战争。换句话说,他对第一次世界大战的思考塑造了他对大陆承诺的立场,而这是英国面对的最重要的大战略问题。然而,英国是否遵循他的建议在某种程度上取决于他对大量的重要战略问题的观点,包括:装甲战略、法国和德国军队的实力,以及未来战争的形式。对李德·哈特来说不幸的是,他早期在这些战略问题上的立场是将英国卷入到欧洲大陆,而不是使其与欧洲大陆保持距离。例如,他断言坦克将彻底改变战争,并且提供了可以避免重复第一次世界大战的手段,这种观点很可能鼓励了英国的决策者回到欧洲大陆。为了修正这个不好的结果,李德·哈特改变了他的立场,并争辩说在坦克主导的战场上,防御比进攻有更大优势。到 20

世纪 30 年代后期,他在每一个关键战略问题的观点都发生了变化。这些重要的变化不是基于新的证据被发现或者像在 20 世纪 20 年代那样,有挑战性的观点对他早期的立场提出质疑。相反地,他改变他的军事思想是因为如何思考第一次世界大战对他来说极端重要。一个关键的历史事件塑造了他对大战略的观点,这些观点又决定了他对战略和战术问题的观点。

李德·哈特最初开始改变对这些战略问题的态度时,他可能意识到这只是权宜之计。例如他的作品表明,如果他在 1934 年或 1935 年要面对他早期关于闪电战的观点,他本应该承认这些观点的价值。然而,随着时间推移,他立场发生了极端的变化,排除了任何发动闪电战的可能性。所有现有的证据显示到 20 世纪 30 年代后期,他完全相信这一极端立场是正确的。他不再像早期那样可以理性地思考军事问题。否则像李德·哈特这样聪明的人怎么会完全误判 1940 年 5 月事态的发展,尤其考虑到他的早期作品是如此具有先见之明。

同样的模式还表现在李德·哈特对广泛外交政策议题的思考中。他在 20 世纪 30 年代的主要目标是塑造可以在欧洲威慑侵略的外交政策,同时确保如果威慑失败,英国不会卷入地面战斗。这里他的观点也同样在很大程度上受到他对第一次世界大战态度的影响。在 1938—1939 年之间,他对德国威胁的评估的转变就可以说明这一点。在几乎整个 1938 年,李德·哈特显然认识到希特勒的战略设计,因此对于张伯伦政府的绥靖政策持严肃的保留态度。但是当英国政府在 1939 年初决定通过大规模介入欧洲地面战争以威慑希特勒时,第一次世界大战的幽灵仍然使李德·哈特十分忧虑,以至于他开始改变对德国威胁严重性的评估。1939 年,几乎每个英国人都认识到希特勒不会满足,李德·哈特却开始淡化德国威胁的严重性,呼吁继续采取绥靖政策。

在李德·哈特的写作中,还存在第三种模式,即"选择历史"的痕迹,他使用与他的理论相关的术语描述一个历史主题。"选择历史"

按照其定义,与不受历史影响的思想有关,即没有历史事件有显著的印记,也不会通过仔细的研究过去以理解现在的事情。而李德·哈特的军事思想受到历史的重要影响。在 20 世纪 20 年代早期事实就是这样的,他通过研究过去(案例),试图为进行下一场战争创造合理的战场理论,在 20 世纪 30 年代,"历史无处不在"模式主导了他的思考。当他选择性地使用历史时,就开始阐释并证明被他的历史解读所塑造的理论。

"选择历史"通常被用来保护一个受到威胁的组织(或机构)。在军事组织中,不同模式之间的竞争以及现代军事技术的不断发展总是威胁到组织构成。[8]对于李德·哈特这个 20 世纪 20 年代早期的步兵军官,特别有意思的是他关于步兵战术的观点以及后来认为坦克将改变战场性质的观点转变都与官僚和组织政治无关。没有证据表明在他和富勒讨论步兵的未来时,他对步兵的维护是基于他要保护这一军事分支(的作用)不受坦克的威胁。这毫无疑问地解释了他为什么能够接受富勒关于坦克的观点,并且后来要求转到坦克部队。在他作为一个陆军军官期间,李德·哈特明显地没有受限于狭隘的部门利益。这个事实,再加上他当时对英国进行第一次世界大战持积极态度,使得他得以按照理性行为模式行事。

关于不同的思维模式什么时候发挥作用,李德·哈特的故事能告诉我们什么?他的故事与可能产生"历史无处不在"模式的情境有很大关系,当一个人直接卷入到产生深刻和长久影响的重要历史事件中,这种模式就会出现,例如一场战争(越南战争),一场有转变为战争风险的危机(古巴导弹危机),或者是一个导致战争发生的外交事件(慕尼黑会议)。然而直接地卷入某一重大的事件中不必然导致"历史无处不在"模式。在满足以下三个条件的情况下,一个人才最有可能成为某个重要事件的囚徒:(1)在人生早期卷入这个事件;(2)后来又卷入到相似的政策议题中;(3)原来的经历很消极。[9]前两个条件赋予这个历史事件以生命中特别重要的意义;第二个和第三个条件结合起来形成一种信条,即不惜一切代价避免这个事件重演。在第一次世界大战刚刚结束的几年中,李德·哈特在很大程度上是一个理性的人,突出的标志是他对战争持积极的态度,在这段时间,他只具备前两个条件。在他的故事中,第三个条件对决定他的政策建议起到了关键作用。随着他对英国在第一次世界大战中作用的态度从正面转为负面,他的(思维模式)从分析历史转向"历史无处不在"。

李德·哈特是如何使用历史的,或者更准确地说,历史是如何利用李德·哈特的,这对于决策理论有重要意义,并且为铭记越南战争的美国人提供了教训。那场冲突深刻影响了那个时代很多的年轻人,在分析当前的国家安全问题时,它会被当作重要的参考。[10] 几乎所有人都认为这场冲突是完全负面的经历,永远不要再重演。受到越战深刻影响的未来决策者很可能会遇到与决定卷入这场冲突时所类似的情况。"历史无处不在"模式的所有要素都会存在。这不是说美国的决策者们一定会在未来作出错误的外交决策,只有在越战遗产有可能制造麻烦的时候,他们才会犯错。外交决策者当然会否认他们会成为一个历史事件的囚徒。事实上几乎每一个人都把自己视为最后的理性人。例如,李德·哈特在 20 世纪 30 年代后期不停地宣称他是一个不考虑感情因素的分析者,完全可以在最有争议的问题给出客观的评价(例如,在《英国的国防》一书的前言中)。他的自我欺骗对我们所有人都是一个警醒。

在这个案例中,第二个普遍的经验是对各种观点进行甄别。制定国家安全政策的过程会受到时下主要辩论中各种观点和理论的深刻影响。很明显,一些观点可以提供更好的答案,而一些观点会招致灾难。鉴于在核时代采用有缺陷的国家安全政策会带来严重的后果,我们需要在决策过程中让合理的观点胜过错误的观点。在这方面,李德·哈特的案例是令人不安的。他在 20 世纪 30 年代向大众传递了有严重缺陷的观点,却没有受到严肃的质疑。另外,在后来他还能够曲解那个阶段的历史,导致未来一代的国家安全学者和决策者们在回顾历史时,将他们对现代问题的观点基于扭曲的历史之上。

一个知识共同体,在这个案例中的国家安全共同体如何能够防止未来再出现这样的事情? 首先,要发展知识的多元化,欢迎不同的观点,鼓励开放和复杂的辩论。即使这样也不能保证错误的观点被摈弃,但至少尖锐的评估更有可能实现这种结果。李德·哈特的问题是源于没有人批评他,导致他提出有问题的观点并得以不断地重复这些观点。如果有令人敬畏的批评者,本可以迫使他证明并斟酌,甚或是改变他的观点。那么他在提出自己的观点时就会更加谨慎。

其次,在关键的政策辩论中要让人们对自己提出的观点负责。研究防御的学者需要了解,针对他们的观点和整体表现会有专业的判断,假内行会被暴露。缺少对不当表现的惩罚意味着不能控制错误观点的扩散。事实上,李德·哈特曾经一度为他的错误观点承担了责任。在第二次世界大战期间以及第二次世界大战刚刚结束时,他的影响力一落千丈,这事实上就是对他在如何对付第三帝国问题上提出错误观点的惩罚。然而,关于李德·哈特的案例,令人不解的是,最后他能够通过重写历史而摆脱困境。国家安全研究的共同体,尤其是历史学家,应该警惕这种出于私利操纵历史的情况。[11]

第三个教训是保持国家大战略协调的必要性以及实现这点的难度。大战略的协调需要恰当地选择手段以支持国家的目标,手段和目标关联不好,就难以实现协调,国家的军事姿态就不能很好地支持国家的目标。[12]实现和维持这种协调的难度在李德·哈特和他对英国战略思想的贡献的例子中表现得很清楚。尽管他接受国家大战略必须内部协调的信条,但却没能设计出这样的大战略。然而他的军事理论被普遍接受的事实说明不充分的国家安全辩论是如何催生出不协调的大战略以及需要付出多大代价。李德·哈特认识到英国别无选择,只能在欧洲大陆上保持力量平衡,但是他却没能发展出军事政策以实现这一目标。他在两场战争之间探索了很多军事观点,但是没有一个能满足他的标准同时又能遏制德国对欧洲均衡的威胁。问题的根源是李德·哈特对"大陆承诺"的反感。英国要维持欧洲力量平衡的唯一希望是建造一支可以直接用来对抗第三帝国的军队。没有其他方式可以阻止希特勒获得欧洲大陆霸权的计划。然而，李德·哈特不能面对一个事实，即英国不能在政治上留在欧洲大陆，但在军事上保持距离。英国在安全方面的争论没有使他意识到这个严酷的现实，因为英国的安全（研究）共同体很小，李德·哈特在其中的影响力很大。

这个故事在当前可以找到一个类似的情况。尽管像英国、法国和德国这些传统大国的实力下降，并且出现全球范围的大国竞争，欧洲仍然是世界上最重要的战略区域。苏联在欧洲集中了强大的军事力量，尽管苏联在欧洲的意图不是完全清晰，但是美国像英国一样，不能忍受单独一个大国控制欧洲大陆，不管是苏联还是德国。因此，美国必须在欧洲维持强大的军事力量，可以在未来欧洲的某场危机中威慑苏联。

支持美国减少或放弃在欧洲军事部署可以基于很多考虑，包括：削减美国国防开支的愿望，担心卷入一场欧洲战争，对欧洲不愿分享北约的防务负担的不满，反感一些欧洲国家国内政治的左倾，对欧洲的以色列政策不满。很多观察家会认为这些关切中至少有一些是有价值的。然而问题不是削减军事力量是否会有好处，而是削减力量能否让美国实现她的根本目标？如果不能，那么削减军事力量的支持者们正在重复李德·哈特的错误，即建议一个不协调的大战略。他们建议的军事立场不能保护国家的核心利益。正如李德·哈特的案例清晰地表明，一个孤悬在外的大国如果不愿意在欧洲大陆进行战斗，就不能对欧洲施加有意义的政治影响力。美国如果不能将它的政策基于这个前提之上，它将承担严重的风险，在没有意识到这么做的全部后果之前，它不应该作出如此重大的决定。

注 释

1. Robert Jervis, *Perception and Misperception in International Relations*

(Princeton, N.J.: Princeton University Press, 1976), chap.6; Ernest R. May, *"Lessons" of the Past: The Use and Misuse of History in American Foreign Policy*(New York: Oxford University Press, 1975); Richard A.Melanson, *Writing History and Making Policy: The Cold War, Vietnam, and Revisionism*, vol.6(New York: University Press of America, 1983); Ernest R.May and Richard E.Neustadt, *Thinking in Time: The Uses of History for Decision Makers*(New York: Free Press, 1986).

2. 我总结的这三种模式源于对李德·哈特以及决策理论文献的研究。

3. 关于理性行为体模式,参见 Graham T.Allison, *Essence of Decision: Explaining the Cuban Missile Crisis*(Boston: Little, Brown, 1971), chap.1; John D.Steinbruner, *The Cybernetic Theory of Decision: New Dimensions of Political Analysis* (Princeton, N.J.: Princeton University Press, 1974), chap.2。

4. Jervis, *Perception and Misperception*, chap.6; Deborah W.Larson, *Origins of Containment: A Psychological Explanation* (Princeton, N.J.: Princeton University Press, 1985); Richard Ned Lebow, *Between Peace and War: The Nature of International Crisis*(Baltimore: Johns Hopkins University Press, 1981); May, *"Lessons" of the Past*; Herbert A.Simon and James G.March, *Organizations*(New York: Wiley, 1858), chap.6; Janice G.Stein and Raymond Tanter, *Rational Decision Making: Israel's Security Choices, 1967*(Columbus: Ohio State University Press, 1980); Steinbruner, *Cybernetic Theory of Decision*, chap.4.

5. Allison, *Essence of Decision*, chap.3; Richard W.Cottam, *Foreign Policy Motivation: A General Theory and a Case Study* (Pittsburgh: University of Pittsburgh Press, 1977); Morton H.Halperin, *Bureaucratic Politics and Foreign Policy*(Washington, D.C.: Brookings, 1974).

6. Jack L.Snyder, *The Ideology of the Offensive: Military Decision Making and the Disasters of 1914*(Ithaca, N.Y.: Cornell University Press, 1984).

7. 富勒的传记作家安东尼·特赖索尔同样描述了李德·哈特与富勒早期的观点交流:"在 20 年代,这两位进行了大量的通信并且频繁地见面……通信主要集中于(讨论)坦克,值得注意的是他们两个人以一种苏格拉底式的通信对话,你来我往地进行对双方都有利的观点交锋。"(*"Boney" Fuller: The Intellectual General*, 1878—1966[New Brunswick, N.J.: Rutgers University Press, 1977], 93).

8. Halperin, *Bureaucratic Politics*.

9. "无处不在的历史"模式何时会主导，在这方面与我的观点不同的讨论，参见 Jervis, *Perception and Misperception*, 239—282。

10. 参见 Ole R.Holsti and James N.Rosenau, *American Leadership in World Affairs：Vietnam and the Breakdown of Consensus*（Boston：Allen & Unwin, 1984）; Melanson, *Writing History and Making Policy*, esp. chaps. 6—7。

11. Holger H.Herwig 很好地阐释了这一点，"Clio Deceived：Patriotic Self-Censorship in Germany after the Great War," *International Security* 12 （Fall 1987）:5—44。

12. 关于这个问题的出色讨论，参见 Barry R.Posen, *Sources of Military Doctrine：France, Britain and Germany between the World Wars*（Ithaca, N.Y.：Cornell University Press, 1984）。

图书在版编目(CIP)数据

李德·哈特与历史之重/(美)约翰·米尔斯海默
(John J.Mearsheimer)著;齐皓译.—上海:上海人
民出版社,2020
书名原文:Liddell Hart and the Weight of
History
ISBN 978 - 7 - 208 - 16400 - 0

Ⅰ.①李…　Ⅱ.①约…②齐…　Ⅲ.①哈特(Hart,
Liddell 1895 - 1970)-军事思想-研究　Ⅳ.①E095.61

中国版本图书馆 CIP 数据核字(2020)第 054238 号

责任编辑　王　冲
封面设计　COMPUS·道辙

李德·哈特与历史之重
[美]约翰·米尔斯海默 著
齐　皓 译

出　　版　上海人民出版社
　　　　　(200001　上海福建中路 193 号)
发　　行　上海人民出版社发行中心
印　　刷　上海商务联西印刷有限公司
开　　本　635×965　1/16
印　　张　16.75
插　　页　4
字　　数　213,000
版　　次　2020 年 7 月第 1 版
印　　次　2020 年 7 月第 1 次印刷
ISBN 978 - 7 - 208 - 16400 - 0/E·73
定　　价　68.00 元